Éléonore Fernaye est née à Paris à la fin du XXe siècle. Elle a toujours rêvé d'être une princesse. Renonçant provisoirement à son rêve pour apprendre le japonais, elle collectionne les robes (de princesse) et les chaussures insolites. La lecture de *Lady Oscar* a bouleversé sa vie à tel point qu'elle a décidé d'écrire sa propre histoire d'amour sur fond de siècle des Lumières, conjuguant habilement sa passion pour l'histoire et son amour de la romance.

Éléonore Fernaye

Scandaleuse Élisabeth

La Famille d'Arsac – 1

Milady Romance

Milady est un label des éditions Bragelonne

ISBN : 978-2-8112-1071-7

Bragelonne – Milady
60-62, rue d'Hauteville – 75010 Paris

E-mail : info@milady.fr
Site Internet : www.milady.fr

Remerciements

À tout seigneur, tout honneur, je tiens d'abord à remercier Stéphane Marsan, qui fut le premier à croire à ce projet, et m'a donné l'impulsion nécessaire à sa réalisation. Merci à Isabelle Varange pour son soutien et à toute l'équipe de Bragelonne-Milady pour son accueil, sa bonne humeur et son implication.

Tous mes remerciements vont à mon mari, qui n'a jamais douté de moi ni de mon travail, et qui a toujours su trouver les mots justes pour me faire avancer.

Ma profonde gratitude va également à ETN, qui sait pourquoi.

Merci enfin à toi, lecteur, d'avoir ouvert ce livre. Ce faisant, tu me laisses une chance de te faire découvrir l'histoire d'Élisabeth. J'espère que tu auras autant de plaisir à la lire que j'en ai eu à l'écrire.

Chapitre premier

*É*lisabeth d'Arsac n'était pas du genre à se montrer impolie. Vraiment pas. Mais quand elle entendit sa mère l'interpeller alors qu'elle était sur le point de sortir de leur hôtel parisien, elle dut faire appel à toutes ses années d'éducation pour ne pas l'envoyer au diable.

— Ma fille, je suis très déçue de votre comportement, tempêtait celle-ci.

La comtesse Louise portait encore la robe dans laquelle elle avait reçu ses invités à souper, mais avait ôté ses bijoux, ce qui lui donnait une apparence assez étrange quand on connaissait sa passion pour le décorum.

Élisabeth ravala un soupir et fit signe à la servante de l'attendre, avant de se retourner pour affronter l'orage.

— Quelle est donc la cause de votre courroux, mère ?

Celle-ci eut un geste d'agacement.

— Cessez donc de prétendre que vous l'ignorez ! N'êtes-vous donc pas capable de vous tenir en société ? Votre père rassemble quelques-uns de ses plus proches amis à dîner, vous fait l'honneur de vous y convier, et voilà que vous vous avisez de rire à une plaisanterie pour le moins… indécente.

Elle paraissait au bord de la pâmoison rien qu'en y repensant.

Élisabeth s'efforça de garder son calme. La scène à laquelle sa mère faisait allusion avait eu lieu au cours du dîner qui réunissait huit amis de son père, qui, pour la plupart, l'avaient connue enfant. Quant à la référence grivoise, elle n'aurait certainement pas dû l'entendre, mais elle en avait lu de pires dans les romans libertins qu'elle avait dénichés dans la bibliothèque.

— Mère, M. de Renlis m'a quasiment vue naître ! Je doute fort qu'il prenne offense de ma réaction, pas plus que les autres convives.

— Vous ne pensez donc jamais à votre réputation ? Ces messieurs ont des fils, des neveux… Votre père serait fort aise de vous marier à l'un d'entre eux.

Cette fois-ci, la jeune femme ne put s'empêcher de lever les yeux au ciel. C'était le grand désespoir de sa mère : depuis qu'elle l'avait tirée, à dix-huit ans, de l'abbaye au Bois où elle était élevée, Élisabeth n'avait pas trouvé de fiancé. Les deux premières années, la situation était parfaitement acceptable ; Mme d'Arsac achevait l'éducation de sa fille en la faisant tenir salon avec elle, en la sortant au spectacle ou à la promenade.

Mais cela faisait bientôt quatre ans qu'Élisabeth avait quitté le couvent, et sa mère commençait à perdre patience. Elle-même n'était franchement pas pressée de se marier, même si la cohabitation perpétuelle avec ses parents lui pesait de plus en plus ces derniers mois.

— Le nom et l'ancienneté de notre famille auraient raison de réticences bien plus importantes qu'un sourire un peu complaisant à une plaisanterie pas très innocente. Vous savez fort bien qu'il en faudrait plus pour décourager certains robins…

Sa mère eut l'air outrée, mais Élisabeth poursuivit.

— Après tout, des filles de la noblesse épousent bien des roturiers de nos jours.

— Il suffit ! Je ne veux plus vous entendre proférer ce genre d'insanités.

— Enfin, mère, vous avez, vous aussi, compris cette plaisanterie ! Je vous ai même vue sourire.

La comtesse prit un air pincé.

— Qu'importe, répliqua-t-elle, je suis mariée et vous ne l'êtes pas. Qui plus est, si j'ai souri, c'était discrètement et derrière ma main pour ne pas choquer ces messieurs. Il ne s'agit pas d'être ignorante de ces choses, mais plutôt de le faire croire.

— J'ai toujours eu horreur du mensonge.

Mme d'Arsac émit un petit bruit guère distingué qu'elle dissimula par une quinte de toux, avant de relever la tête et de dévisager sa fille sans un mot.

Celle-ci se sentit rougir.

— Très bien, je l'admets. Il m'est arrivé de mentir. (Sa mère haussa un sourcil.) Souvent. Mais pas pour me déprécier ou me faire plus bête que je ne suis !

— Il n'est pas question de vous faire plus bête que vous n'êtes, cessez de déformer mes propos.

Seulement… de mettre de l'eau dans son vin. Parfois, il faut savoir faire des concessions pour plaire.

— Mais c'est bien là que le bât blesse, mère : je ne souhaite pas plaire.

— Je le vois bien, répondit la comtesse d'un air triste. Et cela me chagrine. Non pour moi mais pour vous. J'espère néanmoins qu'un jour prochain, vous éprouverez ce désir et qu'il vous poussera à reconsidérer votre jugement.

Élisabeth demeura sans voix face à un tel aveu. Sa mère partageait rarement ce genre d'opinion avec elle. Oh, elle ne doutait pas de son amour, non… mais la bienséance prenait souvent le pas sur la spontanéité.

Mme d'Arsac fut la première à se reprendre.

— Quoi qu'il en soit, gardez bien cela à l'esprit : comportez-vous dignement, selon votre rang et votre sexe. Cela aura beaucoup de poids pour votre avenir. À présent, je vous laisse rejoindre Mme du Plessis, qui doit vous attendre.

Élisabeth et son amie Félicité du Plessis avaient prévu de se rendre au bal de l'Opéra, qui débuterait à minuit, et de se changer auparavant chez cette dernière, qui résidait dans le quartier du Marais.

Quand sa mère eut disparu dans l'escalier, la jeune femme enfila une longue pelisse par-dessus sa robe de soie et sortit dans l'air glacial de début janvier, sa servante sur ses talons.

La voiture franchit le portail de la demeure de l'honorable famille du Plessis et s'arrêta devant le perron. Dans la cour éclairée par des torches, Élisabeth descendit sans attendre que le laquais lui ouvrît la portière et s'empressa de gravir les marches. Elle parut hésiter une seconde, puis se retourna et annonça :

— La voiture peut rentrer. Mme du Plessis me fera raccompagner.

La servante qui l'accompagnait protesta.

— Mademoiselle, je regrette, mais votre mère a dit…

— Je sais parfaitement ce que ma mère a dit. Mais moi, je te demande de rentrer à la maison. Quoi qu'il en soit, ta présence n'était pas requise toute la soirée, répondit-elle avec hauteur.

Élisabeth n'avait pas prévu d'enfreindre aussi vite les recommandations de sa mère, mais elle avait cédé à une impulsion et détestait revenir sur sa décision.

— En outre, reprit-elle, la suivante de Mme du Plessis sera là toute la soirée.

Elle se mordit la langue. Pour quelqu'un qui avait professé avoir le mensonge en horreur moins d'une heure auparavant, elle était singulièrement prolifique ce soir, songea-t-elle déconfite. Néanmoins, elle n'avait pas l'intention de céder au remords. Elle congédia donc sa domestique et sa voiture d'un geste de la main, puis entra dans l'hôtel.

Elle sourit au majordome qui l'escorta jusqu'au salon de musique de l'hôtel particulier. En dépit de l'heure tardive, Félicité jouait de la harpe, égrenant les notes d'une mélodie mélancolique à la mode. Elle s'interrompit néanmoins à l'arrivée de son amie et se leva dans un bruissement de tissu pour la saluer.

C'était une belle jeune femme du même âge qu'elle. Toutes deux étaient blondes, mais Félicité avait des yeux d'un bleu lumineux, quand ceux d'Élisabeth étaient bruns. Elles s'étaient connues au couvent et ne s'étaient pas quittées depuis.

Les deux amies s'embrassèrent sur la joue, avant de s'asseoir sur des tabourets rembourrés.

— Je suis désolée de ce retard, mais mère a tenu à me sermonner une nouvelle fois. J'ai le sentiment qu'elle ne cessera pas tant qu'elle ne m'aura pas vue mariée et établie.

Elle lui relata sa conversation, avant de conclure sur une grimace :

— Je ne sais ce qui lui est passé par la tête quand elle m'a souhaité de vouloir plaire un jour… Plaire à un homme ? Pourquoi donc ?

— Par amour ? suggéra son amie.

— Le ciel m'en préserve ! À quoi me servirait-il d'être amoureuse ? À rêvasser, à perdre du temps que je pourrais occuper de façon utile… à me soucier sans cesse du qu'en-dira-t-on. Non, je préfère ma situation actuelle, même si j'envie souvent ta liberté.

Félicité demeura silencieuse et Élisabeth se mordit la lèvre.

— Pardonne-moi… Tu sais bien que je ne souhaite pas ton malheur, mais…

Son amie la rassura d'un sourire.

— Ne t'inquiète pas, j'ai compris où tu voulais en venir.

Sortie du couvent à dix-sept ans pour être mariée, Félicité avait vécu avec son époux, de trente ans son aîné, avant de devenir veuve il y avait près de deux ans.

— Mais j'aurais dû me montrer plus respectueuse.

— Ce n'est rien. Parfois, il est vrai, sa présence et ses conseils me manquent, mais il n'y avait pas d'amour entre nous, seulement du respect, ce qui n'est pas négligeable. Il a eu la bonté de m'éduquer, de faire de moi une femme. Mais à présent, je désire autre chose.

Après avoir observé scrupuleusement la période de deuil d'une année puis les six mois où elle n'avait pu porter que des vêtements de laine, Félicité avait célébré son retour dans le monde au début de l'hiver. Sans enfant, et à l'abri du besoin grâce à son héritage, elle ne montrait pas le moindre empressement à se remarier.

— Autre chose ? Mais quoi ? Tu as tout ce qu'on peut désirer !

— Il me manque l'affection. Contrairement à toi, ma famille est restreinte, je n'ai ni frère, ni sœur. Mon père vit en province et nos relations n'ont jamais été très chaleureuses.

Élisabeth ne put s'empêcher d'être surprise par de telles révélations. Son amie lui avait toujours paru être l'essence même du bonheur, et voilà qu'elle confessait qu'il manquait quelque chose à sa vie.

— Décidément, nous sommes bien différentes, reconnut-elle, un peu dépitée.

—As-tu pensé que le mariage pourrait t'aider à acquérir cette liberté dont tu me parles ?

La jeune femme poussa un soupir.

—Oui, je l'ai envisagé. Je pense même que c'est le moyen le plus simple de l'obtenir. Mais je t'avoue que la perspective de laisser mon mari avoir la mainmise sur mon corps, mes actions et mes biens ne me réjouit pas vraiment.

—Il y a peu de chances que cela t'arrive, surtout si tu apportes une contrepartie de poids à ton époux.

Félicité faisait allusion aux mariages désormais très fréquents entre la noblesse d'épée, dont elles étaient toutes les deux issues, et la noblesse de robe, surtout composée de magistrats. Ce type d'unions permettait souvent de restaurer les finances d'une vieille famille ruinée et d'apporter un peu de lustre aux récents anoblis.

—Je ne crois pas que père ait arrêté son choix sur quelqu'un. Pour l'heure, je suis condamnée à rester chez mes parents comme si j'étais une petite fille. Parfois, j'ai l'impression qu'on autorise plus de choses à ma sœur Constance, et elle n'a que douze ans !

Elle avait prononcé cette dernière phrase d'un air si farouche que son amie ne put s'empêcher de sourire en coin, et au bout de quelques instants, toutes deux éclatèrent de rire.

—Allons, n'oublie pas que Constance n'a pas le droit d'assister au bal de l'Opéra pour l'instant. Mais nous ferions bien de nous préparer et de partir avant qu'il soit trop difficile d'atteindre le Palais-Royal.

Le bal de l'Opéra, un des événements les plus courus de Paris, marquait l'un des temps forts du carnaval. Il avait lieu deux fois par semaine, et c'était la première fois cette année que les deux amies s'y rendaient. C'était également la première fois qu'elles avaient décidé de se passer de chaperon, partant du principe que le statut de veuve de Félicité les en dispensait.

Les deux jeunes femmes gagnèrent le premier étage de l'hôtel particulier, où se trouvaient les chambres. Une fois que l'on avait pu retirer les draperies grises du deuil, l'une d'entre elles avait été aménagée pour permettre à la maîtresse des lieux de s'habiller dans un vaste espace, éclairé ce soir par une dizaine de bougies et un feu crépitant.

Pour des raisons pratiques, Élisabeth avait fait envoyer deux robes de bal ici plus tôt dans la journée afin de faire son choix avec son amie. Elles étudièrent donc les étoffes et les couleurs avant de rendre leur jugement.

—J'opterais pour la robe bleu pâle, elle mettra plus en valeur ton teint et tes cheveux. Mais il faudra veiller au maquillage et à la coiffure.

Élisabeth hocha la tête et fit signe à la femme de chambre de commencer à la déshabiller. Félicité reprit leur conversation.

—Tu me disais que ton père n'a pas encore arrêté son choix. Sais-tu s'il a quelqu'un en vue pour ton mariage ?

—Pour être honnête, je pense que j'apprendrai la nouvelle une fois que tout sera réglé et qu'il ne manquera que ma signature au bas du contrat… Mais je crois qu'il a quelques pistes.

—Lesquelles?

—Pour commencer, il préférera me marier dans une famille illustre. Je peux d'ores et déjà écarter la plupart des prétendants dont les familles ont été anoblies récemment. Et ils sont nombreux! L'un d'eux m'a même demandé directement l'autorisation de me faire la cour la semaine dernière.

Félicité eut l'air choquée.

—Quel manque d'éducation!

—Si j'avais éprouvé le moindre intérêt, j'aurais sans doute accepté. Mais j'ai sauté sur l'occasion de m'abriter derrière la bienséance et l'ai invité à traiter directement avec père. Je n'ai pas eu de nouvelles depuis, j'en déduis donc qu'il n'a pas été retenu.

Comme elle venait de lui enfiler sa robe de bal, la femme de chambre s'apprêtait à lui retirer son pendentif.

—Non, laisse-le.

—Comme vous le désirez, mademoiselle.

Félicité leva un sourcil interrogateur.

—Tu ne crains pas que ce bijou te fasse reconnaître?

—Il y a toujours foule, là-bas! Et puis, même si c'est un modèle ancien, je ne suis pas la seule à en avoir un. J'ai récemment aperçu la marquise de la Tour porter un collier qui ressemblait à s'y méprendre à celui-ci.

C'était un bijou familial en forme de nœud ouvragé, émaillé d'or et de bleu. Ses couleurs s'accordaient parfaitement avec celle de son vêtement et son éclat ne manquerait pas d'attirer l'œil sur ses courbes féminines. C'était étrange. Ce soir, elle éprouvait le besoin de le garder et de le porter comme un talisman.

— Comment faut-il vous coiffer ?

Tirée de sa rêverie, Élisabeth sursauta.

— Qu'en dis-tu, Félicité ?

Celle-ci se retourna, évalua du regard son amie et décréta :

— Tu ne comptes pas mettre une perruque, n'est-ce pas ? As-tu au moins l'intention de poudrer tes cheveux ?

La jeune femme fit signe que non.

— Je suggère de les tresser avec des rangs de perles, reprit Félicité, ce sera du plus bel effet.

Une fois les préparatifs achevés, Élisabeth étudia son reflet dans le grand miroir au-dessus de la cheminée, et fut stupéfaite de découvrir cette femme élancée dont les formes étaient savamment mises en valeur par la robe. Elle eut du mal à se reconnaître en cette demoiselle au charme envoûtant. Ses cheveux brillaient du même éclat que son pendentif, et ses yeux, que l'on distinguait si bien grâce au masque de cuir noir, étaient rehaussés de reflets mordorés par l'illumination des chandelles.

Félicité fut prête vers minuit. Elle s'approcha de son amie, lui posa les mains sur les épaules comme pour mieux évaluer son apparence, et décréta d'un air satisfait :

— Eh bien, quelle métamorphose ! Je suis prête à parier que tu auras du succès et, qui sait, un bel étranger sera peut-être disposé à t'enlever ?

Elles se sourirent, retrouvant l'insouciance de leurs quinze ans, quand elles partageaient leurs confidences et leurs espoirs. Pour une fois, Élisabeth ne chercha pas à protester contre ces vœux de bonne fortune et se sentit frémir. Qui savait quelles rencontres elles pourraient bien faire?

La voiture fut avancée dans la cour. Emmitouflées dans leurs manteaux, les mains dissimulées par un manchon de fourrure et les pieds réchauffés par une brique chaude enveloppée d'un brocart, les deux jeunes femmes s'y installèrent. Félicité donna l'ordre de rejoindre le Palais-Royal, et le carrosse s'ébranla.

Dissimulée par l'obscurité, Élisabeth s'autorisa à sourire largement. Elle ressentait une sorte d'exaltation violente qui lui gonflait la poitrine, une émotion faite de joie et d'angoisse, de questionnements et d'anticipation. Pour une fois, elle se sentait libre. Et elle était fermement décidée à en profiter.

Chapitre 2

*H*enry Wolton marmonna un juron entre ses dents. Depuis bientôt deux mois qu'il résidait à Paris, il ne parvenait pas à s'habituer à ces encombrements incessants dans les rues, en particulier quand il s'agissait d'accéder aux lieux à la mode le soir.

Et puis, la ville avait beau être superbe, encore fallait-il pouvoir supporter ses habitants… Querelleurs, le verbe haut, parfois méprisants, ils semblaient ne se soucier de rien ni de personne.

Cela faisait maintenant près de deux heures qu'il avait quitté son logement situé dans le nouveau quartier de la Chaussée-d'Antin, et il arrivait enfin aux abords du Palais-Royal. Il aurait préféré s'y rendre à pied, ne rechignant jamais à un peu d'exercice, mais le froid était vif et les rues peu sûres. Certes, il se déplaçait toujours avec une canne dissimulant une lame d'épée, mais il aurait aimé, autant que possible, ne pas avoir à s'en servir.

Citoyen américain, Henry n'avait guère fréquenté la bonne société depuis son arrivée en France dans des circonstances douloureuses, deux mois plus tôt…

Cette pensée lui fit instinctivement tourner le regard sur sa main gauche, ornée d'une plaie qui refusait de cicatriser complètement. Il ferma les yeux, submergé par la nostalgie, quand la voiture de louage le secoua dans un dernier cahot et s'immobilisa, l'arrachant à ses pensées. Henry descendit, paya la course et s'arrêta un instant devant le bâtiment.

Il avait beau être déjà passé devant en journée et avoir arpenté, comme tous les Parisiens, ses jardins par beau temps, sa façade éclairée de nuit par des milliers de chandelles était incroyable. On se serait cru dans une de ces demeures fantastiques de contes de fées. La foule se pressait pour entrer, compte tenu de l'étroitesse du vestibule et des escaliers menant à la salle.

Une heure sonna à l'église Saint-Honoré toute proche. Il risquait vraiment d'être en retard ! Il allait se résoudre à se frayer un chemin pour arriver à temps, quand une main s'abattit sur son épaule.

— Je me doutais bien que vous étiez là ! s'exclama dans un parfait anglais Louis, l'ami qui l'avait convaincu de se rendre à ces festivités.

Henry haussa les épaules.

— Que voulez-vous, il a bien fallu suivre vos commandements… Tenez, j'ai même revêtu un costume qui fera couleur locale, ajouta-t-il en changeant de langue.

Son interlocuteur éclata de rire. Henry portait un habit à la française gris anthracite qui s'accordait à ses yeux et avait complété sa tenue d'un masque noir très simple. Le bal de ce soir étant moins formel que d'autres événements mondains, il avait délaissé la perruque poudrée pour nouer ses cheveux noirs en catogan.

— Vous m'en voyez ravi! Mais je crains que votre accent ne trompe personne…

— Et moi qui croyais pouvoir rester incognito pour observer le spectacle à mon aise! se lamenta Henry.

Tout en devisant gaiement, ils avaient avancé jusqu'à la porte, qu'ils franchirent après avoir montré leurs billets.

— Vous ne serez pas déçu! On prétend que le comte d'Artois, frère de Sa Majesté, viendra ce soir, avec quelques dames et gentilshommes de sa suite. La famille royale n'est officiellement jamais présente à ces divertissements trop populaires, mais ce ne serait pas la première fois…

Henry hocha la tête en silence, trop occupé à détailler la grande salle dans laquelle ils venaient d'arriver.

Haute de plafond et brillamment éclairée, celle-ci paraissait trop petite pour accueillir une foule aussi dense : le parterre, relevé au niveau de la scène pour l'occasion, et la scène elle-même étaient noirs de monde. Néanmoins, les danseurs disposaient d'assez de place pour évoluer gracieusement au son des violons, tandis que l'assemblée discutait par petits groupes, se faisait servir des rafraîchissements ou déambulait à la recherche d'un endroit discret.

À côté de lui, dans une encoignure, il surprit d'ailleurs un couple qui paraissait brusquement très intime… Gêné, il se détourna de la scène.

—Ah, les mœurs sont plus relâchées en ces murs, je vous l'accorde, dit Louis d'un air entendu. Et moi qui croyais que vous autres Américains étiez collet monté… Mais, vous êtes français ce soir, vous l'avez dit vous-même. Haut les cœurs !

—Qu'il en soit ainsi… Mais si je finis en enfer, je vous en tiendrai pour responsable.

Un sourire en coin adoucit ses derniers propos. Il appréciait Louis, un jeune noble qui avait sollicité son aide pour améliorer son anglais et s'entêtait, depuis, à le remercier en l'introduisant dans la bonne société.

D'abord réticent, Henry cédait du terrain peu à peu, enchaînant les entraînements à la salle d'armes et les rencontres littéraires dans les cafés… au point de se retrouver là ce soir et, d'ici quelques jours, dans le salon tenu par la mère de son protecteur.

Cela ne manquait pas de l'amuser car, si ses calculs étaient bons, son « protecteur » autoproclamé était son cadet de quatre ans. Mais cet agréable compagnon n'avait pas montré la moindre répugnance à fréquenter un roturier. En réalité, quand ils avaient découvert leur appartenance mutuelle à la franc-maçonnerie, une amitié fraternelle était immédiatement née.

—Tenez, quand je vous parlais de famille royale, chuchota son compagnon. Vous voyez la jeune dame en robe vert et argent ? Elle fait partie de la suite du comte d'Artois. L'épouse de celui-ci est sur le point d'accoucher, mais cela ne l'empêche pas de profiter des plaisirs de Paris. Il ne doit pas être loin…

Henry aperçut effectivement, au milieu de la salle, une danseuse correspondant à cette description. Elle était gracieuse et altière, l'incarnation même de la noblesse de cour. On aurait presque dit une poupée mécanique.

—Mon ami, je vous abandonne, car j'aperçois là-bas une demoiselle fort à mon goût, et je vais m'empresser de lier connaissance. Nous nous retrouverons plus tard, car il est hors de question que vous repartiez sans moi, je tiens à entendre vos premières impressions.

Sur ces entrefaites, il disparut en direction d'une fenêtre d'où une jeune femme en robe rayée lui lançait des œillades charmeuses.

Demeuré seul, Henry se sentit un instant désorienté au milieu de tout ce monde, mais décida de s'installer sur le côté et d'observer la bonne société en train de se divertir. Au bout d'un moment, il commença à se détendre et à échanger quelques mots et saluts avec les personnes qui se trouvaient près de lui, se rapprochant insensiblement de la scène. Puis il entendit quelqu'un s'exclamer à voix basse :

—Mais puisque je vous dis que c'est lui, j'en suis certain ! J'étais à Versailles il y a peu, c'est bel et bien le comte d'Artois.

Comme toutes les personnes autour de lui, Henry tourna la tête dans la direction indiquée.

Pourtant, son regard passa sur le comte sans le voir vraiment et s'arrêta sur sa cavalière.

Elle était éblouissante. Sa tenue mettait en valeur sa taille mince et sa silhouette élancée, tout en dévoilant des rondeurs charmantes. Mais ce qui attirait le plus chez elle, c'était son expression radieuse, son sourire si franc et chaleureux, qui semblait déclarer à la terre entière qu'elle était heureuse d'être ici, à cet instant.

Une telle spontanéité lui fit l'effet d'une brise printanière, et il oublia tout ce qui le troublait. Il avait le sentiment d'assister à un spectacle rare.

Une figure força la danseuse à évoluer dans sa direction et, quand elle leva la tête, leurs yeux se rencontrèrent.

Son cœur cessa de battre… avant de repartir à un rythme effréné. La salle et la foule qui y était massée parurent se fondre en une brume indistincte. Le temps semblait suspendu. Il ne voyait qu'elle. Son port de tête élégant. Ses joues rosies par l'effort et l'excitation. Sa chevelure blonde resplendissante.

Une chaleur étrange s'insinua en lui et réveilla brièvement quelque chose… une émotion, peut-être. Une sensation.

Et soudain, il eut la certitude que cette inconnue éprouvait la même chose à son égard. Qu'il était aussi unique à ses yeux qu'elle l'était aux siens.

Mais l'enchantement ne dura pas et, très vite, trop vite, elle dut lui tourner le dos pour se conformer aux pas de la danse. Il ne la quitta plus du regard jusqu'à ce que la musique s'achève. Il dévorait chacun de ses gestes, chacun de ses sourires.

Quand son cavalier la reconduisit à sa place après lui avoir offert un rafraîchissement, Henry était prêt à fendre impérieusement la foule pour revendiquer cette femme devant tous...

Mais alors la douleur lancinante de sa main gauche se fit plus aiguë, le ramenant à la réalité. Baissant la tête, il considéra la cicatrice qui l'élançait et éprouva de vifs remords de s'être laissé distraire. Comment avait-il pu, ne serait-ce qu'un instant, oublier la raison de sa présence ici?

D'une démarche résolue, il s'écarta de la piste et reprit sa place.

La soirée était féerique. Élisabeth n'avait pas d'autre mot. Féerique.

Dès leur arrivée, Félicité et elle s'étaient retrouvées littéralement happées par un tourbillon de discussions, de marivaudages, de plaisanteries... Cela faisait d'ailleurs un moment qu'elle n'avait pas aperçu son amie, qu'elle avait perdue de vue au cours d'une danse.

Elle était allée s'asseoir sur une banquette et s'éventait doucement pour se rafraîchir, quand la rumeur avait couru: le frère du roi était présent. Intriguée comme les autres, elle s'était levée pour mieux voir et avait découvert un homme jeune et avenant, pour ce qu'elle parvenait à en distinguer compte tenu de son masque et de la distance.

Puis on l'avait invitée sur le parquet et elle ne lui avait plus prêté attention. Elle se sentait simplement heureuse de profiter de ces heures de liberté absolue, où elle n'était plus Élisabeth d'Arsac, fille de la haute noblesse et promise à un avenir tout tracé entre mari

25

et enfants, mais une simple anonyme, qui jouissait des plaisirs du bal masqué.

Le comte d'Artois se rappela cependant à elle : après avoir dansé avec plusieurs dames, échangé des compliments avec d'autres, il avait fini par s'approcher d'elle et lui demander de lui accorder le menuet dont on entendait le prélude.

Stupéfaite, Élisabeth était demeurée silencieuse un instant, puis s'était reprise et avait accepté sa demande. Elle se sentait honorée d'avoir été ainsi remarquée et comprenait soudain le besoin des membres de la famille royale de venir s'oublier ici quelques heures. Elle adressa un sourire de connivence à son cavalier, qui parut charmé, et se laissa entraîner.

Ils étaient censés n'être qu'un couple ordinaire, mais les danseurs qui avaient déjà pris place s'écartèrent pour les laisser prendre la tête du menuet. Élisabeth ressentit un instant de panique quand elle comprit qu'elle devrait réaliser les figures les plus complexes sous le regard de toute l'assistance, mais décida de se laisser porter par la musique. Elle n'aurait qu'à prétendre s'entraîner chez elle, après tout.

Le comte lui tenait la main et se mit à avancer au rythme soutenu de la danse. Les couples défilaient l'un derrière l'autre puis, à un changement de cadence, hommes et femmes se séparèrent pour effectuer une volte et reprendre leur place plus loin.

Aux anges, Élisabeth s'écarta une nouvelle fois de son cavalier et, au dernier moment, leva la tête pour accentuer sa posture.

Ce fut alors qu'elle l'aperçut.

À la limite de l'espace dégagé pour les danseurs, un homme dominait la foule de sa haute stature. De façon surprenante, il paraissait la détailler sans éprouver la moindre gêne, même si c'était là une familiarité assez choquante. Elle se demanda une seconde si elle avait déjà croisé cet homme, mais c'était impossible : jamais elle ne l'aurait oublié.

Il avait l'air viril, de façon presque menaçante, et ce sentiment était accentué par l'extrême simplicité de sa tenue : un habit gris et un masque noir. Son visage arborait une expression concentrée, comme s'il cherchait à graver chacun de ses traits dans sa mémoire.

Pourtant, alors qu'elle aurait dû chastement détourner les yeux, Élisabeth soutint son regard. Subjuguée, elle avait le sentiment d'être mise à nu devant cet inconnu qui la troublait, mais elle ne voulait pas donner l'impression de se dérober. Pas ce soir.

La musique changea et elle dut immédiatement reporter son attention sur la danse. La façon dont elle parvint à reprendre l'enchaînement de figures en rythme et sans faux pas fut un miracle qu'elle aurait été bien en peine d'expliquer. Pourtant son esprit vagabondait très loin, marqué par ce regard captivant.

Elle se sentit rougir. L'homme l'avait dévisagée avec une telle intensité qu'elle était persuadée que, même si cela n'avait duré qu'une fraction de seconde, toute la salle s'en était aperçue. Et, à mesure que les autres couples s'effaçaient pour leur permettre, à son cavalier et elle, d'interpréter la partie la plus difficile de la chorégraphie, elle avait l'intime conviction que l'étranger suivait des yeux chacun de ses mouvements, ce qui ne faisait que renforcer son trouble et son exaltation.

Le menuet s'acheva sur une dernière révérence et fut salué par les applaudissements de la salle. En dépit de ses craintes, Élisabeth était parvenue à se sortir brillamment des nombreux pièges de la danse, portée par son enthousiasme et une espèce de chaleur qui se répandait dans sa poitrine. Elle avait toujours aimé danser mais, ce soir, elle soupçonnait qu'autre chose l'avait poussée à se surpasser. Néanmoins, quand elle osa de nouveau tourner la tête en direction de l'inconnu, celui-ci avait disparu.

— Madame, ce fut un plaisir et un honneur que d'avoir une cavalière si élégante.

Élisabeth sursauta et comprit que l'on s'adressait à elle. Il lui était difficile de revenir à la réalité, mais elle s'y efforça de son mieux, déterminée à oublier cet incident sans y arriver tout à fait. Elle offrit son plus beau sourire au comte d'Artois.

— Tout l'honneur était pour moi, monseig… monsieur.

Elle se mordit la lèvre. Dans son empressement, elle avait failli donner son titre au frère du roi, alors que nul ne devait l'avoir reconnu. Celui-ci ne fut pas dupe, mais parut charmé et la raccompagna jusqu'à sa place, avant d'inviter une autre dame.

Bizarrement, Élisabeth eut la conviction qu'il se serait attardé auprès d'elle si elle n'avait pas été aussi distraite. Mais elle fut incapable d'en être déçue.

—Quel succès! s'exclama Félicité un peu plus tard.

La jeune femme avait refait surface juste après le départ du prince, à la grande surprise de son amie.

—Il te serait arrivé la même chose si tu ne t'étais pas éloignée. Je suis certaine qu'il t'aurait trouvée à son goût.

—J'espère bien que non!

Elle baissa la voix.

—M. d'Artois n'a pas bonne réputation auprès des dames, surtout dans ces grandes fêtes où l'on peut préserver une forme d'anonymat. Je n'aurais pas été surprise qu'il cherche à obtenir certaines… privautés.

Élisabeth en demeura bouche bée. Jamais elle n'aurait soupçonné un tel comportement! Félicité se mit à rire et la taquina gentiment.

—Parfois, j'ai l'impression que tu ignores beaucoup de choses… On dirait que les leçons de ta mère ont porté leurs fruits!

Élisabeth prit un air indigné, avant de s'esclaffer à son tour. C'était si agréable de pouvoir se raccrocher à quelque chose de familier, quelque chose qui ne la déstabilisait pas comme cet inconnu… qui semblait s'être volatilisé.

Dépitée, elle se leva pour chercher des rafraîchissements, entraînant Félicité dans son sillage. Elle allait se faire servir un sirop quand elle se souvint qu'elle avait décidé de profiter du bal et des plaisirs qu'il offrait.

Se ravisant, elle demanda du vin de Champagne, et s'installa avec son amie un peu à l'écart.

Elle mordait dans une meringue quand cette dernière lui chuchota :

— Qui était donc ce gentilhomme qui te dévorait du regard pendant le menuet ?

Élisabeth faillit s'étouffer et toussota pour dissimuler sa réaction. Félicité l'examina d'un œil soupçonneux.

— Tu le connais donc ? C'est un de tes galants ?

— Certainement pas ! s'exclama-t-elle, reprenant ses esprits. Pour tout te dire, j'ignore de qui il s'agit. Certes, les masques n'aident pas à se reconnaître, mais je pense que je me serais souvenue d'une telle silhouette.

— C'est vrai qu'il était bel homme… J'ai été surprise qu'il ne t'invite pas à danser, il ne t'a pas quittée des yeux jusqu'à la fin du menuet. Je crois même qu'il a fait mine de s'approcher, mais il a disparu.

— Dans ce cas, inutile d'en parler, conclut Élisabeth d'un ton définitif.

Félicité haussa les épaules et demeura silencieuse un instant.

— Tu ne penses pas qu'il pourrait s'agir de M. de La Ferté ? Après tout, il t'a témoigné de l'intérêt il n'y a pas si longtemps…

Élisabeth se retint de lever les yeux au ciel.

— Oh, grands dieux non… Ce n'était pas lui, j'en suis certaine, et je ne vois pas pourquoi il m'aurait dévisagée de cette façon : père l'a éconduit il y a peu, et je n'ai jamais éprouvé le désir de l'épouser.

— Bon, très bien, changeons de sujet.

Elles parlèrent alors des tenues portées par les membres de l'assistance, prenant note des détails à la mode qu'elles ne manqueraient pas de faire reproduire par la modiste. Au bout d'un moment, un homme élégant vint demander à Félicité de danser avec lui.

Restée seule, Élisabeth n'avait plus envie de terminer sa confiserie. Elle se sentait vaguement écœurée, comme si les commentaires de son amie avaient fait remonter une amertume qu'elle éprouvait inconsciemment à l'encontre de son étranger. *Cet étranger*, se corrigea-t-elle. Cet homme dont le regard était plein de promesses brûlantes qu'elle ne devinait pas complètement.

Elle renonça à la tentation de réduire en miettes ce qu'il restait de sa meringue et la remit, accompagnée de sa coupe désormais vide, à un laquais. Elle en profita pour attraper un autre verre, plein cette fois, et le but rapidement, tant pour oublier son humeur maussade que pour se donner une contenance.

Avant qu'elle puisse s'interroger franchement sur ce qu'elle faisait, un mouvement attira son regard…

Il était là !

L'inconnu se trouvait à l'autre bout de la pièce et semblait regarder dans sa direction, peut-être un peu derrière elle. S'il lui avait paru vaguement menaçant plus tôt, il paraissait désormais franchement dangereux, une impression que sa taille imposante ne faisait qu'accentuer. Surprise, Élisabeth se retourna, se demandant si l'objet de cette apparente colère était elle-même ou quelqu'un d'autre. Elle aperçut un homme visiblement ivre qui s'éloignait d'elle à toutes jambes, intimidé par le regard de l'étranger, non sans essayer au passage de glisser sa main autour de la taille d'une dame moins chanceuse.

Le cœur battant, Élisabeth reporta son attention sur l'étranger, qui à présent la dévisageait ouvertement. Comme lorsqu'elle dansait, elle se sentit rougir mais ne détourna pas les yeux. Enhardie par le comportement étrange de cet homme, elle lui adressa un hochement de tête en guise de remerciement.

L'espace d'une seconde, elle crut voir une étincelle s'allumer dans ce regard, mais si fugace qu'elle se demanda si elle n'avait pas rêvé. Pourtant, elle s'approcha, presque malgré elle ; ses pieds avançaient tout seuls, comme s'ils obéissaient à un ordre qu'elle n'avait pas conscience d'avoir donné.

Élisabeth s'arrêta à moins d'un mètre de l'inconnu. Il la dominait de toute sa hauteur et elle dut lever la tête pour croiser son regard, ce qui ne lui arrivait pas souvent.

Nerveuse, elle s'humecta les lèvres avant de demander, armée de son sourire le plus éblouissant :

— Eh bien, monsieur, allez-vous donc m'inviter à danser ?

Chapitre 3

*H*enry demeura silencieux un moment, tant il était abasourdi par cette demande. Il n'en revenait pas qu'une femme, visiblement de bonne lignée, prenne une telle initiative. Et surtout, il n'en revenait pas qu'il s'agisse précisément de l'inconnue qu'il observait depuis le menuet.

Il avait beau s'être admonesté à plusieurs reprises, il n'était pas parvenu à la quitter des yeux bien longtemps. Il avait néanmoins résolu de ne pas l'aborder, cédant à sa culpabilité et à ses remords. Pourtant, quand un homme avait tenté de la toucher, il s'était montré ouvertement hostile, comme si elle lui appartenait.

Non, se corrigea-t-il. Elle ne lui appartenait pas. Il s'était contenté de faire fuir un indélicat un peu trop entreprenant, voilà tout.

Mais elle avait traversé la pièce d'une démarche résolue, le sourire aux lèvres, et se tenait à présent devant lui, dans l'attente de sa réponse. Que faire ? Il hésitait, tiraillé entre le désir de la connaître et la retenue qu'il estimait devoir observer.

La jeune femme ne se départait pas de son sourire, mais il vit son regard se voiler et s'assombrir. Il prit sa décision : charmé par l'éclat de ses yeux, il était prêt à tout pour l'entretenir.

Il inclina légèrement la tête et lui tendit la main.

— Vous me comblez, madame.

En dépit de son masque, il comprit que l'inconnue était soulagée, et son sourire se fit plus franc et plus détendu quand elle glissa la main dans la sienne.

— J'ai bien cru devoir me trouver un autre cavalier.

— Vous m'en voyez navré. Aurez-vous la bonté d'excuser mon absence momentanée ? Il est rare de voir une femme si charmante prendre les devants.

Elle sembla rosir légèrement, même s'il n'en était pas tout à fait certain. Il l'entraîna vers la piste, où s'achevait la danse précédente. Tout en se frayant un chemin dans la foule qui se massait près du parquet, il entendit les musiciens annoncer le prochain morceau, mais il était si absorbé par sa cavalière qu'il n'y prêta pas attention.

Il n'était pas d'usage de porter des gants au bal, aussi pouvait-il sentir directement le contact de sa peau sur la sienne. Elle était tiède, incroyablement douce, et il dut se faire violence pour ne pas la caresser du bout du doigt. Pourtant, il ne put s'empêcher de se demander si sa peau serait aussi veloutée à d'autres endroits… derrière l'oreille… dans le cou…

Il se morigéna. Était-il donc un jeune garçon incapable de tempérer ses ardeurs ou un homme digne de ce nom, en mesure de dominer ses instincts ? Décidément, l'air de Paris ne lui réussissait pas.

Henry guida sa compagne au centre de la salle et se plaça à côté d'elle. Dès les premières mesures, il identifia la musique et s'en réjouit : il s'agissait d'une allemande, où les danseurs évoluaient par couple, se tenant la main et se glissant sous le bras l'un de l'autre. On la disait scandaleuse car les partenaires étaient bien plus proches que pour une danse ordinaire et ne se lâchaient pas. Il n'aurait pas pu rêver meilleure entrée en matière.

Après une révérence, tous commencèrent, et sa cavalière ne perdit pas de temps pour converser.

— Depuis combien de temps êtes-vous en France ? demanda-t-elle alors qu'elle passait sous le bras droit de Henry.

— Ainsi, vous me croyez étranger ? rétorqua-t-il, souriant de sa curiosité.

— Je n'ai guère de mérite, monsieur. Vous avez beau parler notre langue à la perfection, on perçoit malgré tout un accent… Seriez-vous allemand ? Anglais, peut-être ? Vous ne venez pas du sud, c'est évident.

Il profita de la figure suivante, où la jeune femme se retrouva dos à lui, alors qu'il lui tenait les mains. Il se pencha pour approcher la tête de la sienne et murmura :

— Il y a bientôt deux mois que je suis arrivé ici.

Elle s'écarta et fut de nouveau face à lui. Ses joues semblaient s'être empourprées, mais peut-être n'était-ce que l'effet de la lumière et du mouvement. Comme il la faisait passer derrière lui, il reprit :

— Quant à savoir d'où je viens, c'est trop demander. Après tout, nous avons choisi de venir ici masqués, n'est-ce pas ?

Elle ne répondit pas tout de suite, mais attendit de pouvoir soutenir son regard.

— Je vous l'accorde. Néanmoins… ai-je déjà eu le plaisir de vous rencontrer, monsieur ? Si vous êtes à Paris depuis deux mois, je n'ai sans doute pas manqué de vous croiser à la comédie ou dans les jardins…

Henry secoua la tête en signe de dénégation.

— Sans doute pas, hélas. J'ose croire que je me serais souvenu de vous. Pour être tout à fait honnête, je n'ai guère fréquenté la société depuis mon arrivée. J'avais… d'autres priorités.

Il se rembrunit en achevant sa phrase. Sa capacité à oublier ses idées noires et ses souvenirs dès qu'il se trouvait à proximité de la jeune femme était surprenante et, pour tout avouer, dérangeante. Il ferait mieux de la quitter dès la fin de la danse et de l'oublier, car il avait, en sa présence, le sentiment de ne plus être maître de ses actes.

Comme si elle avait senti son changement d'humeur, sa cavalière l'examina un moment d'un air interrogateur. Elle ne dit rien, mais parut comprendre que quelque chose le troublait, ce qui ne fit que renforcer l'opinion de Henry. Cette femme était dangereuse.

Cet homme était une véritable énigme.

Un instant souriant et enjôleur, il devenait brusquement froid et distant, en dépit du caractère léger de leur badinage. C'était exaspérant.

Pour autant, Élisabeth n'avait pas dit son dernier mot. Cet homme la troublait bien plus qu'il n'aurait dû, et elle désirait lui rendre la monnaie de sa pièce. Elle avait besoin de savoir qu'elle n'était pas la seule à avoir l'impression de jouer avec le feu.

—Puisque vous n'avez pas de nom, puisque j'ignore d'où vous venez, vous me devez au moins une chose, dit-elle de but en blanc après avoir laissé passer quelques mesures.

La mauvaise humeur de son partenaire semblait s'être dissipée, ou du moins avait-il retrouvé ses manières, car ce fut avec un sourire parfaitement aimable qu'il répondit :

—Tiens donc. Et qu'allez-vous exiger, belle dame ? Une nouvelle danse, une promenade… un baiser, peut-être ?

Élisabeth se sentit rougir à cette suggestion. Fort heureusement pour elle, l'allemande s'acheva sur une révérence et déclencha un brouhaha de conversations, ce qui lui permit de reprendre une contenance.

—Voyons, monsieur ! Comment pouvez-vous proposer une chose aussi peu… bienséante ?

L'homme éclata de rire.

—Pardonnez-moi, très chère, mais si vous cherchez la bienséance, je pense que vous vous êtes trompée de lieu. Serait-ce donc à moi, un étranger fraîchement débarqué à Paris, de vous apprendre que le bal de l'Opéra n'est pas très fréquentable ?

Il la taquinait. Elle pouvait le sentir dans le ton qu'il employait ; il ne cherchait pas à l'humilier, simplement à lui ouvrir les yeux sur le ridicule de sa remarque.

Pendant une minute, elle se sentit mortifiée et prête à prendre congé de lui.

Mais déjà, il la menait vers le buffet afin de leur faire servir du vin de Champagne. Élisabeth accepta le verre qu'il lui tendait, oubliant volontairement qu'elle en avait déjà un peu trop bu ce soir. Ce fut alors qu'elle aperçut la cicatrice rouge et brillante sur sa main gauche. Celle-ci avait sans doute été dissimulée par les manchettes de dentelle, mais la jeune femme devait reconnaître qu'elle avait surtout regardé le visage et les larges épaules de son cavalier, jusqu'à présent.

— Vous vous méprenez, mais vous avez eu raison de souligner ma sottise. (Quand il fit mine de protester, elle esquissa un geste pour l'interrompre.) Allons, nous savons fort bien que ma réaction était idiote. Quoi qu'il en soit, quand bien même votre proposition serait tentante, ce n'est pas ce que j'avais en tête.

Elle marqua une pause pour ménager son effet tandis qu'ils s'écartaient afin de laisser passer d'autres couples.

— Vous savez que, pour ma part, je suis parisienne, or je ne sais rien de vous. Racontez-moi au moins quelque chose à votre sujet, comme cela, nous serons quittes.

Il la dévisagea comme s'il était surpris de sa témérité, sans en être néanmoins choqué.

— Vous avez le don de vous révéler plus captivante de minute en minute. Vous êtes outrée à la simple idée d'un baiser, mais exigez de connaître un détail intime de ma vie…, badina-t-il en souriant jusqu'aux oreilles. Eh bien, soit. Mais si je dois passer à confesse, ce ne sera pas ici, en présence de tous ces témoins. Par ailleurs, je vous trouve bien empourprée, et je pense qu'un peu d'air frais ne vous ferait pas de mal.

Sous son domino, Élisabeth avait effectivement le visage en feu, même si elle ignorait précisément à quoi cela était dû : le vin, la chaleur, le monde, l'excitation… Elle hocha la tête et suivit son mystérieux cavalier sans rien dire.

Une fois dans les couloirs, l'homme l'entraîna à l'écart, près d'une fenêtre. Elle savait qu'elle n'aurait pas dû quitter la salle de spectacle, mais elle avait l'impression que toute sa volonté se volatilisait dès qu'il la touchait. La fenêtre fermée diffusait une fraîcheur bienvenue. Élisabeth y appuya la tête un instant, pour s'éclaircir l'esprit ; après tout, elle s'était fixé un but.

—À présent, je suis prêt à répondre… mais je préférerais vous proposer un jeu.

—Un jeu ? répéta Élisabeth, méfiante.

Elle avait la désagréable impression de perdre la main. Jamais elle n'avait eu l'intention de se lancer dans un jeu ; elle aurait dû refuser sur-le-champ. Et pourtant, elle s'entendit répondre :

—Énoncez donc vos règles, je vous en prie.

—À la bonne heure ! J'aime vous voir relever le gant. Voilà ce que je vous suggère : si je vous raconte une anecdote à mon sujet, vous devrez me rendre la pareille. Afin d'équilibrer le score, poursuivit-il alors qu'elle allait protester, je vous en raconterai deux à la suite.

—Un échange de bons procédés, en quelque sorte ?

Un large sourire se dessina sur le visage de son interlocuteur. Si son regard n'avait pas été aussi franc, elle aurait pu le qualifier de «diabolique».

— Oui, mais… à une condition. Si ce que vous me dévoilez me semble faux, ou si vous ne répondez pas, je vous attribuerai un gage.

Élisabeth manqua de s'étrangler à ces mots, et tenta de dissimuler sa gêne avec un ricanement nerveux.

— Je vous trouve très injuste, monsieur! Ainsi, vous auriez le droit de m'attribuer un gage si ce que je dis ne vous plaît pas, mais qu'en ira-t-il de moi?

— Bien entendu, vous bénéficierez du même privilège. Alors, est-ce entendu?

Elle hésita. Cette proposition la tentait tellement qu'un délicieux frisson lui parcourut le corps. Pourtant, elle savait pertinemment que ce n'était ni convenable ni prudent. Pour finir, elle décida de hocher la tête en silence, incapable de prononcer une seule parole.

— Parfait! Dans ce cas…

Ils furent interrompus par un groupe de jeunes gens en perruque et apprêtés, visiblement ivres, qui se dirigeait à grand bruit vers le bal. Élisabeth ressentit une crainte irraisonnée d'être reconnue et se rencogna dans l'embrasure de la fenêtre, s'assurant d'être dans l'ombre.

— Eh bien, reprit son interlocuteur. Il semblerait que ce ne soit pas l'endroit le plus approprié pour recueillir nos confidences. Savez-vous où nous pourrions aller?

— Les troisièmes loges, au dernier étage, murmura-t-elle d'une voix si faible qu'il dut se pencher pour l'entendre.

Ce geste ne manqua pas de troubler la jeune femme, mais elle n'eut pas le temps de s'y attarder.

—Alors je m'en remets à vous.

Sans réfléchir, elle ouvrit la marche, lui tenant la main pour être certaine de ne pas le perdre. Quitte à être surprise dans une loge en compagnie d'un homme, elle aimait autant que ce soit celui-ci, car elle avait étonnamment confiance en lui. Au fond d'elle-même, elle était convaincue qu'il ne lui ferait pas de mal.

À mesure qu'ils montaient, les flambeaux étaient de plus en plus espacés, la lumière se faisait rare, les gens moins nombreux. Élisabeth aurait dû avoir honte de son comportement, ou simplement peur des conséquences, mais elle n'arrivait pas à y prêter attention. Elle n'avait conscience que de son environnement proche : les bruits étouffés, leurs pas qui résonnaient sur le sol carrelé, la main si chaude dans la sienne…

Enfin, ils arrivèrent devant une porte surmontée d'un numéro ; c'était un simple panneau de bois qu'il fallait tirer pour entrer. Son cavalier la lui tint ouverte pour lui permettre d'entrer et, ce faisant, lui lâcha la main.

Ils étaient tout en haut et dominaient la salle de spectacle où avait lieu le bal. La mélodie des violons leur parvenait, mais comme assourdie par la distance et le manque de lumière. D'ici, on ne voyait rien de ce qui se jouait en bas, à moins de se pencher par-dessus la corniche. Élisabeth avait choisi une loge de côté, pour éviter que quelqu'un les dérange. Par instants, elle saisissait des bribes de conversation, des soupirs, et elle comprit qu'ils n'étaient pas seuls à cet étage, mais que nul ne viendrait leur demander ce qu'ils faisaient là.

C'était de la folie, mais il lui était impossible de se dérober, et elle n'en avait pas envie.

Elle s'approcha d'une chaise rembourrée où elle se laissa choir, car ses jambes ne pouvaient plus la porter.

— Ma foi, vous avez eu une excellente idée, approuva le jeune homme d'une voix douce. La vue est remarquable et le calme surprenant. Vous sentez-vous disposée à commencer ?

Élisabeth hocha la tête en silence, le cœur battant à tout rompre.

— Honneur aux dames ! J'attends votre question.

Elle prit quelques secondes, le temps de réfléchir, et se lança.

— Quel âge avez-vous ?

— J'aurai trente ans à l'automne.

— Quelle est votre langue maternelle ?

— Vous n'avez donc pas deviné ? Il s'agit de l'anglais.

Elle sourit et se détendit, et il en profita pour enchaîner.

— À mon tour… Laissez-moi vous rendre la politesse : quel est votre âge ?

— Monsieur, vous devriez savoir qu'il est grossier de demander pareille chose à une femme !

— La dame proteste… Qu'à cela ne tienne, je suis prêt à passer outre, moyennant un gage.

— Ne pouvez-vous poser une autre question ? demanda Élisabeth, sentant la panique s'emparer d'elle.

Il se plaça devant elle, une épaule négligemment appuyée contre la cloison. Elle était dans l'expectative et tremblait d'appréhension. Pourtant, elle ne bougea pas quand il se pencha vers elle.

Avec des gestes très doux, il lui prit la main droite et la retourna, paume vers le ciel. Elle crut un instant qu'il allait la porter à ses lèvres, mais il n'en fit rien. Du bout du doigt il se mit à tracer une ligne entre son poignet et son coude, passant sous les dentelles de sa manche pagode et s'arrêtant à l'endroit où le vêtement se resserrait.

Élisabeth avait les yeux écarquillés, le souffle court, fascinée par ce mouvement qui faisait naître de la chair de poule sur l'intérieur de son bras. Elle frissonna, sentit son corps se tendre…

Mais presque aussitôt, l'étranger interrompit sa caresse pour la contempler. Il ne paraissait pas troublé outre mesure, ce qui déçut la jeune femme. Elle se serait sentie réconfortée de découvrir qu'elle n'était pas la seule dans cet état de nervosité.

—Voilà, dit-il en se redressant. J'ai obtenu réparation. C'est à vous.

Clignant des yeux à plusieurs reprises pour retrouver ses marques, elle élabora plusieurs questions.

Pendant près d'une heure, ils échangèrent ainsi des souvenirs, des détails amusants, parfois même une anecdote. Deux fois déjà, Élisabeth lui avait enjoint de s'asseoir, mais il avait systématiquement refusé : il préférait, disait-il en la taquinant, dominer le champ de bataille pour avoir une chance de l'emporter.

Bizarrement, une sorte d'intimité, voire une forme de camaraderie, s'établit entre eux, en dépit de l'anonymat.

— Êtes-vous marié ? demanda-t-elle abruptement quand vint son tour.

Il l'observa sans mot dire et, pendant une fraction de seconde, elle crut déceler dans ses yeux un éclair de… elle n'aurait su dire quoi.

— Je regrette, mais je ne peux me résoudre à répondre à cette question.

Élisabeth sentit son cœur se serrer : cette réplique énigmatique signifiait sans nul doute qu'il était bel et bien marié ou, à tout le moins, fiancé. Mais le temps du bal, il serait tout à elle.

— Le moment est donc venu pour moi de réclamer mon gage. (Il ne contesta pas, et elle reprit.) Approchez votre visage du mien, et fermez les yeux, je vous en prie.

Il fit ce qu'elle lui demandait, et son cœur manqua un battement. Sans se l'avouer, elle avait attendu ce moment depuis le début de la soirée.

Le visage de l'inconnu n'était qu'à quelques centimètres du sien et elle distinguait l'ombre de sa barbe naissante, sa peau bronzée, sans doute par une activité au grand air, et les longs cils qui frangeaient ses yeux clos. Elle avait envie de souffler doucement sur sa joue pour observer sa réaction, elle désirait le toucher pour découvrir la texture de ses lèvres charnues qui semblaient si douces, elle voulait passer la main dans ses cheveux…

Tremblant de sa propre audace, elle se pencha en avant, le frôlant au passage. Elle approcha le nez derrière son oreille, juste à la racine des cheveux. Sans le toucher, elle prit une profonde inspiration pour s'imprégner de son odeur.

Elle huma une senteur diablement masculine, faite de linge propre, de savon et de bois de santal… C'était une fragrance enivrante, très différente de ce à quoi elle était habituée : la plupart des jeunes gens qu'elle fréquentait étaient très soigneux de leur toilette et n'hésitaient pas à porter des parfums coûteux et originaux.

Mais cet homme avait quelque chose de sauvage, à mille lieues des mœurs si policées de la bonne société française… Il n'en était que plus attirant.

À contrecœur, Élisabeth finit par s'écarter.

— Je vous remercie, dit-elle d'une voix rauque. J'ai eu mon gage.

L'inconnu ouvrit lentement les yeux, comme si on l'avait tiré d'un rêve. Elle crut qu'il allait reprendre sa place contre le mur, mais il n'en fit rien. Il sourit et posa une main à côté de sa tête.

Les femmes françaises étaient tout sauf innocentes, Henry en avait désormais la certitude. Celle-ci, en dépit de sa jeunesse et de sa bonne éducation, ne faisait pas exception. Ce qu'il avait d'abord pris pour de la timidité s'était avéré être un art consommé de la séduction.

Quand elle s'était approchée de lui, il avait cru qu'elle allait l'embrasser, il l'avait même, à sa grande confusion, espéré. Pourtant, elle n'avait fait que l'effleurer par inadvertance pour respirer son odeur, et lui-même s'était laissé submerger par le parfum de la jeune femme, un mélange de notes fleuries et de peau échauffée. Ce moment avait enflammé son désir et il s'était brusquement senti à l'étroit dans ses chausses.

Il devait à tout prix s'éloigner d'elle, retrouver Louis et quitter les lieux. Cette situation était trop dangereuse et risquait de dégénérer d'un instant à l'autre. Mais il ne bougea pas.

L'inconnue était si près de lui qu'il pouvait distinguer les paillettes d'or dans ses yeux d'un brun chaud, les fins cheveux blonds qui s'échappaient de sa coiffure et ses lèvres entrouvertes. Il lisait l'appréhension et l'attente dans son regard, mais aussi le désir dans son souffle court.

Henry tendit la main vers le collier de la jeune femme. C'était un beau bijou qui trahissait son rang social bien mieux que son vocabulaire ou son comportement. Il suivit lentement les contours du nœud ouvragé que représentait le pendentif, sans la quitter des yeux. Elle ne détourna pas la tête, et il dut reconnaître qu'elle avait du cran.

— Dites-moi, belle dame… ce collier a-t-il une signification pour vous ?

Délaissant le pendentif, il remonta sa main le long de sa gorge jusqu'à la joue, et prit délicatement son visage. L'inconnue battit des paupières, comme si elle cherchait à décrypter ses paroles, mais que la caresse l'empêchait de penser. Elle ouvrit la bouche, mais aucun mot n'en sortit, seulement un gémissement étouffé.

Avant de lui laisser le temps de répondre, Henry fit la chose la plus stupide qui soit. Il posa les lèvres sur celles de la jeune femme et l'embrassa.

Chapitre 4

Au début, Élisabeth fut désorientée. Il avait posé la bouche sur la sienne, une main sur sa joue et l'embrassait avec fougue. Elle sentit ses lèvres fermes et tièdes contre sa peau, puis sa langue quand il approfondit le baiser.

Elle voulut reculer, mais il avait déplacé sa main de son visage à sa nuque et elle se retrouvait prisonnière de son étreinte. Incapable de parler, elle prit appui sur ses larges épaules pour se dégager, en vain. Sa volonté se dissipait au contact de l'inconnu, à mesure que celui-ci s'enhardissait et qu'elle luttait pour garder un semblant de raison.

Submergée de sensations nouvelles, elle finit par s'abandonner ; c'était une expérience bouleversante. Elle avait déjà échangé quelques baisers furtifs, au demeurant très chastes, avec certains de ses soupirants. Elle avait même laissé M. de La Ferté l'embrasser brièvement sur la bouche. Mais ces moments dérobés, dont le principal intérêt résidait dans la transgression d'un interdit, n'avaient rien de commun avec cet embrasement de tout son être.

Les lèvres de l'étranger faisaient naître un feu qui se propageait dans sa poitrine et jusqu'à son bas-ventre. C'était une fièvre qui la faisait frissonner tout en lui donnant l'impression d'étouffer. Néanmoins, elle en voulait davantage et inclina la tête pour s'abandonner complètement à ses assauts.

Il se redressa pour l'attirer à lui, libérant momentanément son visage, et en profita pour resserrer son étreinte. Ainsi plaquée contre le corps de son galant, elle prit conscience de sa force physique et de sa stature. Il lui avait glissé un bras autour de la taille, tandis qu'il remontait l'autre le long de sa colonne vertébrale, faisant naître de délicieux frissons. En dépit de l'épaisseur du tissu, elle avait l'impression qu'il faisait courir ses doigts à même sa peau.

Quand l'étranger suspendit son geste afin de jouer avec la longue boucle qui reposait sur son épaule, Élisabeth émit un petit gémissement de protestation. Ce contact était trop agréable pour qu'elle souhaite l'interrompre. Elle entendit son cavalier rire légèrement avant de reprendre la caresse. Du bout des doigts, il suivit les contours de son décolleté jusqu'à la base de sa nuque.

Surprise, elle sentit ses seins se tendre et durcir sous sa robe. Son corps n'avait jamais réagi de cette façon, et elle en conçut de la gêne. Cela lui permit de reprendre momentanément ses esprits, et elle se tortilla pour essayer d'échapper à ces doigts si entreprenants. L'homme abandonna sa bouche, au grand désarroi d'Élisabeth, et lui chuchota à l'oreille :

—Auriez-vous peur, belle dame?

Piquée au vif, la jeune femme écarta toute hésitation de son esprit et répondit de même :

—Jamais de la vie ! Qu'attendez-vous pour reprendre notre… entretien?

Il éclata d'un rire léger qui se propagea jusqu'à ses yeux. Ceux-ci semblaient plus foncés, presque noirs, et étincelaient comme un ciel d'orage parcouru d'éclairs. Elle y lut son désir. Pour elle.

Enhardie, elle ressentit le besoin impérieux de toucher sa peau et passa les doigts sous sa cravate de batiste, tandis qu'elle effleurait de l'autre main son gilet brodé. Il était brûlant, comme saisi d'une fièvre, et elle avait la très nette impression que la température augmentait à chaque seconde.

Son contact ne le laissait apparemment pas de marbre, car ce fut au tour de l'inconnu de gémir alors qu'elle promenait ses doigts repliés sur sa gorge. Prenant conscience du pouvoir dont elle disposait, Élisabeth décida de le mettre à profit.

Cette fois-ci, quand il fit mine de reculer, ce fut elle qui le retint en le forçant à baisser la tête. Mais, au lieu de reprendre sa bouche, elle parsema la ligne de sa mâchoire de petits baisers, le sentant se contracter comme s'il craignait de réagir trop violemment. Elle était fière d'avoir un tel effet sur lui, de le sentir frémir derrière son masque imperturbable.

Oui, se dit-elle, c'était cela qui faisait rougir Félicité quand elle l'interrogeait de façon un peu trop insistante sur les relations conjugales.

Pourtant sa satisfaction fut de courte durée : l'inconnu tira sur sa robe, sans doute dans l'espoir de dégager son sein. Elle aurait dû protester mais n'en fit rien. En réalité, elle mourait d'envie qu'il y parvienne, même si cela lui donnait la très nette impression qu'il avait de nouveau le dessus dans leur étreinte.

Sa robe semblait toutefois avoir d'autres projets. Élisabeth entendit l'inconnu marmonner dans sa barbe et comprit que sa tenue était trop ajustée et son corset trop serré pour ce qu'il envisageait. Le mouvement faisait néanmoins remuer sa chemise et générait une friction délicieuse contre la pointe tendue et sensible.

Elle crut qu'il allait s'arrêter là, embarrassé par l'incident, mais son inventivité ne semblait pas avoir de bornes. Il baissa la tête et posa les lèvres sur son décolleté. Elle retint son souffle. Jamais elle n'aurait cru qu'il lui serait possible d'avoir encore plus chaud et c'était pourtant le cas. Ce n'était rien comparé à ce qu'il fit ensuite : du bout de la langue, il se mit à suivre les coutures du vêtement, lui arrachant un halètement.

Éperdue, elle glissa les doigts dans ses cheveux longs noués en catogan, comme pour se raccrocher à quelque chose. Ce faisant, elle les détacha par inadvertance et sentit soudain les mèches soyeuses caresser sa peau qui fourmillait. L'odeur de l'inconnu se fit plus forte et elle huma les effluves du santal qui lui donnaient le tournis.

Sentant ses genoux faiblir, elle fut reconnaissante à son partenaire quand ce dernier la souleva dans ses bras pour s'asseoir sur la chaise qu'elle avait abandonnée plus tôt, avant de l'installer dans son giron. Elle tremblait de tous ses membres et il était évident que ses jambes ne pourraient bientôt plus la porter.

Mais la situation, déjà indécente, devint carrément scandaleuse.

Il fallait qu'il s'arrête. Il devait à tout prix reprendre ses esprits, bon sang!

Quand il avait commencé à embrasser la jeune femme, Henry avait simplement l'intention de jouer un peu. Et voilà qu'il était pris à son propre piège! Elle s'était montrée si réactive, si passionnée, qu'il en avait été comme étourdi et avait dépassé les limites qu'il s'était fixées. Leur baiser… pas si innocent, il fallait le reconnaître, avait dérapé et, de fil en aiguille, il se retrouvait désormais assis avec sa conquête sur les genoux.

Ce qui était certain, c'est qu'elle n'était ni ingénue, ni inexpérimentée… Avec quelle fougue elle avait répondu à ses avances! Lorsqu'elle s'était enhardie et avait pris l'initiative d'autres caresses, il s'était senti étrangement vulnérable, et s'était empressé de reprendre la main.

Laquelle se trouvait d'ailleurs autour de la taille de l'inconnue, l'enserrant fermement. Elle portait un corset souple, plus pratique pour la danse, qui ne raidissait pas son corps mais en épousait au contraire toutes les courbes. Certes, l'ampleur de ses jupes dissimulait une partie de son anatomie, notamment ses jambes, mais il trouverait bien un moyen d'y remédier… Il avait une imagination débridée, semblait-il.

Elle s'agita contre lui, sans doute pour l'inciter à reprendre les choses là où il les avait abandonnées quand il s'était assis. Il baissa donc de nouveau la tête pour poser la bouche, non plus sur sa peau, mais sur le sein dissimulé par la robe. Il était frustré de ne pas avoir réussi à le dégager mais, qu'à cela ne tienne, il existait d'autres solutions. Il referma légèrement les dents, assez pour qu'elle le sente, sans pour autant qu'elle en souffre. Sa réaction fut immédiate : elle étouffa un cri, comme surprise de sa témérité.

Henry ne put réprimer un sourire ; il devait bien admettre qu'enlacer cette jeune personne s'avérait beaucoup plus excitant que prévu. Sa compagne était délicieuse, à tous points de vue. Ses baisers avaient un goût de champagne et de sucre, sa peau était douce et brûlante, ses cheveux soyeux et légèrement parfumés… La toucher était une torture, s'en empêcher était pire.

Sa bouche avait laissé une trace humide sur le tissu, et l'on discernait bien la pointe tendue. Il aurait voulu l'agacer de sa langue, la triturer… et soudain, une question s'imposa à son esprit : était-elle humide ailleurs ? Était-elle prête à l'accueillir ?

Il ferma les yeux, en proie à une vague de désir indicible. S'il n'agissait pas très vite, il allait la prendre à même le sol ou debout, contre le mur. Cette simple pensée enflamma ses sens et fit se dresser une partie de son anatomie pourtant déjà très dure.

Sans en avoir vraiment conscience, Henry se mit à caresser le genou de sa cavalière au travers de la robe, avant de descendre la main de plus en plus bas, jusqu'à la refermer sur sa cheville, faisant tomber sa mule par la même occasion. Certain qu'elle allait émettre une objection, il l'embrassa de plus belle, tout en décrivant des cercles du bout des doigts. Il sentait la chaleur de sa peau au travers du bas de soie, mais il en voulait plus. Il voulait remonter jusqu'à sa cuisse, dénouer sa jarretière et repousser le sous-vêtement. Il voulait toucher sa peau nue à cet endroit si intime. Serait-elle brûlante? Gémirait-elle quand il l'effleurerait?

Henry devait en avoir le cœur net. Il lui semblait qu'il n'aurait plus de repos avant de connaître la réponse à cette question pour le moins inconvenante. Lentement, le jeune homme déplaça la main…

La porte de la loge s'ouvrit à la volée pour laisser place à un couple. Visiblement éméchés, les deux nouveaux venus mirent un certain temps à se rendre compte qu'ils n'étaient pas seuls, car ils étaient trop occupés à s'embrasser en riant. Puis, l'homme tourna la tête et s'arrêta, bientôt imité par sa compagne. Un nouvel éclat de rire ponctua la situation, mais déjà l'arrivant poussait la femme dehors, à la recherche d'une autre loge. Il referma plus discrètement la porte, non sans un clin d'œil en direction de Henry et un regard appuyé sur sa cavalière.

Le jeune homme sentit son sang se mettre à bouillir, mais sous le coup d'une tout autre émotion, cette fois-ci : de quel droit ce malotru se permettait-il de reluquer sa mystérieuse inconnue? Elle était à lui, et à lui seul.

Cette dernière pensée le dégrisa. Mais où avait-il donc la tête? Non seulement cette femme ne lui appartenait pas, mais en outre il n'aurait jamais dû se retrouver dans une situation aussi compromettante avec elle. Certes, la licence des bals de l'Opéra était connue et nul ne risquait de venir le trouver pour le contraindre au mariage ou le provoquer en duel pour restaurer l'honneur de sa partenaire, mais il aurait dû faire montre de beaucoup plus de retenue. Il n'était vraiment qu'un imbécile guidé par ses plus bas instincts.

Lesquels instincts se manifestaient de façon bien trop visible au niveau de son entrejambe, déformant ses chausses.

De son côté, l'inconnue battit des paupières comme si elle sortait d'un long rêve. Elle avait les lèvres rouges et entrouvertes, les joues rosies et les yeux brillants. Quelques mèches folles s'échappaient désormais de sa coiffure savamment élaborée. Alanguie contre lui, renversée dans ses bras, elle ne paraissait pas avoir pris pleinement conscience de la situation… mais cela n'allait pas tarder, c'était évident.

Ne sachant que faire de ses mains, Henry les laissa où elles étaient, c'est-à-dire sur la cheville et autour de la taille de la jeune femme. Il ne parvenait pas à la lâcher, alors même qu'il avait conscience de faire montre d'une extrême vulgarité en caressant le pied de sa compagne.

Celle-ci sembla enfin émerger de sa torpeur, et son premier mouvement fut de se redresser. Honteux, Henry ôta la main de sa cheville mais continua de la soutenir le temps qu'elle finisse de reprendre ses esprits. Ce ne fut pas long : dès qu'elle comprit où elle se trouvait, la jeune femme se leva précipitamment, comme si quelque chose l'avait piquée. Il ne pouvait guère lui reprocher sa réaction, lui-même se sentait contrit.

— Par tous les saints, monsieur, que m'avez-vous fait ? souffla t-elle, comme hébétée.

Il aurait été bien en peine de lui expliquer qu'il avait perdu la tête en cherchant à la taquiner un peu. Sous le poids de la culpabilité, il rétorqua d'un ton cassant :

— Je pourrais vous retourner la question, madame. Après tout, rien ne vous empêchait de refuser et de m'envoyer au diable.

De rouge, sa cavalière devint cramoisie.

— Comment osez-vous ? N'avez-vous donc aucun honneur ?

Normalement si, eut-il envie de répondre. *Mais dès que je vous ai touchée, celui-ci s'est volatilisé.*

— Allons, madame, je vous prie de ne pas mettre mon honneur en défaut, quand votre sens de la décence aurait dû s'interposer, répondit-il froidement.

Elle parut suffoquer. Ouvrit la bouche. La referma.

Intérieurement, Henry n'était vraiment pas fier, mais c'était justement pour cela qu'il ne parvenait pas à se montrer aimable ou, tout du moins, compréhensif. Il sentait qu'il avait commis une grosse faute et que cela ne serait jamais arrivé s'il ne s'était pas laissé entraîner dans ce lieu de débauche. Il serra les dents. Non, cela n'avait rien à voir avec le lieu. C'était cette femme qui avait enflammé ses sens qu'il croyait endormis.

Elle fouillait nerveusement la pénombre de la loge, cherchant quelque chose… L'ayant enfin trouvée, elle se pencha vivement et enfila l'escarpin qu'elle avait perdu. Il la suivait du regard, toujours assis, ce qui était le comble de l'impolitesse. Mais il préféra lui épargner le spectacle de la protubérance qui déformait son vêtement.

L'inconnue avança d'une démarche mal assurée jusqu'à la porte. Au moment de sortir, elle se retourna et annonça d'une voix blanche :

— À défaut d'honneur, j'espère au moins pouvoir compter sur votre discrétion, monsieur.

Il serra les poings sous l'insulte, mais ne la contredit pas, estimant qu'il méritait amplement son mépris.

— Vous avez ma parole, madame, dit-il les dents serrées.

Mais elle ne l'avait pas entendu. Elle était déjà sortie.

Déboussolée, Élisabeth ne savait où aller. Elle tourna au hasard dans le couloir, pensant se diriger vers l'escalier pour accéder aux étages inférieurs. Elle devait… quoi, au juste ? Rejoindre la salle ? Retrouver Félicité ? Mais alors, comment expliquerait-elle son absence ? Comment justifierait-elle un départ précipité ?

Il lui fallait réfléchir. Et se rafraîchir. Elle était sûre d'avoir l'air affreusement débraillée, et cela ne plaiderait pas en sa faveur si elle se trouvait contrainte de fournir une explication plausible à sa longue absence. Elle débusqua enfin l'escalier, qui se trouvait bien plus près de la loge que dans son souvenir, et se mit à descendre les marches aussi vite que ses jambes pouvaient la porter.

Arrivée sur le palier du premier étage, elle se rappela y avoir aperçu un miroir quelques semaines plus tôt, lorsqu'elle était venue assister à un spectacle. Les lieux étaient plus éclairés que les troisièmes loges, mais à peine plus fréquentés, et elle atteignit son but sans croiser personne, alors même qu'elle percevait des bribes de conversation au loin.

Devant la glace, elle eut un mouvement de recul en apercevant son reflet. Elle était presque échevelée et son masque, aux lacets desserrés, était sur le point de glisser. Cependant, ce n'était pas le plus choquant : elle avait les lèvres enflées, comme tuméfiées par les baisers échangés ; sa peau était couverte d'une mince pellicule de transpiration ; quant à ses yeux, ils brillaient d'un éclat incandescent, où se mêlaient le désir inassouvi et l'inquiétude.

Elle prit une profonde inspiration, résolue à se calmer et à reprendre une apparence normale. Peu à peu, elle retrouva son calme et la rougeur disparut de ses joues. Elle arrangea de son mieux sa coiffure mais, sans aide, le résultat demeurait précaire. Puis elle noua solidement son masque sur son visage, avant de s'étudier d'un œil inquisiteur. Sa tenue ne passerait sans doute pas une inspection minutieuse, mais elle pourrait mettre cela sur le compte de la danse et de la foule.

Sa conscience, en revanche... c'était une tout autre histoire. Élisabeth se sentait mortifiée, non seulement d'avoir cédé aux avances de cet homme, mais de les avoir encouragées. Elle sentit ses joues la brûler. À quoi avait-elle pensé en se laissant caresser sans la moindre retenue, comme la dernière des traînées ? N'avait-elle donc aucune pudeur ? Félicité ne cessait de la taquiner sur sa nature soi-disant pudibonde, mais elle venait d'apporter un démenti retentissant à ces accusations.

Tremblante, Élisabeth se laissa submerger par la colère. Contre elle-même, contre l'inconnu, contre les circonstances mêmes. Pourtant, elle devait reconnaître que sa colère dissimulait autre chose. Une attirance effrayante, un désir à couper le souffle qu'elle avait éprouvé dès qu'elle avait posé les yeux sur cet homme. Le simple fait de penser à lui faillit lui arracher un gémissement, et elle dut se mordre les lèvres pour le réprimer.

L'espace d'un instant, Élisabeth envisagea d'envoyer chercher un prêtre et de lui confesser toute l'histoire. Mais cela ne dura qu'un instant. En réalité, elle n'osait même pas imaginer la réaction que celui-ci aurait en écoutant son récit… Peut-être la pousserait-il à se retirer du monde ? Elle frissonna. Non, elle ne voulait pas retourner entre les murs d'un couvent. Elle trouverait un autre moyen de faire pénitence.

Toutefois, elle ne se sentait pas le cœur de retrouver Félicité. Son amie était perspicace et plus expérimentée qu'elle, aussi ne manquerait-elle pas de remarquer le trouble d'Élisabeth. Trop honteuse, elle ne voulait pas aborder un sujet aussi sensible. Peut-être le lendemain…

Oui, décida-t-elle, le lendemain, elle irait raconter son aventure à la jeune veuve, même si elle passerait sans doute sous silence certains détails trop choquants. Elle savait que son amie avait les idées larges et qu'elle l'avait souvent encouragée à badiner avec les hommes de son entourage, mais la situation n'était plus si innocente. Elle serait sans doute horrifiée. Tout comme Élisabeth l'était elle-même, à vrai dire.

Qui entends-tu leurrer ? lui souffla une petite voix. *Tu n'aurais pas hésité à te débattre et à le repousser si tu l'avais vraiment souhaité. Tu désirais qu'il t'embrasse, qu'il aille toujours plus loin…*

Saisie de vertige, elle ferma les yeux. Décidément, elle se sentait mal, et ne pouvait plus rester ici. Elle s'arrangerait pour prévenir Félicité de son départ et rentrerait chez ses parents. Quant à cet étranger, elle allait l'oublier. Ou plutôt, elle conserverait le souvenir de cette soirée comme un avertissement. Elle n'était pas passée loin du désastre mais, fort heureusement, cet homme n'était pas d'ici, et il finirait bien par quitter le pays. En outre, il avait reconnu ne pas fréquenter la bonne société.

Élisabeth descendit lentement l'escalier pour rejoindre le rez-de-chaussée, la tête bourdonnante. Elle ignorait si cela était dû aux innombrables pensées qui assaillaient son esprit ou à un réel malaise, mais elle décida d'invoquer ce prétexte pour repartir.

La fête battait son plein, et pourtant la nuit était déjà bien avancée. On s'amuserait jusqu'au matin, et les derniers danseurs iraient se coucher quand le soleil serait déjà haut. Il lui fallut de longues minutes pour se frayer un chemin jusqu'à la salle de bal et se poster dans un coin pour observer la scène. C'était étrange. Ce qui l'avait fascinée jusqu'à présent lui semblait factice, dénué de sens, comparé à ce qu'elle avait vécu là-haut.

Elle finit par repérer Félicité qui dansait une gaillarde au milieu de la piste. En dépit de son masque, elle avait reconnu la jeune femme à sa tenue et à sa démarche. Elle avisa un laquais qui passait, chargé d'un plateau de verres vides, et lui demanda de se charger d'un message à destination de son amie. Afin de ne pas être identifiable, elle se contenta de se présenter sous le surnom d'« Élisa », qu'il lui arrivait d'employer au couvent.

Débarrassée de cette tâche, elle se hâta vers la sortie, après avoir récupéré sa pelisse. Dehors, le froid était véritablement glacial et la neige qui n'avait pas fondu dans la journée était dure et cassante sous les pas. Elle regretta aussitôt d'avoir congédié sa femme de chambre, car il aurait été plus convenable de prendre une voiture en sa compagnie. Pourtant, elle fit signe à un domestique de lui arrêter un fiacre et de l'aider à y prendre place.

L'intérieur était sombre, car une seule lanterne était allumée à côté du cocher, et sans doute guère reluisant à la lumière du jour. Que cela lui serve de leçon. Elle hésita même à rebrousser chemin pour rejoindre Félicité et attendre tranquillement que celle-ci soit disposée à la raccompagner. Mais il était trop tard, et il lui faudrait s'expliquer, ce qu'elle ne souhaitait vraiment pas.

La jeune femme appuya la tête contre la paroi et regarda la ville obscure défiler devant elle. Cet homme… que lui avait-il donc fait ? Comment était-il parvenu à altérer à ce point son comportement, en lui faisant oublier toute décence ? Elle soupira. Autant tirer un trait sur cet épisode et sur son instigateur. Ce n'était pas comme si elle risquait de le revoir, après tout.

Chapitre 5

—*T*out de même, vous auriez pu me prévenir, fit remarquer Louis.

—J'ai conscience d'avoir fait preuve d'une grande impolitesse, mais je me suis vraiment senti mal et j'ai jugé préférable de rentrer au plus vite, répondit Henry. Je craignais de ne pas vous retrouver au milieu de cette foule.

En réalité, il s'était surtout empressé d'aller se terrer chez lui. Après la disparition de la mystérieuse jeune femme, il avait mis de longues minutes à retrouver son calme, et à convaincre son corps, dont tous les sens étaient en émoi, que les choses en resteraient là, ce qui n'avait pas été une mince affaire. À vrai dire, il s'était aussi arrangé pour laisser le temps à sa cavalière de s'esquiver. Rien n'aurait été plus gênant que de la croiser dans le couloir.

—Je dois reconnaître que vous n'avez pas très bonne mine… Avez-vous pensé à faire appeler un médecin pour qu'il procède à une saignée ? Cela vous revigorerait, j'en suis certain.

Henry grimaça. Une saignée ? Quelle pratique barbare ! Les Français passaient pour être l'un des peuples les plus raffinés qui soient mais leur pratique de la médecine était pour le moins hors d'âge. Toutefois, il tenta de saisir sa chance.

—Justement, je devrais peut-être rentrer chez moi et me reposer…

—Balivernes, l'interrompit son ami. Cela fait deux jours que vous n'avez pas mis le nez dehors, si j'en crois votre portier. Allons, un peu d'air vous fera le plus grand bien. En outre, j'ai déjà annoncé votre venue à ma mère et elle ne se tient plus d'impatience à l'idée de recevoir un Américain dans son salon. Surtout un Américain qui connaît personnellement M. Franklin… Même Mme Necker ne peut s'enorgueillir d'un tel exploit à l'heure actuelle.

L'Américain en question se renfrogna.

—Vu sous cet angle, on dirait que je suis une bête de foire. Votre mère et ses amis savent-ils que je sais me tenir debout et parler ?

Louis éclata de rire à ces mots.

—Je suis désolé, je me suis mal exprimé. Sous ses dehors de femme du monde, ma mère est une personne cultivée et polyglotte, au point d'avoir fait apprendre votre langue à ses trois enfants. Elle se réjouit sincèrement de vous recevoir et d'écouter vos récits du Nouveau Monde.

—Je crains qu'elle ne soit déçue : je n'ai pas grand-chose de palpitant à raconter.

—Allons, ne soyez pas rabat-joie ! Vous pourrez toujours la régaler de votre point de vue sur notre ville si exotique et décadente… D'ailleurs, reprit-il avec un sourire, j'attends toujours de connaître vos impressions sur le bal.

Henry sentit sa gorge se nouer. Que pouvait-il bien dire ? Que l'abus de vin et les jolies femmes lui avaient tourné la tête ? Qu'en dépit de ses efforts, il n'arrivait pas à oublier la sensation de ce corps souple et tiède contre le sien ?

—Vous avez l'air bien sombre… Est-ce que tout va bien ?

—Oui, oui, bien entendu. Excusez-moi, un mauvais souvenir.

—Pas de notre soirée, j'espère ? Allons, dites-moi un peu ce que vous en avez pensé.

Sentant qu'il ne pourrait changer de sujet tant qu'il n'aurait pas satisfait la curiosité du jeune homme, Henry résolut d'en finir au plus vite.

—C'était une belle fête, mais gâchée, selon moi, par la foule et la chaleur.

—Bien entendu, on y va pour s'amuser à peu de frais. Mais est-ce donc là votre seule opinion ? N'avez-vous pas croisé quelque charmante dame un peu aimable ?

L'Américain se sentit rougir et détourna la tête faisant mine d'être absorbé par le spectacle de la rue. Bien évidemment, il en avait vu une, mais il était hors de question de faire part à quiconque de cet épisode. Malgré toute la confiance qu'il accordait à son ami, il ignorait quelle serait sa réaction en apprenant qu'il avait été interrompu au beau milieu d'un… entretien galant.

— Si, en effet, répondit-il avec un pâle sourire. Mais je n'ai pas eu l'occasion d'en distinguer une en particulier.

— Décidément, vous êtes trop austère. Je suis bien aise de savoir que vous resterez ici encore quelques mois, cela vous aidera à vous imprégner de nos coutumes.

Misère.

Il n'eut heureusement pas besoin de répondre car leur voiture entrait dans la cour de l'hôtel d'Arsac. La famille s'était installée dans les faubourgs de Vaugirard, où les terrains étaient encore disponibles pour faire bâtir des demeures imposantes dotées de jardins. Celle de la famille d'Arsac était caractéristique de ce quartier : un bâtiment de style classique à la symétrie parfaite, dont la façade était percée de grandes fenêtres à intervalles réguliers, et auquel on accédait par les quelques marches du perron. Sur la gauche, on distinguait un bassin, à sec en raison de l'hiver, tandis que le commun réservé à la domesticité se trouvait sur la droite, à côté des écuries. Même s'il était impossible de les apercevoir d'ici, Henry supposait également que des jardins ordonnancés se trouvaient de l'autre côté de l'hôtel.

Les deux jeunes gens se présentèrent et furent immédiatement introduits dans le salon. Mme d'Arsac recevait le jeudi dès 2 heures de l'après-midi, puis offrait à dîner et entretenait ses invités jusqu'au début de la soirée, où ceux-ci prenaient congé pour honorer d'autres engagements.

La pièce, aux murs peints de couleurs claires et ornés de quelques tableaux, accueillait déjà près d'une dizaine de personnes, mais était suffisamment spacieuse pour que chacun puisse y évoluer aisément. Henry identifia leur hôtesse, une femme entre deux âges, élégante et à la physionomie aimable, en grande conversation avec une soutane bedonnante avachie sur le sofa. Se conformant à l'étrange usage parisien qui voulait qu'on se fonde dans la masse en arrivant quelque part, il suivit Louis sans saluer Mme d'Arsac. Celui-ci se dirigea vers le fond de la pièce. À côté des hautes fenêtres donnant sur le parc à la française, une jeune femme jouait du clavecin et une autre semblait accorder une harpe.

Louis salua cette dernière d'un signe de tête, auquel elle répondit par un sourire affable, puis se dirigea d'un air empressé vers l'autre musicienne. Un peu mal à l'aise devant cette apparente négligence, Henry s'arrêta un instant pour saluer convenablement la jeune femme qui se leva.

— Monsieur, je vous devine étranger et peu familier de ce salon. J'espère que vous vous plairez en notre compagnie.

— Je vous remercie de votre accueil, madame…?

— Du Plessis, répondit-elle avec un sourire franc.

Elle était belle, avec sa chevelure blonde et bouclée, son teint de porcelaine et ses grands yeux bleus. Elle ressemblait à ces gravures de mode dont sa sœur était folle. Quand il croisa son regard, il crut y déceler une étincelle d'intérêt, fugace mais bien réelle. Il se sentit flatté, mais en éprouva une sorte de gêne ; il n'était pas habitué à attirer de façon si évidente l'attention de la gent féminine. Les Françaises étaient décidément bien impudentes…

Il s'inclina et cherchait un moyen de se retirer quand Louis s'exclama :

— Ah, madame du Plessis, je vois que vous avez déjà fait connaissance avec mon cher ami, M. Wolton. Venez Henry, que je vous présente…

Celui-ci obéit et se tourna vers le clavecin. La musicienne s'était levée et lui faisait face. Il la dévisagea et son regard s'arrêta sur son collier.

C'était un cauchemar.

Élisabeth se concentrait sur le morceau difficile qu'elle était en train d'interpréter. Au moins, pendant ce temps-là, elle avait l'esprit trop occupé pour penser à ce qui s'était passé à l'Opéra. Enfin presque…

Elle revoyait Félicité, qui lui avait rendu visite très tôt le lendemain matin, bien avant midi. Au point qu'Élisabeth supposait que son amie ne s'était pas couchée et s'était contentée de se changer avant de se présenter chez elle.

— Tu m'as fait une peur affreuse ! s'était-elle exclamée en arrivant dans sa chambre. A-t-on idée de disparaître ainsi, sans prévenir ?

— Je t'ai fait parvenir un message, avait hasardé Élisabeth pour sa défense, sans succès.

Chacune de ses objections avait été balayée, et elle avait dû supporter un interminable sermon. Seule, dans un fiacre, en pleine nuit! Et durant le carnaval, qui plus est, cette période de l'année où l'on se permettait tout! Elle avait de la chance d'être arrivée chez elle entière, et plus encore de n'avoir pas été trahie par les domestiques. Sous le feu des questions, Élisabeth avait fini par avouer qu'elle connaissait un moyen d'entrer dans la demeure de façon dérobée, par la porte du jardin puis par les cuisines. La vieille cuisinière avait le sommeil lourd et n'avait rien entendu.

En apprenant cela, Félicité avait adopté une mine sévère quelques instants, avant de se dérider.

— Je suis certaine que ton départ cache autre chose qu'un simple malaise. Tu m'as l'air tout à fait remise, tu n'as absolument pas le visage de quelqu'un de malade. En revanche… on dirait que tu as mal dormi.

Vaincue, et assez désireuse de partager son expérience avec son amie, Élisabeth avait fini par passer aux aveux: la danse, l'alcool, le jeu… le baiser. Elle n'en avait confessé qu'un. Bon, d'accord, plutôt deux ou trois. Néanmoins, elle ne s'était pas étendue sur la suite des événements, car elle en concevait trop de honte. De la honte et… autre chose, qu'elle n'aurait su définir.

La jeune femme fit une fausse note et grimaça. Voilà, dès qu'elle évoquait le souvenir de cette soirée, elle n'était plus bonne à rien. Elle soupira et reprit sa mélodie comme si de rien n'était. Un peu plus loin, Félicité accordait sa harpe; les deux amies étaient assez bonnes musiciennes et se produisaient régulièrement devant le petit cercle de sa mère, quand l'occasion n'était pas suffisamment solennelle pour requérir les services d'un instrumentiste professionnel.

Du coin de l'œil, elle distingua un mouvement vers la porte, et son humeur s'adoucit : son frère Louis venait d'arriver avec un homme à la mine sombre auquel elle ne prêta pas attention. Élisabeth adorait son frère, dont elle n'était la cadette que de trois ans. Celui-ci, même s'il résidait dans la maison, se montrait assez peu, surtout depuis quelques mois. Elle soupçonnait qu'il s'était entiché d'une nouvelle maîtresse car il découchait fréquemment ou rentrait fort tard. Grand, aussi blond qu'elle mais avec des yeux bleus, il traînait les cœurs après lui et courtisait de nombreuses dames, même s'il se montrait généralement discret dans ses liaisons.

Quand il arriva à sa hauteur, elle cessa de jouer, se leva et lui tendit les deux mains en souriant. Il s'en empara et les baisa, avant d'engager la conversation.

— Ma chère sœur, je suis ravi de vous voir, comment vous portez-vous ?

— Je vais bien, je vous remercie. Mais vous, que devenez-vous ? L'on ne vous croise guère en ces lieux…

— Vous exagérez. Jamais je n'oserais manquer le salon de madame notre mère, ce qui peut vous assurer que ma dernière visite remonte à… une semaine tout au plus.

— Voilà bien ce que je voulais vous reprocher, monsieur ! Seule mère a droit à vos égards, mais moi, je peux toujours attendre.

Elle ponctua sa phrase d'un sourire enjoué qui contredisait ses remontrances. Louis fit mine de lever les yeux au ciel, mais il était visiblement amusé par leur échange.

— Élisabeth, je dois reconnaître que je vous néglige, mais sachez que c'est pour une bonne cause : j'ai pris soin de faire découvrir notre ville et nos mœurs à un ami étranger…

Il se tourna vers Félicité, qui échangeait quelques mots avec l'inconnu, et héla ce dernier, l'invitant à les rejoindre.

L'homme se tourna vers eux, et Élisabeth en eut le souffle coupé. Elle crut reconnaître le regard gris de son mystérieux cavalier… Cependant, il allait de soi qu'une telle chose était impossible. Quand elle vit ses yeux s'attarder sur son collier, son cœur se mit à battre follement et elle tenta d'apercevoir sa main gauche. Sous la manchette, il lui sembla distinguer la ligne rouge d'une cicatrice.

Indifférent à son trouble, Louis pressait le nouveau venu d'approcher.

— Élisabeth, je vous présente M. Henry Wolton, citoyen américain. M. Wolton, voici ma sœur, Élisabeth d'Arsac.

Celui-ci s'inclina et murmura quelque chose qui ressemblait à « enchanté ».

La jeune femme crut qu'elle allait se trouver mal. Sentant ses jambes flageoler, elle s'empressa de reprendre place devant le clavecin. Visiblement satisfait, Louis allait poursuivre la conversation quand leur mère, qui en avait fini avec l'abbé Deschamps, l'appela. Il s'esquiva, emmenant avec lui Félicité dont il n'avait, se plaignait-il, que trop peu de nouvelles.

Pour se donner une contenance, la jeune femme se remit à jouer, dans l'espoir que le visiteur ne l'avait pas reconnue, ou qu'il serait trop poli pour lui adresser la parole. Peine perdue.

— C'est un superbe collier que vous avez là, lui glissa-t-il doucement.

Une cacophonie de fausses notes se fit entendre, poussant chacun à se tourner vers elle. Élisabeth rougit, s'excusa et reprit sa mélodie.

— Je vous remercie, fit-elle avec toute la dignité dont elle se sentait capable. C'est un bijou que je tiens de ma grand-mère. Que diable faites-vous ici ? ajouta-t-elle à voix basse.

— Mais… c'est votre frère qui m'a convié, précisa-t-il sur le même ton.

Puis, d'une voix plus forte, il proposa :

— Souhaitez-vous que je tourne les pages ? Nous pourrons continuer à causer ; votre frère m'a assuré que vous maîtrisiez notre langue à la perfection.

Le traître, pensa-t-elle, avant de se raviser. Son frère n'avait aucun moyen de savoir qu'elle et ce… M. Wolton se connaissaient déjà.

Que faire ? Refuser, au risque de faire preuve d'une impolitesse grossière, ou accepter et passer les prochaines minutes en compagnie de cet homme ? Dans une autre maison, Élisabeth se serait sans doute exposée à l'opprobre de l'assemblée, mais ici, c'était impossible.

— Fort bien, finit-elle par dire. Asseyez-vous donc et contez-moi les raisons de votre présence à Paris.

Il passa derrière elle pour prendre un tabouret pliant posé contre le mur et s'installa à son côté. Il avait beau garder une distance respectueuse, elle avait l'impression qu'il était beaucoup trop près ; elle sentait son corps irradier de chaleur, et un frisson la parcourut. Elle prit une profonde inspiration pour se calmer avant de se rendre compte de sa bévue : des effluves de son parfum lui chatouillèrent les narines et lui rappelèrent la troublante intimité qu'ils avaient partagée.

Un peu de courage, s'admonesta-t-elle.

— Dites-moi, monsieur… Wolton, c'est bien cela ? Comment trouvez-vous notre pays ?

Elle avait parlé en anglais, une façon de dissimuler son trouble et de mettre ses hésitations sur le compte d'une langue étrangère.

— Je dois reconnaître qu'en dépit du froid et de la neige qui ne me permettent pas de le voir sous son meilleur jour, je suis émerveillé et découvre à toute heure une nouvelle chose à admirer, répondit-il dans la même langue.

— Tiens donc… Et quels monuments ont donc bien pu susciter votre intérêt ? Avez-vous eu l'occasion de découvrir la cour ?

— Malheureusement non, à mon grand regret… Il faudra que je demande à votre frère de m'y emmener, un jour de grand couvert… L'on m'a dit qu'une épée et un chapeau suffiraient à m'ouvrir le passage.

71

— Et l'on ne vous a pas trompé. C'est un des privilèges offerts à notre peuple, que de pouvoir observer notre souverain dans ses activités quotidiennes…

Élisabeth se détendait. Évoquer les coutumes françaises avec les personnes de passage était toujours exaltant pour elle, et elle en oubliait peu à peu sa raideur polie.

— Et qu'en est-il de Paris ? La ville correspond-elle aux descriptions que l'on vous a faites ?

Il se pencha pour tourner une page, et ce faisant lui effleura l'épaule. Elle dut faire appel à toute sa maîtrise d'elle-même pour ne pas perdre la mesure. Elle avait beau se souvenir avec honte de leur dernière rencontre, son corps semblait n'en avoir cure, et réclamait que ce contact se renouvelle, voire se prolonge.

— J'avoue avoir été ébloui : les récits que l'on peut lire ou entendre ne font pas honneur aux plaisirs que l'on trouve ici. J'ai tout particulièrement apprécié le bal de l'Opéra, où je me suis rendu avant-hier pour la première fois, même si j'ai dû en partir prématurément…

Encore une fausse note. Élisabeth se mordit les lèvres, sentant qu'elle rougissait de plus belle. Quel diable d'homme ! Voilà qu'il avait l'impudence de lui rappeler leur conduite scandaleuse. Elle voulait le prier de se taire, mais il paraissait prendre beaucoup de plaisir à leur échange.

— Et vous, mademoiselle d'Arsac, connaissez-vous le bal ? Je suppose que oui, en Parisienne digne de ce nom, vous vous y êtes certainement rendue à de nombreuses reprises.

— Où voulez-vous en venir ? rétorqua-t-elle à voix basse, avec humeur, avant de reprendre un peu plus fort : Si fait, monsieur. Mon amie Mme du Plessis et moi-même y avons assisté avant-hier soir. Il est regrettable que nous ne nous soyons pas rencontrés avec mon frère, je suis certaine qu'il aurait été ravi de nous présenter plus tôt.

Elle le vit se rembrunir et en tira un peu de satisfaction. Au moins, il ne semblait pas s'enorgueillir de l'avoir compromise dans une alcôve ! Elle ne put toutefois s'empêcher de se demander s'il finirait par tout avouer à Louis. Dans ce cas-là, elle serait dans de beaux draps…

M. Wolton tourna une nouvelle page et elle lui jeta un coup d'œil à la dérobée. Étonnamment, il paraissait plus mystérieux en plein jour qu'au bal ; la veille, il s'était fondu dans le décor, et sa position d'étranger en visite à Paris s'initiant aux secrets de la ville lui allait à merveille. À présent, il était un visiteur taciturne, dont elle était incapable de prévoir les réactions.

Ayant sans doute remarqué l'attention qu'elle lui portait, il reprit leur dialogue à voix basse.

— Dois-je en conclure que je n'aurais alors pas eu le plaisir de jouer avec vous ? Ou que vous auriez trouvé un autre… partenaire ?

— Je croyais avoir votre parole que vous oublieriez cet incident, souffla-t-elle excédée, avant de poursuivre un peu plus haut. Et combien de temps avez-vous l'intention de demeurer en France ?

73

— M. d'Arsac serait, je crois, ravi de me faire visiter la ville pendant des semaines, mais je compte bien rentrer sous peu. (Il baissa le ton.) Je vous ai promis de ne pas l'ébruiter… quant à l'oublier, cela m'est impossible.

Élisabeth sentit son sang s'enflammer. Il se pencha de façon imperceptible pour lui chuchoter :

— En vérité, je n'ai cessé de penser à ces instants délicieux passés en votre compagnie.

— Il vous faudra néanmoins absolument visiter les jardins de Versailles et assister à une représentation au Théâtre-Français. J'espère que Louis y veillera, lança-t-elle à la cantonade, dans l'espoir que son frère l'entende et vienne se mêler à leur conversation.

Malheureusement, celui-ci paraissait absorbé par les propos de Mme de Courville, une amie de longue date de leur mère. Cette dame ayant la réputation de ne parler que religion et prières, Élisabeth soupçonna que son frère ne souhaitait pas relever ses propos. Décidément, il n'était jamais là quand elle en avait besoin.

Les paroles de M. Wolton résonnaient dans sa tête, tandis qu'elle croyait encore sentir son souffle tiède lui caresser la nuque quand il s'était approché d'elle. Ainsi, il n'avait cessé de penser à leur rencontre… Mais elle interrompit immédiatement le cours de ses réflexions. Après tout, elle ne le connaissait pas. Quelles garanties avait-elle qu'il ne tenterait pas d'exercer un chantage en menaçant de ruiner sa réputation ? Elle frémit, songeant qu'elle ne pourrait s'en prendre qu'à elle-même et à son inconduite. Élisabeth avait pourtant souvent entendu parler de ces femmes du monde forcées de s'acquitter de sommes astronomiques pour que leur nom ne soit pas entaché.

Brusquement, la jeune femme sentit son humeur s'assombrir. Pourquoi donc était-elle obsédée par cet homme, ses propos, son attitude ? À croire qu'elle n'avait pas seulement perdu ses bonnes manières ce soir-là, mais aussi son esprit… Voilà, se dit-elle, c'était précisément la raison pour laquelle il était hors de question qu'elle laisse un jour l'amour entrer dans sa vie car, elle le savait, elle serait encore moins capable de se servir de sa tête.

— Vous n'avez pas répondu à ma question, belle dame, souffla une voix derrière elle.

Ce rappel de leur jeu, l'emploi du surnom qu'il lui avait donné… tout cela fit naître un désir étrange au creux de son ventre. Élisabeth contracta la mâchoire pour dissimuler sa réaction et fit semblant d'être absorbée dans les difficultés du morceau pour ne pas répliquer.

Mais au bout de quelques instants à peine, rongée par la curiosité, elle se retourna légèrement, comme par inadvertance. Elle s'attendait à le voir arborer une expression moqueuse, un demi-sourire aux lèvres et le regard chargé de sous-entendus, mais elle se trompait. Il était redevenu sérieux, presque grave, comme si sa réaction revêtait une importance capitale. Élisabeth sentit sa bouche s'assécher.

Fort heureusement, elle fut dispensée de répondre par un domestique qui entra pour annoncer le dîner.

Chapitre 6

*H*enry suivit du regard Mlle d'Arsac qui, après avoir délaissé le clavecin, se dirigea vers la salle à manger en compagnie des autres dames. Ici, la coutume voulait que les femmes entrent en premier avant d'être rejointes par les convives masculins.

Il avait encore du mal à se remettre de la surprise causée par la découverte, dans ce salon élégant et raffiné, de l'inconnue qui avait enflammé ses sens et son imagination deux jours auparavant. Néanmoins, il ne parvenait pas à déterminer quel sentiment l'emportait dans cette histoire incroyable… Bien entendu, passé le premier choc, il avait surtout éprouvé de la colère : il avait l'impression que cette jeune noble s'était amusée à ses dépens, comme c'était si souvent le cas dans ce pays où les privilèges étaient légion. Qu'y pouvait-il, lui, l'étranger au nom insignifiant ?

Toutefois, au fil de la conversation, il avait retrouvé cette spontanéité qui lui rappelait la danseuse qu'il avait embrassée. Repensant à la façon dont elle avait contre-attaqué lors de leur entretien galant, Henry esquissa un sourire. Elle avait un tempérament passionné qu'elle tenait en lisière, mais qui reparaissait facilement, pour peu qu'on sache comment s'y prendre… et qu'on tolère les fausses notes.

Ces longues minutes passées à côté d'Élisabeth lui avaient paru éprouvantes : il se trouvait tout près d'elle, mais la bienséance et ce qu'il lui restait d'honneur lui interdisaient d'ébaucher le moindre geste dans sa direction. Elle était vêtue de façon bien moins aguicheuse que lors du bal : sa robe de satin rouille était pourvue de longues manches et d'un col resserré, par-dessus lequel elle portait encore un fichu de laine fine qui lui couvrait la gorge et les épaules. Pourtant, en apercevant sa nuque dégagée par le chignon haut, il avait dû résister à la tentation de la caresser ; il voulait, une fois de plus, la sentir frémir sous ses doigts.

Quand il l'avait effleurée par inadvertance pendant qu'elle jouait du clavecin, son corps avait réagi avec une violence qu'il n'aurait pas soupçonnée. Henry s'était efforcé de garder un ton presque badin, de converser comme si de rien n'était, mais il n'avait eu qu'une idée en tête : l'embrasser à en perdre haleine. Une fois de plus, le jeune homme éprouva douloureusement le contraste entre la gravité qu'il aurait dû observer et le désir de légèreté qu'il ressentait en présence de la « belle dame ». Il avait été consterné de découvrir que leur discussion, qu'il n'envisageait que comme une galanterie à la française, avait fini par revêtir une importance capitale à ses yeux.

Il fut tiré de ses sombres réflexions par un homme qui lui barra la route d'un coup de canne impérieux. Ce dernier, un peu plus âgé que Henry, devait avoir une trentaine d'années. Somptueusement habillé et poudré, coiffé d'une perruque haute, il était un peu plus petit que lui, et bien plus mince. À ses yeux d'Américain, cet inconnu incarnait l'image même du Parisien que l'on décrivait dans les récits de voyages et sur les gravures de mode, et devait connaître son lot de bonnes fortunes.

— Un mot, monsieur, si vous le permettez.

Pris au dépourvu, Henry préféra ne pas répondre, attendant de voir ce qu'on lui voulait. Son inter-locuteur avait dû interpréter son silence comme un acquiescement, car il poursuivit à voix basse :

— Quels sont donc vos liens avec Mlle d'Arsac ?

Henry le dévisagea sans comprendre.

— Je vous demande pardon, monsieur, mais je crains de ne pas vous suivre.

— Mlle Élisabeth d'Arsac, répéta l'importun en détachant les syllabes comme s'il s'adressait à un idiot. La jeune fille auprès de laquelle vous étiez assis et avec qui vous paraissiez… en grande conversation. D'où la connaissez-vous ?

Du bal de l'Opéra, où j'ai eu le bonheur de jouir de ses faveurs, voulut-il rétorquer. Mais bien entendu, il était impensable de proférer une chose pareille.

— Je suis assez heureux pour que M. Louis d'Arsac me compte au nombre de ses amis, et celui-ci m'a présenté à mademoiselle sa sœur tout à l'heure. Ma présence à ses côtés n'était que le fruit d'un heureux hasard.

Henry avait réussi à garder un ton neutre, poli et vaguement ennuyé. L'homme plissa les yeux comme s'il cherchait un sens caché à ses propos, mais sembla malgré tout s'en satisfaire. Mû par un sentiment qu'il n'osait pas nommer, l'Américain rétorqua :

— Puis-je savoir la raison de cet interrogatoire, monsieur ? Quelles sont vos intentions à l'égard de Mlle d'Arsac ?

L'autre le considéra avec une mine dégoûtée.

— Je pense que c'est évident : je la courtise et compte bien demander sa main. Même si vous n'avez aucun titre qui vous permettrait de prétendre l'épouser, je tenais à vous mettre en garde. Serviteur, monsieur.

Sur ce, l'irritant personnage inclina la tête d'un air méprisant et s'éloigna à grands pas rejoindre l'objet de ses assiduités. Plus blessé qu'il n'aurait voulu, Henry serra les poings et respira profondément pour se calmer, car ce n'était ni le lieu ni le moment de provoquer un esclandre.

Louis le rejoignit et lui posa une main sur le bras d'un air conciliant.

— Henry, je vous prie de bien vouloir excuser le comportement de cet homme. Je n'ai pas saisi votre discussion, mais je suppose qu'il s'est montré grossier à votre égard.

— Quel est donc son nom ? Il n'a pas daigné se présenter.

— M. de La Ferté, répondit Louis avec un soupir. Voilà deux ans qu'il s'obstine auprès d'Élisabeth, sans succès jusqu'à présent. Il n'est pas toujours aimable, mais c'est un gentilhomme de la Chambre, qui jouit d'un accès direct au roi, et il nous en coûterait de le fâcher.

Bizarrement, savoir que Mlle d'Arsac n'encourageait pas les faveurs de ce godelureau s'avéra plus efficace que les paroles apaisantes de Louis. Pourtant, le fait que ce dernier affirme que sa famille avait besoin de l'appui de cet homme l'ennuyait. Il préféra ne pas trop s'attarder sur ces constatations et entra dans la salle à manger. Il aurait aimé pouvoir s'asseoir à côté de sa cavalière mais, à sa grande stupéfaction, il découvrit que la maîtresse de maison lui avait attribué la place d'honneur, à sa droite. La jeune femme, quant à elle, était reléguée au bas bout de la table, sans doute parce qu'elle était la seule célibataire.

Un peu désarçonné, l'Américain se laissa entraîner sans rien dire. Il eut néanmoins le temps d'apercevoir Élisabeth sourire d'un air distant au fameux M. de La Ferté, qui déplorait bien haut qu'elle soit assise si loin de lui.

À la place de ce noble insupportable, il serait allé rejoindre Mlle d'Arsac, songea-t-il.

Le repas fut délicieux, quoique de courte durée. La mode voulait que l'on dîne tard, vers deux heures et demie après midi, si bien qu'il ne fallait pas s'attarder pour ne pas trop entamer le reste de la journée. Henry découvrit à cette occasion ce fameux « esprit de conversation » français, fait de plaisanteries, de propos élégants et de traits d'humour, que chaque maîtresse de maison se devait d'entretenir. Mme d'Arsac, efficacement secondée par sa fille, se révélait attentive et capable de mettre en valeur les paroles de chacun. On parla beaucoup, de la mode, de la cour, mais on le fit aussi discourir sur l'Amérique et les mœurs de son pays. Chaque fois que l'on s'adressait à lui, Henry parvenait à aborder la discussion d'un point de vue général plutôt que personnel.

Pourtant, la dévote Mme de Courville finit par s'adresser à lui :

— Monsieur, on prétend que les colonies anglaises ne sont guère éclairées. Puis-je avoir l'audace de vous demander où vous avez appris à si bien parler notre langue ?

Henry tiqua en entendant l'expression « colonies anglaises » mais ne releva pas, sachant bien qu'une majorité de la population de l'Ancien Monde n'avait pas encore assimilé l'indépendance des États-Unis d'Amérique.

— Je vous remercie de ce compliment, répondit-il en esquissant un sourire. Au risque de vous surprendre, sachez que notre pays s'inspire beaucoup de vos philosophes et de leurs lumières. Philadelphie, ma ville d'origine, abrite une université fondée par M. Benjamin Franklin lui-même, et où j'ai eu l'honneur d'étudier. Quant à ma connaissance du français, elle était nécessaire pour traiter avec vos compatriotes faisant commerce depuis les comptoirs des Antilles… Mon père a donc veillé à ce que je reçoive un enseignement poussé dans votre langue, grâce à un homme de Dieu.

— Vous voulez parler d'un de ces huguenots qui défient l'autorité de Sa Sainteté le pape et les fondements de notre église catholique romaine ? demanda M. de La Ferté d'un ton scandalisé.

Henry vit que Mme d'Arsac s'apprêtait à changer de sujet, mais elle n'en eut pas le temps : Élisabeth se jeta dans la mêlée en rétorquant :

— La plupart des huguenots français résident désormais dans les Provinces-Unies, me semble-t-il. S'ils se sont établis ailleurs, ils ne sont plus sujets de Sa Majesté…

L'Américain saisit cette occasion de se défendre.

— En effet, mademoiselle, la plupart des Français que j'ai eu l'occasion de rencontrer en Amérique sont des gens établis selon vos lois et coutumes, donc catholiques. En l'occurrence, mon professeur était un prêtre qui accompagnait l'équipage d'un navire mis en cale sèche tout un hiver dans notre port.

La remarque de M. de La Ferté avait jeté un froid, heureusement vite dissipé par la présence d'esprit de Mlle d'Arsac. Celle-ci, visiblement encline à le défendre, adressa un regard d'encouragement à l'abbé assis à sa droite, qui poursuivit sur le même thème :

— Monsieur, vous m'intriguez. Vous nous affirmez donc avoir appris si bien notre langue en quelques mois ? Votre professeur devait être exceptionnel.

— Il l'était, en effet, répondit Henry, se souvenant avec affection du religieux qui avait décidé de faire de lui un « honnête homme ». Songez que, pendant cette courte période, il m'a enjoint de ne parler qu'en français, non seulement avec lui mais aussi avec les membres de l'équipage. Quand il ne m'avait pas à sa portée, il me donnait nombre d'ouvrages à lire, que je devais lui résumer et commenter. J'étais à peine âgé de seize ans à l'époque et, même si j'aurais préféré visiter le port et nos entrepôts au lieu de passer mon temps à étudier, j'avoue avoir pris beaucoup de plaisir à découvrir tant de choses nouvelles…

— Vous avez fait allusion à l'université de Philadelphie, reprit Louis. Qu'y enseigne-t-on ?

— Les mêmes sujets que dans les universités d'Europe, je suppose : le droit, l'histoire, les mathématiques, les sciences…

— Et vous-même, quels enseignements avez-vous reçus ?

Henry chercha un moyen d'esquiver. Il était secret de nature, et n'ignorait pas la propension des Parisiens à répandre des ragots. Il ressentait cependant l'envie de prouver à tous ces gens condescendants que ses origines roturières ne faisaient pas de lui un être inférieur.

Aussi décida-t-il, un peu malgré lui, de révéler une partie de la vérité.

— J'ai étudié le droit – une discipline indispensable pour reprendre les affaires de ma famille.

Il espéra que cette phrase brève n'ouvrirait pas de brèche dans laquelle ces indiscrets pourraient s'engager. Ce fut Mlle d'Arsac qui le tira du guêpier… pour le jeter dans un autre.

— Et qu'en est-il des femmes ? demanda-t-elle. Votre sœur a-t-elle également reçu une éducation soignée ?

Élisabeth serra les dents. Elle s'était rendu compte de sa bévue en achevant sa question, mais il lui était impossible de revenir dessus, cela n'en paraîtrait que plus étrange. Quelle idiote elle faisait! M. Wolton avait mentionné qu'il avait une sœur, certes... mais lors du bal, pendant leur «jeu». Comment allait-elle justifier une connaissance aussi intime de leur invité et de sa famille?

Celui-ci la dévisagea d'un air interdit pendant une seconde, avant de se reprendre et de sourire. Oh Seigneur, ce sourire... voilà ce qui lui faisait perdre la tête! Il était sur le point d'intervenir quand Louis prit la parole.

— Vous avez donc une sœur, Henry? Voilà un détail que j'ignorais, poursuivit-il en lançant à Élisabeth un regard soupçonneux.

Celle-ci le soutint hardiment même si, au plus profond d'elle-même, elle était épouvantée à l'idée qu'il découvre de quelle façon elle avait appris ce «détail»... Toutefois, M. Wolton lui sauva la mise.

— Je reconnais que je parle très peu de ma famille, reconnut ce dernier. Mais quand Mlle d'Arsac et moi-même avons eu l'occasion de converser tout à l'heure, je me suis permis de la complimenter sur sa tenue et de lui dire qu'elle ressemblait à l'une de ces gravures de mode que ma sœur collectionne. Je crains que ma remarque, qui se voulait galante, ne l'ait troublée au point de lui arracher une fausse note.

Élisabeth sentit tous ses muscles se relâcher d'un coup, alors qu'elle n'avait pas conscience de s'être tendue. La tablée parut se satisfaire de cette explication, et Félicité arbora même une expression amusée. M. de La Ferté, de son côté, semblait avoir avalé une pleine cuillerée de vinaigre, mais elle n'y prêta aucune attention.

— Pour en revenir à votre question… voilà un sujet bien grave pour une jeune personne.

Elle oublia en un instant la reconnaissance qu'elle éprouvait à son égard. Elle avait vaguement cru que cet homme serait en mesure de la comprendre, lui qui devait tout à son travail et ses efforts, et pas à son nom, mais il était comme tous les autres, en fin de compte.

Elle était sur le point de répondre quand sa mère se racla la gorge et la devança.

— Ma fille a des idées très… novatrices quant à l'éducation des dames.

— Pas seulement des dames, mère, mais de toutes les femmes ! s'exclama Élisabeth, incapable de se retenir.

Autour de la table, le silence se fit. M. Wolton paraissait intéressé, mais les autres convives affichaient un air gêné voire carrément réprobateur. L'éducation des dames bien nées n'était guère sujette à controverse, mais celle des femmes en général était autrement plus polémique. Beaucoup estimaient malséant de donner de l'instruction aux gens du commun, et c'était encore plus vrai pour les femmes, censées être soumises à leurs pères et maris.

Élisabeth se mit à triturer nerveusement la serviette posée sur ses genoux. Elle savait bien qu'elle n'aurait pas dû se laisser emporter, mais cela lui tenait à cœur depuis trop longtemps. Au grand dam de ses parents – et tout particulièrement de sa mère – qui réprouvaient ce qu'ils considéraient comme une marotte. Louis, le nez dans son assiette, ne paraissait pas avoir entendu, et Félicité lui adressa un petit sourire embarrassé en guise de soutien, sans pour autant prendre son parti.

—Oh vraiment? demanda l'Américain, visiblement intrigué. Et quelles sont ces idées?

La jeune femme hésita un peu. D'ordinaire, elle n'abordait pas ce sujet de façon aussi brusque, devant autant de monde, et elle redoutait le sermon maternel si elle s'avisait non seulement de monopoliser la parole mais en plus pour un thème aussi malvenu.

—Disons seulement que j'estime qu'une femme n'est pas plus sotte qu'un homme et peut, en conséquence, apprendre les mêmes choses. Pour peu qu'elle sache se défaire de toutes les théories ridicules dans lesquelles on l'entretient sur l'amour.

—Des théories ridicules?

M. Wolton paraissait à la fois surpris et amusé. Élisabeth retint un soupir; elle ne s'attendait pas à ce qu'on la comprenne. Du coin de l'œil, elle vit sa mère faire signe aux domestiques pour qu'ils débarrassent la table et ainsi pousser les convives à regagner le salon. Les réprimandes tomberaient dru ce soir, songea-t-elle.

Afin d'atténuer les effets de son éclat et de remettre un peu d'animation parmi l'assemblée, Élisabeth sourit et se leva à la suite de sa mère, entraînant les autres invités. Néanmoins, elle ne put s'empêcher de répondre :

— Je serais ravie d'en discuter plus en détail avec vous, monsieur Wolton, mais il me semble que le moment est mal choisi. Vous m'en voyez fort chagrinée.

Elle se dirigea lentement vers la porte, laissant les autres sortir. Elle souhaitait rester seule un moment avant d'endosser de nouveau son rôle de jeune fille noble. Bien entendu, elle n'avait pas le droit de se plaindre, mais parfois, dans des moments pareils, la situation lui pesait.

Les accords de la harpe se mirent à résonner dans l'autre pièce, et des bruits de conversation s'élevèrent. Pourtant, Élisabeth ne goûta guère le calme qu'elle cherchait.

— Ma fille, êtes-vous donc incapable de suivre mes conseils ? Il n'y a pas deux jours que je vous ai suggéré d'être plus conciliante, et voilà que vous parlez encore une fois de votre… lubie !

La comtesse avait beau parler à voix basse, sa colère était palpable.

— Mère, si je puis me permettre, je me suis efforcée de couper court à la discussion…

— Couper court ! Vous n'aviez pas à aborder ce sujet, c'est aussi simple que cela. N'avez-vous jamais songé que débattre de ces choses en présence de nos invités puisse être un frein à votre mariage ?

Élisabeth demeura silencieuse. Au fond d'elle-même, elle savait que sa mère avait raison… Ses opinions si hautement proclamées risquaient de la faire passer pour un bas-bleu qu'aucun homme ne souhaiterait épouser. Mais qu'y pouvait-elle ? Devait-elle accepter de courber l'échine et de sourire docilement, en attendant qu'un prétendant moins borné que les autres lui demande sa main ?

Sa mère reprit son monologue :

— Je vais vous laisser sans tarder, car je néglige nos invités. À votre retour, j'exige que vous soyez aimable et charmante, pour tâcher d'effacer cette désastreuse image que vous venez de donner de vous-même. Puis-je au moins espérer que vous vous conformerez à ma volonté ?

La jeune femme hocha la tête sans un mot. Elle se sentait tellement perdue… Elle oscillait entre le désespoir d'être incomprise et la colère devant une situation à laquelle sa mère ne faisait qu'ajouter. Une vague de tristesse la submergea. Y avait-il quelque chose d'anormal chez elle ? se demanda-t-elle soudain. Pourquoi était-elle incapable de se contenter de ce qu'elle avait ? Pourquoi fallait-il qu'elle entretienne de telles chimères ? Elle avait pourtant conscience que ses idées l'éloignaient de son entourage…

Elle entendit le battant se refermer mais n'y prêta pas attention. Soudain lasse, elle ressentit le besoin de s'asseoir et se dirigea vers l'un des sièges.

Du coin de l'œil, elle perçut un mouvement et se retourna. M. Wolton, adossé à la porte, l'observait en silence. Tirée de sa rêverie, elle laissa échapper un petit cri avant de se ressaisir.

— Que faites-vous donc là, monsieur ?

Sa voix était acerbe, mais elle ne parvenait pas à la maîtriser. Elle n'aimait pas être prise au dépourvu et avait l'impression d'être en position de faiblesse face à cet homme.

— Veuillez me pardonner, mais je crois avoir oublié mon chapeau. Il est vrai que nous avons quitté la table assez… rapidement.

Élisabeth sentit le sang lui monter aux joues et se retint de faire une remarque. Le jeune homme s'approcha de la table pour s'emparer de l'objet incriminé, avant de revenir vers elle.

— Je dois reconnaître que je suis très désireux de poursuivre notre conversation, finit-il par dire. Vos propos ont suscité ma curiosité et j'aimerais en savoir un peu plus sur ce que vous pensez de l'éducation des femmes.

Sous le coup de la surprise, elle eut un léger mouvement de recul, puis plissa les yeux avec suspicion.

— Il me semblait pourtant que ce n'était pas un sujet digne d'être débattu, répondit-elle prudemment.

Il eut un éclat de rire franc. C'était déstabilisant, car si une telle attitude était bannie de la bonne société, elle n'en était pas moins étrangement réconfortante. L'espace d'une seconde, il lui parut plus jeune, plus insouciant. Plus proche.

Pardonnez mon comportement, mais sachez que je ne me soucie guère de vos convenances. Elles ont leur charme, il faut l'admettre, mais elles étouffent toute originalité. Et ne craignez pas que je vous juge ; j'estime qu'il est nécessaire d'écouter toutes les idées, d'où qu'elles viennent, et d'en tirer ce qui est intéressant.

Désarçonnée, Élisabeth se mordit la lèvre, ne sachant que répondre. Elle mourait d'envie d'exposer ses théories, bien entendu, mais devant lui ? Soudain, elle s'aperçut qu'il avait les yeux rivés à sa bouche et comprit que sa mimique avait attiré son attention. Elle détourna vivement le regard et se lança.

— Il convient, me semble-t-il, que chaque femme dispose, selon ses origines, d'une éducation appropriée qui lui permette de vivre indépendamment. Elles sont tellement nombreuses à devoir s'assurer un revenu en se mariant ! lança-t-elle, scandalisée.

— Mais le mariage est le fondement même de la société, non ?

— Je vous l'accorde, mais si elles apprenaient à se débrouiller seules, elles pourraient faire leur choix en connaissance de cause, et non dans la précipitation. Elles auraient la possibilité d'agir selon leur raison et non abusées par leur cœur.

— Que proposez-vous dans ce cas ?

— Je pense que chacune devrait apprendre à lire et écrire, exercer un bon métier… Surtout, je pense qu'il faudrait autoriser celles qui le souhaitent à vivre ensemble, pour préserver leur réputation, tout en menant une existence à elles.

— Pourquoi pensez-vous que les femmes agissent selon leur cœur plutôt que selon leur raison ?

— Parce qu'on leur ressasse des idées toutes faites sur l'amour ! Elles s'imaginent être incapables de vivre sans, sont obnubilées par cette notion et finissent par gâcher leurs talents trop jeunes…

— Parlez-vous au nom de toutes les femmes ou ces propos n'engagent-ils que vous ?

Élisabeth se sentit soudain mise à nu. Qu'en savait-elle, après tout ? N'avait-elle pas simplement calqué ses idées sur ses propres désirs ? Pourquoi était-il le seul à s'en apercevoir ?

— Je… reconnais que je détesterais avoir l'esprit embrumé par les sentiments. Je ne voudrais pas qu'ils prennent le pas sur ma raison. Je ne prétends pas qu'il est préférable de renoncer à l'amour, mais il me semble que certaines devraient combattre leur inclination pour se préserver. Je suis sincèrement convaincue que toutes les femmes devraient avoir le même droit à l'éducation que les hommes. Et qu'elles devraient accéder aux mêmes métiers !

— C'est une proposition intéressante, mais d'où viendrait l'argent ? Qui accepterait de financer une telle entreprise ?

La jeune femme baissa la tête. Elle n'avait jamais révélé ce projet à quiconque, mais elle sentait qu'elle devait le faire, au moins pour prouver que ses théories n'étaient pas égoïstes.

— Il serait possible de fonder une école… peut-être avec le soutien financier de Sa Majesté. On dit le roi très ouvert aux nouvelles idées et féru de sciences… On pourrait encore solliciter les grandes dames de la noblesse afin de récolter des fonds pour une telle institution.

Voilà, elle l'avait dit. Un peu soulagée mais pleine d'appréhension, elle leva le menton et soutint son regard pour dissimuler l'angoisse qui lui nouait les tripes. Elle craignait tant qu'il se moque d'elle, qu'il traite avec mépris les idées utopistes qu'elle énonçait.

Pourtant M. Wolton l'examinait d'un air songeur ; il ne semblait pas rebuté ou amusé par ses propos. Il s'approcha d'elle et se permit un geste d'une grande familiarité : il posa la main sur sa joue et passa le pouce sur sa lèvre inférieure.

— Mademoiselle d'Arsac, ce sont là de nobles idéaux, et vous n'avez pas à en avoir honte. Toutefois…, ajouta-t-il en se penchant à son oreille, apprenez d'abord ce qu'est l'amour avant d'en parler en si mauvais termes.

Il allait sortir, quand Élisabeth le rattrapa et le força à lui faire face. Elle souhaitait avant tout dissimuler son trouble, mais les paroles s'échappèrent naturellement.

— Et vous monsieur ? Que savez-vous donc de l'amour ? Que c'est un joli mot qui permet de gagner le cœur d'une dame à moindres frais ?

Les lèvres du jeune homme s'étirèrent en un demi-sourire, mais elle était trop exaspérée pour en tenir compte. Sa remarque avait libéré un flot de sentiments contradictoires. Au fond d'elle-même, Élisabeth avait conscience que M. Wolton n'était pas insensible à son charme, mais elle était persuadée qu'il ne cherchait qu'à s'amuser à ses dépens. Comme il ne répondait pas, elle reprit :

— Je vous trouve bien silencieux tout à coup… Moi qui croyais que l'amour rendait loquace, quelle déception !

Elle fit la moue, avant de reprendre d'un air faussement ingénu :

— Oh mais… Il est vrai que l'amour est l'affaire des femmes : il les pousse à se marier et, ce faisant, les prive de leur liberté.

Ces propos, teintés d'une ironie mordante, n'avaient plus rien d'innocent.

Elle avait fait un pas dans sa direction dans une attitude de défi et se retrouvait désormais tout près de lui, à quelques centimètres à peine de sa large poitrine. Mue par une impulsion subite, elle se mit sur la pointe des pieds et lui effleura le menton de ses lèvres.

— Nous voilà quittes, à présent, déclara Élisabeth en portant une main à son cœur dans un geste théâtral. Ô Seigneur, serais-je en train de succomber à vos charmes ?

Quand elle découvrit l'expression stupéfaite du jeune homme, elle songea que cet incident valait bien les remontrances de sa mère. Le cœur plus léger, elle partit d'un grand éclat de rire, avant de se retourner et de sortir à grands pas, plantant là M. Wolton.

Chapitre 7

A près une accalmie, la neige s'était mise à tomber ces derniers jours en abondance sur Paris et ses environs. Dans le village de Passy, tout près de la ville, elle formait une couche épaisse qui rendait les déplacements laborieux et incertains.

Henry sortit de la maison de Benjamin Franklin de très méchante humeur. Il avait enfin obtenu une nouvelle entrevue avec l'ambassadeur du Congrès américain, mais n'avait rien pu en tirer. La seule chose qu'on lui demandait, c'était d'être aimable, de se montrer dans les salons et de charmer l'opinion française pour que celle-ci penche en leur faveur. S'il comprenait l'importance de ce travail de séduction, il vivait néanmoins très mal d'être relégué aux arrière-postes pour jouer les saltimbanques. Il avait la nette impression que la bonne société lui ouvrait ses portes non grâce à ses talents ou ses efforts, mais grâce à son amitié avec Louis d'Arsac, qui ne se démentait pas depuis le premier jour. Pour l'homme profondément épris de justice qu'il était, il paraissait invraisemblable d'être évalué en fonction de ses relations et non de ses compétences.

Mais surtout, Henry était un homme d'action. Il aurait donné cher pour qu'on lui ordonne de voyager, d'œuvrer en secret au bien de sa patrie. Au lieu de quoi, il en était réduit à se contenter des seconds rôles ! Une petite voix lui souffla que ce n'était peut-être pas la seule cause de son irritation ; cela faisait bientôt dix jours qu'il essayait de chasser le souvenir de Mlle d'Arsac, et une course loin de Paris aurait été la bienvenue à cet égard. Si seulement il avait pu se rendre à Nantes et vérifier l'état de son navire… Mais les ambassadeurs avaient été formels : sa présence était requise en ces lieux, et il ne partirait pas de sitôt. Quant à la jeune femme incriminée… Henry poussa un soupir. Il s'était senti tellement stupide quand elle l'avait abandonné dans la salle à manger, qu'il éprouvait encore de la rancœur à son égard.

Emporté par la colère, il faillit déraper dans la cour aux pavés gelés et poussa un juron. Il ne manquerait plus qu'il se casse une jambe ! Il ralentit l'allure et finit par atteindre la porte principale, où sa voiture l'attendait.

S'arrêtant devant la maison du portier, il tapa au carreau et fit signe à son cocher. Plutôt que d'entrer, Henry préféra patienter dehors, devant la demeure, le temps que le domestique remette sa livrée et aille chercher les chevaux. Le froid était moins vif, mais il se remettait à neiger et ils devraient se hâter pour atteindre Paris tant que les routes étaient praticables.

Il faisait les cent pas pour se réchauffer et en profita pour observer les environs. Passy était un village situé dans les faubourgs et accueillait beaucoup de Parisiens soucieux de trouver un peu de calme et de s'éloigner d'un tumulte sans cesse renaissant. Beaucoup d'autres y mettaient leurs enfants en nourrice, car l'air y était réputé sain, dépourvu des miasmes à l'origine de tant de décès en bas âge.

Tapant des pieds, Henry releva le col de son manteau pour se prémunir d'une rafale de vent aigre. Si son cocher ne se dépêchait pas, il allait geler sur place. D'ailleurs, il devait bien être le seul à arpenter ainsi la rue… Il leva la tête, soudain attiré par un mouvement. À une vingtaine de mètres de là, une silhouette encapuchonnée, certainement une femme, sortit d'une maison modeste. Quelque chose n'allait pas, et cela attira son attention : cette personne portait une cape de bonne qualité bordée de fourrure, qui laissait apparaître un soulier de cuir ouvragé. En dépit des couleurs sombres et de l'aspect austère de ses vêtements, ceux-ci trahissaient une aisance matérielle qui jurait avec l'évidente simplicité de la demeure.

Intrigué, le jeune homme avança de quelques pas. La silhouette lui tourna le dos avant de faire volte-face, comme si elle examinait les environs. Quand elle se trouva face à lui, elle ne sembla pas le remarquer, et lui-même ne put distinguer son visage dissimulé par l'ombre de la capuche. Il était sur le point de se diriger vers l'inconnue quand le bruit de l'attelage le ramena à la réalité.

Henry mit un frein à sa curiosité et s'apprêta à monter en voiture. Il jeta un dernier regard à la silhouette quand une bourrasque de neige rabattit soudain le capuchon de celle-ci. Il n'en crut pas ses yeux : Élisabeth d'Arsac se tenait dans la rue étroite, seule et visiblement sans aucun moyen de rentrer chez elle. L'espace d'un instant, il se demanda si la Providence le mettait à l'épreuve ; chaque fois qu'il tentait d'oublier la belle dame, elle reparaissait sur son chemin !

Pourtant, la jeune femme ne semblait pas l'avoir reconnu et se dépêcha de remettre sa cape. D'un pas vif, elle partit en direction de l'église… Peut-être que sa voiture l'y attendait ? Incapable de résister à la tentation d'en savoir plus, Henry ordonna au cocher de le suivre à faible distance pendant qu'il rejoignait Mlle d'Arsac. Tout en avançant, il se répéta qu'il ne faisait qu'assurer la sécurité de la sœur de Louis. Celle-ci devait rentrer saine et sauve ; le temps était menaçant et froid, et il était hors de question qu'elle fasse tout ce chemin à pied.

Arrivée devant l'édifice religieux, elle s'arrêta net, visiblement décontenancée. Ainsi, elle attendait quelqu'un qui n'était pas venu… Brusquement, un soupçon s'empara de lui : et si elle allait retrouver un galant ? S'il était en train d'espionner un rendez-vous amoureux ? Une brûlure naquit dans sa poitrine, mais il l'écarta résolument. Il ne pouvait toutefois pas laisser la jeune femme ainsi, seule et sans même un chaperon. Louis l'étranglerait s'il avait vent de cette aventure…

Avec détermination, Henry rattrapa Mlle d'Arsac et lui posa une main sur l'épaule. Elle sursauta et se

retourna d'un bloc, prête à se défendre et brandissant…
un livre ? Voilà qui était étrange, mais il aurait l'occasion
de s'en préoccuper plus tard ; il devait d'abord éviter le
coup et s'expliquer avec elle.

Faisant un pas de côté, il esquiva le lourd volume
qui visait sa tête et arrêta le bras de la jeune femme
avant que celle-ci ne soit emportée par son élan. Elle
trébucha pourtant et se retrouva plaquée contre sa
poitrine. Il en eut le souffle coupé. Instinctivement,
il resserra les bras autour d'elle pour l'empêcher de
tomber… En dépit de l'épaisseur de ses vêtements,
il sentit son corps souple contre le sien et cela suffit à
attiser son désir ; il était émoustillé par la chaleur qu'elle
dégageait, ses courbes douces et attirantes…

Henry fit un effort pour s'arracher à ses divagations.
Il n'était pas question de s'abandonner à ses pensées
indécentes. Il repoussa un peu vivement Élisabeth pour
la remettre d'aplomb et s'exclama d'un ton ironique :

— Mademoiselle d'Arsac, quelle surprise ! Il semblerait que nos chemins ne cessent de se croiser. Pour
un peu, je vous soupçonnerais de me suivre…

Elle ne parut pas goûter son trait d'esprit, car elle
rétorqua immédiatement :

— Qu'allez-vous donc croire, monsieur ? Je pourrais
moi-même vous accuser de m'espionner ! Que faites-
vous en ces lieux, d'ailleurs ?

L'Américain ignora la pointe de culpabilité que
faisaient naître les reproches de sa compagne, et décida
de se justifier. Ainsi, songea-t-il, peut-être révélerait-elle
les raisons de sa présence…

—Sachez que M. Franklin, notre ambassadeur, réside dans ce village. Je sors tout juste d'un entretien qu'il a eu la bonté de m'accorder.

L'air soupçonneux d'Élisabeth s'estompa, laissant place à une expression de curiosité mal dissimulée.

—Vous avez rencontré ce grand homme ? Vous a-t-il fait part de ses dernières expériences ? Je sais que le château de La Muette a été mis à sa disposition…

Henry leva la main pour interrompre ce flot de paroles. S'il la laissait faire, elle allait le détourner de son objectif.

—Je serai parfaitement enclin à aborder le sujet avec vous, mais permettez-moi d'abord de vous offrir l'asile de ma voiture. J'ai l'impression que vous êtes seule, ce qui n'est assurément pas recommandé pour une dame de votre condition, et je ne saurais regarder votre frère dans les yeux si je m'avisais de vous laisser ici, livrée à vous même.

Elle haussa les épaules avec désinvolture.

—Croyez-moi ou pas, monsieur, ce ne serait pas la première fois.

—Faites-moi tout de même la grâce de vous mettre à l'abri du froid et de la neige. J'ai trop d'honneur pour vous laisser dehors, et je commence à ne plus sentir mes pieds…

Mlle d'Arsac leva un sourcil, visiblement peu convaincue par sa démonstration, mais finit par céder. Il était temps, car Henry était frigorifié depuis quelques secondes : le fait qu'elle reconnaisse avec un tel aplomb qu'elle avait déjà parcouru le village de Passy seule et à pied n'avait rien de rassurant, et il se demanda s'il n'avait pas vu juste en imaginant qu'elle y avait un amant.

La voiture s'arrêta à leur hauteur et, en apercevant la jeune dame, le cocher descendit pour déplier le marchepied et l'aider à grimper. Elle prit place et s'écarta un peu pour laisser son compagnon s'installer face à elle. Frappant le toit d'un coup de poing, celui-ci donna le signal du départ. En dépit des protestations d'Élisabeth, il avait la ferme intention de la ramener chez elle, même si la perspective de faire le trajet en sa compagnie dans un espace aussi confiné relevait de la torture.

Décidément, le destin était contre elle. Élisabeth n'avait pas vu le temps passer et avait quitté la maison un peu plus tard qu'à son habitude, pour découvrir qu'il neigeait et que son fiacre ne l'avait pas attendue. Comble de malchance, il avait fallu que la personne qu'elle cherchait à éviter à tout prix se matérialise derrière elle !

Oh, qui diable comptait-elle duper ? Elle mourait d'envie de recroiser l'insupportable M. Wolton depuis leur dernière rencontre. Il ne s'était pas attardé très longtemps après leur joute verbale, et il avait entraîné Louis dans son sillage, sans doute pour jouir des plaisirs que Paris pouvait offrir à deux jeunes gens. Et voilà qu'il refaisait surface, au moment où elle était le plus vulnérable, tout sourires, comme s'il ne s'était jamais rien passé. Elle poussa un grognement de contrariété.

—Qu'avez-vous dit? s'enquit l'Américain dans un sourire.

—Rien du tout, répliqua-t-elle d'un ton boudeur.

—Quel dommage! Moi qui comptais sur ce trajet pour profiter des charmes de votre conversation…

Elle le dévisagea d'un air suspicieux.

—Quel trajet?

Sentant la voiture s'ébranler, elle s'exclama :

—Vous m'avez trompée! Il n'était pas question de faire route ensemble!

—Ah vraiment? Et quel était votre projet? Rester ici jusqu'à la nuit tombée et vous retrouver seule, au milieu du village? Je commence à me demander si vous êtes folle à lier ou tout simplement inconsciente…

Quand la jeune femme se renfrogna, il reprit :

—Ne prenez pas cet air-là, vous savez parfaitement que j'ai raison.

—Auriez-vous donc fait tout ce chemin depuis l'Amérique pour m'inculquer des leçons de morale, monsieur? Cela vous choque-t-il tant qu'une femme puisse se déplacer seule?

—Je ne suis pas choqué, je me fais simplement du souci à votre sujet! S'il vous arrivait quelque chose, votre famille serait au désespoir…

—Croyez-vous? rétorqua-t-elle avec un petit rire dénué de joie. Je pense surtout qu'ils seraient blessés dans leur orgueil. Mais là n'est pas la question. Où m'emmenez-vous?

—Chez vous, bien entendu. Je ne vais pas vous enlever ; j'ai beau n'être qu'un sauvage aux yeux de bon nombre des vôtres, j'ai tout de même des principes.

L'amertume perçait dans sa voix, et Élisabeth se mordit la lèvre, honteuse du comportement de ses pairs.

—J'en suis désolée, reprit-elle d'un ton plus amène. Je ne voulais pas insinuer que… enfin, je ne voulais pas me montrer insultante.

M. Wolton lui sourit, et elle sentit son cœur s'emballer. Elle tenta de se ressaisir immédiatement, agacée par sa propre faiblesse.

—Vous ne m'avez toujours pas dit ce que vous faisiez ici, mademoiselle d'Arsac.

—Je vous en prie, n'en parlez à personne, et encore moins à ma famille ! s'exclama-t-elle, prenant brusquement conscience qu'un seul mot de cet homme pouvait lui faire perdre beaucoup.

—Ainsi, personne ne sait où vous vous trouvez ? demanda-t-il, visiblement décontenancé. Cela ne fait plus aucun doute, vous êtes totalement inconsciente : et s'il vous était arrivé quelque chose ? D'ailleurs, votre mère sait-elle seulement que vous n'êtes pas chez vous ?

Élisabeth résolut de révéler une partie de l'histoire.

—Ma mère sait que je suis sortie… Je lui ai dit que je me rendais au couvent des Dames-de-l'Assomption, pour me recueillir et assister à l'office des vêpres. Plusieurs dames de la cour s'y sont retirées, et il est de bon ton d'y paraître.

—Vous dissimulez votre escapade sous l'apparence de la piété…

— Oh, n'allez pas me servir une de vos leçons de morale, je vous en prie. Surtout pas après… euh…

Élisabeth rougit, baissa la tête et fut incapable de poursuivre.

— Après ce que nous avons fait à l'Opéra ? Je vous l'accorde. Mais cela n'explique toujours pas pourquoi vous étiez à Passy. Étiez-vous allée rejoindre un galant ?

À cette suggestion, la jeune femme sentit une vague de chaleur naître dans son ventre et se diffuser dans tout son corps, comme quand il l'avait serrée contre lui pour l'empêcher de tomber. Pourtant, le fait que M. Wolton sous-entende qu'elle entretenait des relations illicites avec un homme la rendait furieuse… Emportée par la colère, elle décida de le prendre à son propre piège.

— Quand bien même, vous n'êtes pas mon parent, et mes actions ne vous concernent en rien ! Et d'ailleurs, qui vous dit qu'il n'y a qu'un seul amant ? Après tout, j'ai dépassé les vingt ans, et l'on pourrait s'attendre à ce que je développe une certaine… expérience.

Ses joues étaient cramoisies à présent, mais elle espéra qu'il mettrait cela sur le compte de son irritation. Un bref regard lui apprit que son interlocuteur était bien trop troublé pour se soucier de son apparence : l'air stupéfait, ses yeux d'un gris profond étaient écarquillés et il avait la bouche entrouverte.

Elle se mit à rêver de ce qu'il ferait avec cette bouche s'il lui prenait l'envie de l'embrasser… Elle savait déjà qu'elle ne le repousserait pas, peut-être même l'encouragerait-elle. Elle imagina qu'il déposait des baisers le long de sa joue, avant de s'aventurer plus bas, vers sa poitrine et…

Élisabeth sursauta, comme brûlée au fer rouge. Elle se surprit à penser que c'était ce qu'elle souhaitait par-dessus tout ; elle souhaitait que M. Wolton l'embrasse… et plus encore. Si la simple idée d'un baiser pouvait l'enflammer ainsi, qu'arriverait-il quand il passerait aux actes ?

Brusquement, la voiture fit une embardée et faillit verser, les précipitant l'un contre l'autre. Le jeune homme la saisit par la taille pour lui éviter de se cogner la tête. Il était si proche, si tentant… Elle désirait tellement le sentir contre elle… Enhardie par la situation, elle décida de se jeter à l'eau sans réfléchir davantage aux conséquences.

—À propos, monsieur, pourquoi ne ferais-je pas de vous mon nouvel amant ? Vous me paraissez avoir tous les critères requis, ajouta-t-elle avec une assurance qu'elle était loin de ressentir.

Il la dévisagea avec une expression soupçonneuse tout en l'aidant à se rasseoir.

—Qu'entendez-vous par là ? Vous seriez prête à… vous abandonner ? Pour quelles raisons ? Et qu'est-ce qui vous fait croire que je pourrais accepter ?

—Eh bien, vous êtes plutôt bel homme, répondit-elle d'un air faussement dégagé. Et j'ai déjà eu l'occasion de découvrir vos talents.

Seigneur, elle allait finir en enfer à force d'impudeur… Néanmoins, s'il s'avisait de la repousser, elle en mourrait de honte, c'était certain.

L'Américain s'assit à côté d'elle, les pupilles dilatées par le désir, la mine farouche. Sans préambule, il prit son visage entre ses mains et l'embrassa à perdre haleine. Élisabeth gémit mais s'agrippa immédiatement à lui, refermant les mains sur ses larges épaules, se laissant submerger par la passion.

Ce fut lui qui mit fin à leur étreinte, bien trop tôt au goût de la jeune femme. Elle était pantelante, mais constata avec plaisir qu'il n'était pas en reste. Pourtant, elle le sentait toujours distant ; il semblait ne considérer ce baiser que comme un avertissement.

— Prenez garde à ce que vous souhaitez, madame, car vous pourriez bien l'obtenir.

Il allait céder, comprit-elle. Il luttait encore mais il allait accepter son offre. Triomphante, elle le gratifia d'un sourire éclatant et rétorqua :

— Mais j'y compte bien, monsieur Wolton.

La jeune femme était tellement grisée par le désir qu'elle n'aurait pas vu d'inconvénient à ce qu'il la prenne ici même, dans le fiacre. Elle parvint à se refréner et demanda sur le ton de la conversation :

— Quand nous reverrons-nous ?

Son interlocuteur lui adressa un sourire carnassier qui semblait indiquer qu'il était prêt à la dévorer toute crue. *Oh oui*, songea-t-elle tandis qu'une nouvelle bouffée de chaleur lui montait au visage.

— Demain serait-il à votre convenance ? Ou plus tard cette semaine, si vous êtes déjà engagée…

— Non, demain sera parfait, répondit-elle vivement.

À dire vrai, Élisabeth craignait de reprendre ses esprits et de se dédire, ce qui serait, à ses yeux, une preuve de lâcheté. Et elle devait bien admettre qu'elle était impatiente de découvrir les relations physiques et de vérifier si ce qu'on en disait était vrai.

— Très bien. Rendez-vous après dîner à l'hôtellerie du Lion d'Or, rue de la Clef. Savez-vous où cela se trouve ?

— Il me semble que l'endroit n'est pas loin de l'abbaye Saint-Victor...

— En effet. Présentez-vous sous le nom de Mrs Washington. Je connais les tenanciers, et je peux vous garantir leur discrétion.

— Vous avez déjà pris l'habitude de tenir des rendez-vous galants ?

M. Wolton ne répondit pas et Élisabeth ne put retenir une grimace. Ainsi, elle ne serait pas sa première conquête... Cela aurait été peu probable, bien entendu, et elle se doutait qu'elle n'avait pas affaire à un moine, mais au fond d'elle-même, elle avait cru... ou plutôt espéré qu'il lui réserverait une place à part. Mais elle se fourvoyait ; les hommes étaient des coureurs, et elle avait eu tort de penser qu'il serait différent des autres.

Un silence gêné s'installa dans la voiture tandis qu'ils roulaient. Ils étaient entrés dans Paris quelques instants après leur baiser, et la circulation les ralentissait un peu. Bientôt, ils franchiraient la Seine pour gagner l'autre rive et le quartier où se trouvait la demeure familiale.

Pourtant, l'Américain demeurait assis sur la même banquette, il n'avait pas repris place face à elle. À chaque minute qui passait, la jeune femme prenait un peu plus conscience de leur proximité, de la chaleur qui émanait de son compagnon, du désir qui lui tordait les entrailles… Tremblante, les yeux fermés, elle ôta ses gants, avant de poser la main sur la cuisse musclée de son compagnon. Tout d'abord, il ne parut pas réagir, mais quand elle entrouvrit les paupières, elle se rendit compte qu'il regardait droit devant lui et luttait pour conserver une respiration calme et régulière.

Avec un sentiment de puissance tel qu'elle n'en avait jamais éprouvé, elle déplaça sa main le long de la jambe, vers le genou, puis remonta lentement, décrivant de petits cercles du bout des doigts ou exerçant une légère pression, se réjouissant de sentir ses muscles se contracter sous ses caresses. Elle hasarda un nouveau coup d'œil et eut la surprise de découvrir qu'une autre partie de son anatomie semblait se raidir… et croître. Alors qu'elle dirigeait la main vers cet endroit fascinant, il lui saisit promptement le poignet et lui murmura à l'oreille :

— Mademoiselle d'Arsac, pour expertes que soient vos caresses, je vous saurais gré de bien vouloir les interrompre. Nous arrivons bientôt et je ne voudrais pas me couvrir de honte en me répandant comme un vulgaire collégien.

Élisabeth n'était pas certaine de comprendre à quoi il faisait allusion, mais elle préféra ne pas le montrer et hocha la tête. Si jamais il se rendait compte de son inexpérience… Fort heureusement, M. Wolton avait raison : ils arrivaient à destination.

— Vous m'excuserez de ne pas venir saluer votre mère, mais je ne suis guère présentable à cet instant.

Quant à votre alibi, n'ayez crainte : je dirai que je vous ai reconnue place Louis XV, et que j'ai offert de vous raccompagner.

— Merci, monsieur, répondit-elle la gorge serrée. Puis-je me permettre d'insister et avoir votre parole que vous ne divulguerez pas notre entrevue de demain ?

Elle se sentait idiote d'aborder une fois de plus ce sujet, mais elle ne pouvait pas se permettre d'être découverte. Si son aventure était éventée, elle pourrait dire adieu au monde et finirait ses jours dans un couvent… si elle avait de la chance. Sa famille veillerait très certainement à l'enfermer au fin fond du pays et à ne plus jamais entendre parler d'elle, avant de s'occuper de M. Wolton.

— Contrairement à ce que vous semblez croire, j'ai de l'honneur, répondit-il les dents serrées. En outre, je risquerais de perdre beaucoup en déclenchant un scandale impliquant la fille d'une grande famille, et ce serait desservir mon pays. Et vous n'avez visiblement pas plus envie que moi de vous retrouver la corde au cou.

Étrangement, elle se sentit un peu vexée qu'il n'envisage même pas de s'unir à elle. *Comment le pourrait-il ? Il n'est pas noble, et il n'est même pas français !* s'admonesta-t-elle.

— En effet, nous sommes liés par un intérêt commun, reconnut-elle en se forçant à sourire.

— À demain donc, madame Washington, répondit-il à voix basse en soulevant son chapeau.

Le cocher, qui l'avait aidée à descendre, se hâta de reprendre sa place et fouetta les chevaux dès qu'il entendit le coup contre la cloison.

À pas lents, elle regagna l'hôtel où, prétextant une migraine, elle trouva refuge dans sa chambre, pour réfléchir aux événements de la journée. Allait-elle vraiment s'offrir à cet homme? Elle prit conscience de l'énormité de ce qu'elle avait fait: elle venait de convenir d'un rendez-vous galant dans une auberge avec un homme qu'elle ne connaissait que depuis quelques jours! Seigneur, elle ne savait même pas exactement ce que cela impliquait… Elle avait perdu l'esprit, c'était évident.

La jeune femme sentit soudain une boule se former dans sa gorge. Après tout, Félicité lui avait expliqué un peu ce qui se passait entre un homme et une femme, mais elle n'était pas entrée dans les détails. Elle semblait estimer que l'expérience était agréable et pourtant… Élisabeth se souvenait avoir entendu dire que l'acte était surtout plaisant pour l'homme, et non pour sa partenaire. Mais elle avait tellement apprécié les baisers échangés avec M. Wolton qu'elle refusait résolument de croire que les choses seraient différentes une fois cette étape franchie.

La tête bourdonnant de mille questions mais le corps enfiévré, Élisabeth passa une bonne partie de la nuit à se retourner dans son lit, sans parvenir à trouver le sommeil. Ce ne fut qu'au petit matin qu'elle réussit à s'endormir, même si la tension ne l'abandonna pas complètement. Ses rêves étaient confus et troublés, mais avaient tous un point commun: le regard gris acier de cet Américain qu'elle allait bientôt retrouver.

Chapitre 8

Il était encore tôt, mais Henry avait tenu à être en avance au rendez-vous. Il souhaitait vérifier les lieux, s'assurer une fois encore de la compréhension et de la discrétion de l'hôtesse… Il ne se faisait aucune illusion : régler les derniers détails de cette entrevue lui permettait de ne pas s'appesantir sur ce qui l'attendait. Il ne voulait pas réfléchir au risque de renoncer à cette aventure galante et, à sa grande honte, il n'aurait voulu s'en priver pour rien au monde.

Cela l'avait frappé comme une évidence dès qu'il avait quitté Mlle d'Arsac : en dépit de tout ce qu'on lui avait appris, en dépit des idées que lui-même professait sur l'honneur et la raison, il la désirait ardemment, il voulait la toucher, s'enivrer d'elle jusqu'à exorciser le souvenir de ses caresses et de ses sourires. Elle l'obnubilait au point qu'il en oubliait ses devoirs envers sa patrie, envers son passé… Henry se crispa involontairement ; depuis sa rencontre avec la jeune femme, il avait relégué à l'arrière-plan ses souvenirs douloureux. Il en éprouvait un certain trouble.

Pour se distraire de ses sombres pensées, il passa les lieux en revue. C'était une pièce petite mais confortable, bien chauffée, conformément à ses directives. Au milieu, une petite table et deux chaises, ainsi qu'une collation froide ; il souhaitait éviter autant que possible les rencontres avec le personnel de l'auberge. Contre le mur, l'alcôve du lit était à demi dissimulée par un rideau, mais son regard s'y attarda. Des images de Mlle d'Arsac étendue sur les coussins, nue comme au premier jour, l'assaillirent, et son esprit se mit à dériver. Il se demanda quel goût aurait sa peau, s'il retrouverait ce parfum fleuri qu'il avait respiré sur elle pendant le bal. Lors de leur dernier baiser, il avait dû se faire violence pour se retenir de sauter sur la jeune femme et de la trousser dans la voiture comme une vulgaire catin…

Aujourd'hui, il souhaitait plus que tout profiter des quelques heures dont ils disposaient. Avec un peu de chance, elle serait aussi délicieusement libertine qu'il le devinait et ils pourraient s'adonner tout leur soûl à leurs ébats. Henry repensa à ces moments incroyables où elle l'avait caressé et failli provoquer son extase et, presque aussitôt, une protubérance se mit à croître dangereusement sous la toile de son pantalon. Elle était douée pour les choses de l'amour, cela allait de soi…

Pourtant, sa conscience persistait à le hanter, lui assenant qu'il ferait mieux de renvoyer la jeune femme à sa mère et de rompre tout commerce avec elle. Mais d'un autre côté, il avait l'impression d'avoir enfin émergé de la longue obscurité où il avait trouvé refuge à son arrivée en France. Depuis qu'il avait rencontré Mlle d'Arsac – Élisabeth – c'était comme s'il était de nouveau capable de respirer, de voir, d'entendre, comme si on l'avait tiré d'un long marasme.

Henry décida de se reprendre et écarta fermement toutes ses hésitations. Après tout, elle venait à lui librement, en toute conscience. Sur le palier, le plancher grinça, et il ne put retenir un mouvement d'exaltation ; après un bref silence, la porte s'ouvrit pour révéler une femme entre deux âges, vêtue d'une robe simple mais impeccable, la tête couverte d'un bonnet. Celle-ci s'effaça presque immédiatement pour laisser passer une silhouette enveloppée d'une cape, et l'Américain sentit un frémissement de joie s'emparer de son être.

Dès qu'ils furent seuls, il s'approcha pour saluer sa visiteuse, qui abaissait sa capuche. En dépit du masque dont elle s'était couverte, il reconnaissait ses yeux d'un brun chaud, ses cheveux couleur de miel, sa peau laiteuse… Un léger sourire incurvait ses lèvres et montait jusqu'à son regard pétillant. Comme elle faisait un geste pour retirer son vêtement, il lui saisit doucement le poignet.

—Non ! Permettez-moi…

Joignant le geste à la parole, Henry défit l'agrafe et ôta la lourde cape qui dissimulait les formes, effleurant la peau fine de sa gorge. Elle tressaillit mais ne dit pas un mot, se contentant de prendre une profonde inspiration, comme si elle cherchait à reprendre contenance. Ainsi, elle était quand même un peu nerveuse… Bizarrement, cette constatation le soulagea, il se sentit moins vulnérable.

Lentement, il suivit les contours du domino du bout du doigt, réduisant peu à peu la distance entre eux. Puis il prit son visage entre ses mains, remontant jusqu'au lacet qui l'attachait, et tira pour défaire le nœud. De façon spectaculaire, le masque entraîna la chevelure, qui tomba en ondulations épaisses sur les épaules de la jeune femme, la nimbant d'une lumière dorée. Il sourit intérieurement en retrouvant ce parfum si délicat qui n'appartenait qu'à elle, ce mélange de rose et de sucre qui lui donnait envie de la dévorer. N'y tenant plus, Henry posa la bouche sur celle de sa compagne et l'embrassa.

C'était comme si son geste avait mis le feu aux poudres : alors qu'elle s'était contentée d'attendre passivement son bon vouloir, Élisabeth réagit avec fougue, répondant à son baiser, ouvrant la bouche quand il pressa la langue contre ses lèvres pour s'y insinuer. Il referma les bras autour d'elle et l'attira contre sa poitrine, désireux de la sentir collée à lui, d'imprimer ses courbes dans sa propre chair.

À pas mesurés, Henry se mit à reculer pour faire traverser la pièce à la jeune femme. Elle n'opposa pas de résistance, mais émit un petit gémissement de protestation quand il interrompit leur baiser pour vérifier où il mettait les pieds. Sa réaction si franche et dénuée d'affectation l'excita et il sentit son sexe se tendre.

Élisabeth ne savait plus où elle était ; sa tête bourdonnait, son corps était brûlant, ses lèvres gonflées par le désir et… une sorte de pulsation lancinante parcourait son bas-ventre. Malgré son souffle haletant, pour rien au monde elle n'aurait mis un terme à leur étreinte.

En arrivant à l'auberge, elle avait certes éprouvé quelques secondes d'appréhension, mais les baisers de M. Wolton avaient tout balayé. Elle sentit une main dans ses cheveux et frémit à ce contact si intime ; jamais personne ne l'avait vue ainsi décoiffée et cela la bouleversait presque plus que les caresses.

Quand son compagnon se retourna une fois de plus, elle glissa les mains sous sa veste, comme elle l'avait fait lors du bal. Elle savoura la sensation de chaleur qui émanait de lui, la fermeté de ses épaules, la finesse du lin sous ses doigts. Impatiente, elle repoussa le vêtement et entendit un petit rire.

—Ah, ma douce, que vous êtes pressée…

Mais cette phrase n'était pas teintée du moindre reproche. En réalité, elle trahissait plutôt une sorte d'appétit. M. Wolton paraissait avoir soudain une voix plus rauque.

Quoi qu'il en soit, il devait apprécier son impatience non dissimulée, car il l'aida à ôter sa veste et se retrouva en manches de chemise et gilet. Élisabeth s'écarta de lui pour le contempler et demeura un instant bouche bée ; il avait une carrure bien plus large qu'elle n'aurait cru, et ses épaules tendaient le tissu de façon très révélatrice. Elle ressentit un trouble étrange mais agréable, et fut submergée par une vague de chaleur. Ne sachant si ses joues rougissaient à cause de sa gêne ou de la température, elle se détourna pudiquement, mais il lui prit doucement le menton et la força à croiser son regard.

— Belle dame, ne vous avisez pas de jouer les effarouchées à présent, je vous en conjure.

— Monsieur… balbutia-t-elle, cherchant désespérément une réponse adéquate.

— Pas de « monsieur » entre nous, je vous en prie ! Appelez-moi donc Henry.

— Je… J'ignore si j'en serai capable.

— Bien sûr que si ! Allons, je vous écoute… Élisabeth, ajouta-t-il dans un sourire.

La jeune femme rougit de plus belle, mais refusa de se laisser impressionner. Il lui tenait toujours le menton et elle le regarda dans les yeux.

— Henry… finit-elle par dire.

Puis, pour ne pas être en reste, elle ajouta :

— Il semblerait que je sois plus habillée que vous.

L'expression du jeune homme devint radieuse.

Henry crut qu'il allait devenir fou. Chaque fois qu'il croyait se maîtriser assez pour dominer le jeu avec Élisabeth, celle-ci lui assenait un nouveau coup. Alors qu'elle paraissait gênée de le voir sans veste et de s'entendre appeler par son prénom, elle lui avait reproché sans trembler de ne pas l'avoir dévêtue ! C'était invraisemblable… et incroyablement excitant.

Un fichu de fine laine couleur crème était drapé sur les épaules de la jeune femme. Il tira sur les extrémités coincées dans le corset pour dévoiler le décolleté profond. La chair lisse et blanche se dévoila à son regard et Henry posa les mains à la base du cou d'Élisabeth, caressant doucement la clavicule, avant de poursuivre ses explorations plus bas, ses lèvres suivant le chemin tracé par ses doigts.

Le contact de cette bouche tiède et souple donna à Élisabeth l'impression d'avoir été frappée par la foudre. Les baisers suivaient l'échancrure du corsage, enflammant sa peau comme une traînée de poudre. Enhardie, elle enfonça les doigts dans les cheveux du jeune homme, dénouant son catogan pour mieux apprécier leur contact soyeux.

Il redressa la tête, mais porta toute son attention sur le corsage dont il défit les attaches, puis écarta la robe de ses épaules, dégageant les bras. Dessous, son corset était très bas et, desserrant les lacets, il parvint à dégager un sein. La pointe rose et tendue émergea de sous la chemise. Il dut s'interrompre brièvement, tant cette vision lui paraissait enchanteresse. Il effleura le téton du pouce, ce qui, à sa grande satisfaction, fit sursauter Élisabeth.

L'étonnement se lisait sur ses traits, mais elle n'opposa pas la moindre résistance. Au contraire, elle ferma les yeux et renversa la tête en arrière pour mieux jouir des sensations. Elle le sentit la caresser jusqu'à ce que la pointe de son sein devienne aussi dure qu'une petite pierre, faisant naître une douleur lancinante semblable à celle qui grandissait entre ses cuisses. Mais quand il le prit dans sa bouche, elle crut qu'elle allait défaillir ; jamais elle n'avait soupçonné qu'une chose aussi réprouvée puisse être aussi agréable. C'était comme si chaque fois qu'il donnait un coup de langue, chaque fois qu'il suçait, une vague de plaisir lui traversait le corps.

Fébrile, elle le força à se redresser et entreprit de défaire les boutons de son gilet puis sa cravate, tandis que Henry, après avoir fini d'ôter sa robe, dénouait les jupons. Ceux-ci tombèrent légèrement au sol et elle n'esquissa pas le moindre geste pour les rattraper. Elle était désormais en chemise et bas, le corset en partie délacé, dans un désordre adorable qui lui conférait un air d'innocence étrangement séduisant.

De nouveau, leurs bouches se joignirent, tandis que Henry l'entraînait vers le lit, bien décidé à ne plus s'arrêter en chemin. Il repoussa les draps et s'assit sur le matelas avant d'attirer la jeune femme sur ses genoux ; le corset céda bientôt à ses efforts, lui laissant le champ libre. Il lui passa un bras autour de la taille, caressant sa hanche, tandis que de l'autre main, il s'insinuait sous la chemise pour découvrir ses jambes. Élisabeth s'agita comme pour lui échapper, mais il l'étreignit un peu plus fort et se remit à lui sucer le sein.

Il lui faisait perdre la tête… Dès qu'il posait les lèvres sur sa peau, elle ne pouvait plus penser à rien, hormis aux délices que lui procurait cette langue. Elle poussa un gémissement quand Henry lui mordilla le téton, oubliant presque que sa main remontait lentement sous sa chemise. Pourtant, elle sentait les doigts fermes et chauds glisser sur sa peau, écarter doucement ses jambes pour atteindre l'intérieur de ses cuisses. Élisabeth avait l'impression que son corps tout entier était embrasé par le désir, mais que la chaleur se concentrait dans son bas-ventre à mesure qu'avançait la main d'Henry. Excitée par cette sensation inconnue, elle éprouva le besoin de toucher directement la peau nue de son amant. Elle passa les doigts dans l'encolure de sa chemise, lui taquinant la gorge et le torse, mais ne parvint pas à se satisfaire de ce contact furtif et entreprit de lui ôter son vêtement.

Le jeune homme sourit et s'écarta pour lui permettre de retirer le vêtement. Il paraissait encore plus impressionnant que quand il était habillé, et Élisabeth, fascinée, se délecta de sa nudité. Il avait les épaules larges, la peau plus foncée qu'elle, chaude et douce, mais dessous elle sentait les muscles durs se tendre au gré de ses effleurements. Une ligne de poils noirs partait de son torse jusqu'à sa ceinture, et peut-être même en dessous. À cette pensée, elle baissa les yeux comme pour deviner ce qui se cachait sous les chausses, mais elle n'aperçut qu'une bosse qui déformait le vêtement. Soudain nerveuse, elle détourna le regard et décida de poursuivre ses attouchements avec sa bouche.

Elle lui embrassa la gorge puis le torse, s'arrêta sur ses tétons sombres et plats, si différents des siens. Henry se tendit, aux aguets, réceptif à chaque caresse, chaque contact. Elle était visiblement avide de découvrir son corps, et pourtant elle prenait son temps, savourant le goût de sa peau sur sa langue. Quand elle entreprit de descendre vers la ceinture, le jeune homme ressentit le besoin impérieux de reprendre l'avantage, faute de quoi il finirait par jouir avant même d'avoir consommé leur étreinte.

D'un mouvement fluide et rapide, il l'allongea sur le lit, remontant sa chemise jusqu'en haut des cuisses. Comme elle paraissait sur le point de protester, il lui ferma la bouche d'un baiser et posa la main sur son intimité : elle était brûlante, humide, prête à l'accueillir. Tirant doucement sur les fines boucles de sa toison, Henry effleura la peau autour du petit bouton rose, jouissant du trouble dans lequel cela plongeait sa compagne.

Il la touchait *là*. Seigneur, que c'était indécent… et délicieux. Élisabeth s'abandonnait, profitant de chaque instant, attendant avec impatience qu'il approche du point nerveux qui semblait concentrer toute la chaleur de son corps. Elle frotta ses jambes l'une contre l'autre, cherchant à calmer la brûlure sans réussir.

— Vous avez besoin de quelque chose, ma douce ? demanda-t-il d'une voix chargée de désir.

— Je vous en prie… j'ai mal… répondit-elle, haletante.

— Souhaitez-vous que je vous soulage ?

Oh, s'il n'agissait pas, elle allait périr, c'était certain !

— S'il vous plaît, Henry, murmura-t-elle, incapable de trouver assez de souffle pour parler plus fort.

Alors, il accepta enfin de mettre un terme à son tourment.

Dieu du ciel ! Le contact était… exquis, incroyable. Submergée par des sensations délicieuses et inconnues, Élisabeth se mit à haleter, luttant pour trouver de l'air.

Elle dodelina de la tête, ondula des hanches comme pour échapper à ces doigts qui agaçaient les replis les plus délicats de sa chair. Pourtant, elle ne voulait pas que cela s'arrête ; on aurait dit qu'elle se trouvait au bord d'un immense précipice mais qu'elle n'aurait de repos qu'une fois qu'elle aurait éprouvé le vertige de la chute.

Embrassant fougueusement Élisabeth, sa main s'attardant sur le point sensible qui rosissait entre les boucles brunes, Henry avait l'impression d'être ivre. L'odeur du sexe de la jeune femme, la sensation de sa chair douce, ses gémissements étouffés… tout cela le grisait à la façon d'un vin capiteux. La tête lui tournait, son cœur tambourinait dans sa poitrine, son sang rugissait, son membre gonflé menaçait de décharger. Mais cela ne l'empêcha pas d'insinuer un, puis deux doigts dans l'intimité chaude et palpitante de sa compagne.

Un hoquet de surprise lui échappa quand elle sentit quelque chose se glisser entre ses cuisses. Pourtant, elle fut incapable d'en concevoir de la honte, car elle était déjà trop emportée par le plaisir. Spontanément, elle se cambra pour accompagner le mouvement de ces doigts en elle, comme s'ils étaient la clé qui mettrait fin à cette exquise torture. Bientôt, elle fut parcourue de frissons et se sentit exploser, se contractant autour des doigts de son amant.

Le cri de jouissance de la jeune femme résonna à ses oreilles comme la plus douce musique. Il l'embrassa fougueusement, ravi de sa réaction passionnée et sans retenue. Il était si rare de rencontrer une femme aussi réceptive, songea-t-il. Pourtant, il n'en avait pas fini ; si ses besoins à elle venaient d'être momentanément satisfaits, son propre désir était d'une intensité presque effrayante.

Il lui accorda quelques instants pour se remettre, le temps pour lui de la débarrasser de sa chemise et de se défaire de ses chausses, ses bas et ses chaussures. Les paupières mi-closes, Élisabeth épiait ses mouvements. Il se sentait flatté par les regards qu'elle lui lançait, comme si elle ne voulait pas perdre une miette du spectacle. Reprenant place sur le lit, il aspira la pointe d'un sein dans sa bouche tout en reposant la main entre ses cuisses. Elle eut un léger sursaut, mais gémit dès qu'il se mit à masser doucement les replis humides.

C'est donc à cela que ressemble un homme, songea-t-elle. Son membre était d'une taille impressionnante et elle se demanda comment elle pourrait l'accueillir en elle : quand il avait glissé ses doigts, elle avait bien senti que cette partie de son corps était très étroite… Mais en dépit de son appréhension, Élisabeth voulait ardemment savoir ce qui allait se passer, elle voulait qu'il entre en elle, qu'il comble le désir dévorant qui la consumait. Aussi, quand il se plaça au-dessus d'elle et lui écarta les jambes, elle lui enserra la taille et l'attira contre son corps.

Aveuglé par le désir, Henry dirigea son pénis à l'entrée du sexe de la jeune femme et la pénétra d'une seule longue poussée. Quand il la sentit se raidir et étouffer un cri, il se morigéna aussitôt : à l'évidence, il ne lui avait pas laissé assez de temps après son orgasme. Il s'immobilisa immédiatement et embrassa doucement Élisabeth.

— Du calme, ma douce…

Mettant la main à l'endroit où leurs corps se joignaient, il entreprit de caresser une fois de plus le point sensible afin d'apporter une distraction et un soulagement au corps de la jeune femme.

— Vous êtes tellement étroite, dit-il d'une voix hachée par le plaisir.

Elle avait mal! Des larmes lui montèrent aux yeux. C'était sans doute le revers de ces moments merveilleux qu'elle avait vécus peu auparavant. Néanmoins, à mesure que Henry la caressait et lui parlait d'une voix apaisante, Élisabeth se détendit. Son corps tendu comme une corde de violon perdit peu à peu sa raideur et, bientôt, elle découvrit que son intimité s'adaptait à la taille de son partenaire. Quand il se fut assuré qu'elle allait mieux, il prit appui sur ses avant-bras et se mit à remuer le bassin.

Par tous les saints du paradis!

Le va-et-vient, d'abord lent, prenait peu à peu de l'ampleur, déclenchant une friction délicieuse qui se répercuta dans tout son corps. Sans en avoir conscience, la jeune femme releva les genoux et enroula les jambes autour de Henry. Cette position accrut encore les sensations, et elle se surprit à onduler des hanches, cherchant désespérément à éteindre l'incendie qu'il avait allumé en elle.

Elle était si chaude, si accueillante. Un gémissement échappa à Henry, et se transforma en plainte rauque à mesure qu'il allait et venait en elle. Élisabeth se mit à onduler en rythme avec lui, enfonçant les ongles dans ses épaules, murmurant des paroles incompréhensibles. Le plaisir montait inexorablement et, au moment précis où il se sentit sur le point d'atteindre l'extase, Henry eut un instant de lucidité.

— Élisabeth, ma douce… dites-moi que vous avez les moyens de vous prémunir d'un événement indésirable.

Au milieu du brouillard confus de sensations, Élisabeth prit conscience qu'on s'adressait à elle. La voix de son amant se faisait pressante, comme si sa question était cruciale. La jeune femme mit quelques secondes à reconstituer ses paroles et se retrouva prise au dépourvu. Elle supposait qu'il faisait allusion à une éventuelle grossesse, mais ignorait parfaitement comment éviter pareil incident. Quand il fit mine de se retirer, elle le retint ; elle ne voulait pas que leurs ébats se terminent ainsi, et hocha donc la tête en signe d'acquiescement.

— Ne vous inquiétez pas, finit-elle par dire.

Henry lui sourit et changea de position : il se mit à genoux et la prit par les hanches, inclinant son bassin pour la pénétrer avec une vigueur redoublée. Chacun de ses coups de reins l'amenait plus près du point de rupture, envoyant des éclairs dans sa poitrine et ses membres. Elle n'avait plus conscience du lieu ni du jour, seulement de ce plaisir qui montait comme une vague et qui finit par la balayer. Élisabeth cria le nom de son amant d'une voix suppliante.

Quand il entendit la jeune femme, Henry changea de rythme et se pencha pour la prendre par les épaules, l'embrassant sans relâche, tremblant de désir. Dans un dernier soubresaut, tous deux furent emportés par la jouissance, le corps tendu à l'extrême, avant de retomber l'un contre l'autre, pantelants.

La jeune femme se cramponnait aux biceps de son amant, parcourue de frissons incontrôlables. Une fois qu'elle eut ressenti ce plaisir si intense, elle comprit à quel point Henry s'était retenu au début de leurs ébats, et elle lui en fut reconnaissante.

Alerté par ses frissons qui se muaient en claquements de dents, il se retira doucement d'elle, roula sur le flanc et l'attira dans ses bras. Lui caressant lentement les cheveux, il lui murmurait des paroles apaisantes. Elle se pelotonna contre lui, les tremblements se calmant peu à peu, et leva les yeux vers lui, le regard embué de larmes.

Troublé, il demanda :

— Élisabeth, est-ce que tout va bien ? Vous pleurez…

Elle leva la main à ses yeux et constata qu'il avait raison ; elle ne s'était même pas rendu compte à quel point l'expérience l'avait bouleversée. Elle sourit avec chaleur et répondit :

— Ce n'est rien. Un excès d'émotions, sans doute.

L'expression inquiète de Henry se fit grave. Elle s'était livrée à lui en toute confiance, s'était abandonnée au plaisir qu'il lui avait procuré, et cela le rendait humble. Il eut l'impression que son cœur allait bondir hors de sa poitrine. Il savait qu'il aurait dû se sentir mal à l'aise, honteux même, mais il avait seulement la conviction profonde que ce qui venait de se passer était *juste*.

À son côté, la jeune femme alanguie, les paupières lourdes, se pelotonna contre lui et s'endormit. Il rabattit la courtepointe sur eux, avant de s'appuyer sur un coude pour la contempler tout à loisir. Une expression sereine se lisait sur son visage, un léger sourire dansait sur ses lèvres. Quand il se pencha pour déposer un léger baiser sur sa tempe, il eut l'impression d'être enfin arrivé à destination.

Chapitre 9

Confortablement lovée sous les couvertures, Élisabeth n'avait aucune envie de se lever, préférant s'accrocher aux dernières bribes de son rêve. Un rêve d'ailleurs très agréable, où M. Wolton l'embrassait avec passion… Un courant d'air frais la réveilla tout à fait, et elle reprit conscience de son environnement ; elle n'était pas dans son lit chez ses parents, mais dans une chambre d'auberge en compagnie d'un homme qui avait…

Elle rougit en repensant à leurs ébats, mais elle était incapable d'oublier la joie et le plaisir qu'elle en avait tirés. Son corps était endolori, ses muscles raides, et elle s'étira lentement, à la manière d'un chat, pour retrouver sa souplesse.

— Continuez ainsi, ma douce, et je ne vous laisserai jamais sortir de ce lit, lança une voix au timbre chaud.

Un peu désarçonnée, Élisabeth ouvrit les yeux et tourna la tête vers M. Wolton, qui la regardait en souriant. Son cœur s'emballa devant son expression empreinte de tendresse. Il avait remis ses culottes et sa chemise, mais demeurait pieds nus, ce qui lui conférait une allure de pirate prêt à passer à l'abordage.

Il s'approcha d'elle et lui tendit un petit verre empli d'un liquide aux reflets ambrés, qu'elle accepta avec prudence.

—C'est du rhum, expliqua-t-il. Cela vous revigorera et repoussera le froid. Car il faut bien avouer que, en dépit du bonheur que j'éprouverais à vous garder auprès de moi ce soir et cette nuit, vous devez être attendue chez vous, non ?

—Quelle heure est-il ? demanda-t-elle en se redressant d'un bond, alarmée.

—Il est à peine 6 heures après dînée, rassurez-vous.

Élisabeth poussa un soupir de soulagement. Certes, l'après-midi était largement entamée et elle ne devait pas rester trop longtemps, mais elle pourrait toujours attribuer son retard pour le souper aux perpétuels encombrements des rues. Elle avala d'un trait le contenu de son verre, et se mit à tousser, les larmes aux yeux ; elle ne s'était pas méfiée de la liqueur au goût sucré, qu'elle ne consommait qu'avec le baba, ce gâteau à la mode.

Une fois sa quinte de toux passée, elle écarta le drap pour se lever, mais le rabattit vivement quand elle s'aperçut qu'elle était entièrement nue. La jeune femme regarda autour d'elle et finit par retrouver sa chemise drapée sur le dosseret ; elle s'en saisit, la passa par la tête et la tira à grand-peine jusqu'à ses cuisses en se contorsionnant.

—Nul besoin d'être aussi pudique, ma chère, je vous ai vue dans le plus simple appareil.

Elle ne daigna pas répondre et sortit prestement du lit de telle sorte que son vêtement se remette en place le plus vite possible. La chemise était froissée sans espoir de remède, du moins pas sans l'intervention d'une blanchisseuse. M. Wolton – *Henry*, se répéta-t-elle – avait reculé d'un pas mais ne fit même pas semblant de détourner le regard. Au contraire, il la contempla d'un air appréciateur, comme si ce qu'il avait sous les yeux le ravissait.

Pour échapper à son admiration – un peu trop évidente, à en juger par le léger renflement de ses chausses – Élisabeth se pencha pour ramasser son corset et l'enfila non sans peine. Puis elle s'approcha du jeune homme et lui tourna le dos, le priant implicitement de nouer les lacets. Celui-ci s'exécuta après lui avoir déposé un baiser dans la nuque et caressé le cou, mais il avait visiblement compris que le temps leur était compté, car il s'acquitta de sa tâche remarquablement vite.

À regret, elle s'éloigna pour récupérer ses jupons et sa jupe disséminés dans la pièce. Elle aurait voulu s'attarder dans ses bras, profiter de la chaleur de son corps quand la pièce se refroidissait et que la nuit tombait… Elle se ressaisit néanmoins. Qu'avait-elle à vouloir demeurer auprès de lui ? Après tout, elle avait tenté cette expérience pour satisfaire sa curiosité, pas pour s'abandonner à un homme. Elle n'avait que faire des sentiments ou du réconfort ; elle allait remercier M. Wolton pour le plaisir qu'il lui avait procuré et sa vie reprendrait son cours comme si de rien n'était. Elle ressentirait peut-être encore un frisson en repensant aux moments interdits qu'ils avaient partagés, son cœur s'affolerait un peu quand elle le croiserait lors d'événements mondains, mais rien qui puisse troubler sa paix ou entraver son indépendance.

Comme elle attachait ses jupons, elle sentit son bas glisser le long de sa jambe. Marmonnant dans sa barbe contre les aléas vestimentaires, elle retroussa le vêtement et entreprit de resserrer sa jarretière, mais découvrit que celle-ci avait disparu. Fouillant dans sa mémoire, elle se souvint qu'elle portait ses bas quand M. Wolton et elle avaient… s'étaient allongés. Se pouvait-il qu'elle ait égaré l'accessoire à ce moment-là ?

— Henry, pourriez-vous avoir l'obligeance de regarder si ma jarretière n'est pas restée dans le lit ?

— À une condition, ma chère.

Intriguée, elle tourna la tête vers son amant et leva un sourcil interrogateur.

— Que vous me laissiez la remettre moi-même, acheva-t-il avec une étincelle lascive dans le regard.

Élisabeth éclata de rire, non pour cacher sa gêne, mais parce qu'elle se sentait véritablement heureuse que leurs relations aient pu évoluer vers cette complicité teintée d'érotisme.

— Accordé.

Elle reporta son attention sur sa tenue et resserra son autre jarretière par précaution, puis remonta ses cheveux et arrangea sa coiffure de son mieux. Ce n'était pas parfait, mais cela ferait l'affaire, surtout avec la coiffe de dentelle qu'elle avait pensé à apporter. Élisabeth était en train de finir quand elle prit conscience que cela faisait un moment que Henry n'avait rien dit. *Peut-être attendait-il sagement qu'elle soit prête pour la rhabiller ?* songea-t-elle avec un sourire.

Pourtant, quand elle se tourna vers lui, elle n'aperçut que son dos, car il regardait fixement le lit. Ses épaules étaient contractées et ses poings serrés. La jeune femme sentit une boule d'angoisse se former au creux de son ventre et s'approcha de lui avec précaution. Elle lui posa une main sur le bras pour attirer son attention.

— Henry ? Que vous arrive-t-il ?

Il s'écarta brusquement, comme si son contact la brûlait, et elle en ressentit plus de dépit qu'elle oserait jamais l'admettre. Sans un mot, il tendit le doigt vers les draps froissés et le matelas où une tache rouge, jusqu'à présent dissimulée par la courtepointe, était bien visible. Et parfaitement identifiable.

De sa vie, jamais il n'avait éprouvé une telle rage. Jamais il n'avait été aussi près de perdre toute maîtrise de lui-même et de se mettre à vociférer comme l'un de ses marins. Il se sentait trahi, bafoué, calomnié même. Debout devant le lit, concentrant toute son attention sur la tache de sang, Henry savait qu'il se trouvait face à un problème qui menaçait de ruiner sa vie à chaque minute qui s'écoulait. Il avait couché avec Mlle d'Arsac. Pire encore : il avait défloré la fille du comte d'Arsac, la sœur de son ami Louis. Lui, un étranger et un roturier de surcroît…

Il sentit un étau lui enserrer la poitrine. Si jamais quiconque avait vent de cette affaire, il pourrait s'estimer heureux de devoir fuir le pays en catastrophe. Dans le cas contraire, il risquait fort de se balancer au bout d'une corde avant la fin du mois ! Certes, il n'avait pas violé la jeune femme, mais quelle différence cela ferait-il ? Sa parole serait-elle seulement écoutée si une famille aussi ancienne et prestigieuse que les Arsac décidait de le traîner devant la justice du roi ? Il en doutait sérieusement.

Quand elle essaya de le toucher une fois de plus, il la repoussa sans ménagement. Elle s'était moquée de lui, et de belle façon ! Si jamais elle lui avait dit qu'elle était vierge, il aurait... Mais sa conscience le rattrapa. L'aurait-il vraiment renvoyée chez elle après un chaste baiser ? Ou, plus vraisemblablement, aurait-il succombé à l'appel de la chair ? Il était bien incapable de le dire.

— Quand aviez-vous l'intention de me prévenir ? demanda-t-il d'un ton presque hargneux.

— Je ne voyais pas l'utilité de vous faire part de ce détail...

Incapable d'en supporter plus, Henry lâcha la bride à sa colère :

— Un « détail » ? Vous moquez-vous ? Vous m'avez laissé croire que vous aviez déjà eu des amants, que vous étiez coutumière de ce genre d'aventure... et voilà que je découvre votre virginité ! Pire, je vous en prive ! Avez-vous idée de ce que j'encours si votre père ou votre frère exige des explications ?

Élisabeth serra les lèvres, réprimant sa propre irritation. Henry poursuivit sur sa lancée.

— On pourra vous taxer de naïveté, d'impudeur peut-être, mais moi ? Je serai poursuivi et jugé pour le crime que je viens de commettre.

N'y tenant plus, la jeune femme rétorqua :

— Cessez de vous apitoyer sur votre sort ! Si nous décidons de ne pas en parler, nul n'en saura rien, voilà tout. Quant à moi, je ne vous ai laissé croire que ce que vous vouliez bien entendre…

— Allez-vous nier que vous avez envisagé de me prendre comme amant ? Et en ma présence, qui plus est.

— Certainement pas ! En revanche, jamais je n'ai prétendu que j'en avais eu d'autres… Vous vous en êtes persuadé tout seul, ce me semble.

Henry demeura bouche bée. Fébrilement, il passa en revue leur plaisant libertinage de la veille, et découvrit avec stupeur qu'elle avait raison : jamais elle n'avait confessé le moindre amant. Elle avait seulement évité de répondre à ses questions et il en avait tiré les mauvaises conclusions. Il s'en était convaincu quand il l'avait aperçue seule dans les rues, contrairement à ce que la morale imposait aux femmes de sa condition.

Accablé, le jeune homme se passa une main sur le visage. Il s'était comporté en idiot de la pire espèce et ne récoltait que ce qu'il méritait. Pourtant, il ne comprenait pas pourquoi elle s'était entêtée à lui dissimuler la vérité et, en outre, à ne pas lui révéler les raisons de sa présence à Passy. Et si elle était vierge, pour quelle raison s'était-elle compromise avec lui ?

— Pourquoi diable avoir commis cette folie ? demanda-t-il d'une voix éteinte.

Elle haussa les épaules avec grâce.

— L'occasion s'est présentée, voilà tout. Et je dois avouer que vos prouesses à l'Opéra m'ont incitée à en découvrir davantage…

Henry ferma les yeux, repensant avec honte à ces instants volés.

— Mais ne serait-il pas possible de rester en bons termes ? Après tout, j'ai passé des heures délicieuses en votre compagnie et je vous en suis reconnaissante. Ma curiosité a été satisfaite sans que j'aie à m'encombrer d'un mari, mais je n'ai pas l'intention de m'en vanter ; je ne suis pas stupide.

Rester en bons termes ? Quand tout ce qu'il imaginait dès qu'il fermait les yeux était le corps nu et merveilleusement réactif de la jeune femme ? Quand il ne rêvait que d'une chose : recommencer l'expérience dès que possible ? Quand il était dévoré de culpabilité ? Il poussa un soupir douloureux et se laissa choir sur le matelas.

Élisabeth s'approcha de lui et, pendant une fraction de seconde, il crut qu'elle venait le réconforter. Mais il fut vite détrompé : tâtonnant sous les draps, elle arbora soudain une expression de triomphe et en tira la fameuse jarretière. Son insouciance lui faisait mal ; il ne parvenait pas à comprendre comment elle arrivait à se comporter avec autant de légèreté, alors qu'il traversait mille tourments.

Il la vit repartir vers le fauteuil, ramasser sa robe et se contorsionner pour l'enfiler. Elle dut sentir qu'il l'épiait, ou tout simplement être gênée de son silence, car elle finit par tourner la tête vers lui. Henry savait qu'il arborait une expression sinistre, mais elle soutint son regard sans frémir, et paraissait presque agacée de la situation.

— Eh bien, n'allez-vous rien dire ?

Il chercha quelque chose, n'importe quoi, et soudain… une idée germa dans son esprit. Se levant, il commença lui aussi à ramasser ses affaires disséminées dans la pièce et finit par répondre :

— Justement, si. Puisque vous n'avez à l'évidence pas d'amant, et compte tenu de notre… intimité toute neuve, pourriez-vous m'éclairer sur les raisons de votre présence à Passy hier ? Le risque que vous avez fait courir à votre réputation et votre… innocence était énorme, j'espère que le jeu en valait la chandelle, ajouta-t-il, les joues empourprées, après s'être éclairci la voix.

Il eut alors la surprise de voir la jeune femme se figer et baisser les yeux. Bizarrement, elle paraissait saisie d'un accès de timidité qui s'accordait mal avec sa personnalité. Désireux de faire valoir son avantage, Henry reprit :

— Allons, je pense que vous me devez une explication. Après tout, si je n'avais pas fait l'erreur de vous saluer, nous n'en serions pas là.

La jeune femme se mordit la lèvre ; éprouvait-elle enfin un semblant de culpabilité ? Il n'en était franchement pas persuadé. On aurait plutôt cru qu'elle hésitait à livrer quelque inavouable secret.

Elle s'assit dans un fauteuil ; puis reboutonna sa robe. Enfin, elle se mit à triturer l'ourlet. Impatienté, Henry s'exclama :

— Si vous ne voulez rien dire, soit ! Mais sachez que je vous tiendrai pour lâche…

Élisabeth redressa la tête, piquée au vif. Lâche ! Voilà bien le mot qu'il ne fallait pas lui jeter à la figure. Intérieurement, Henry se réjouit d'avoir su jouer avec l'amour-propre de la jeune femme.

— Promettez-moi simplement de ne pas vous rire de moi.

Il leva un sourcil, surpris.

— Et pourquoi diable irais-je me gausser de vous ?

Pourquoi, en effet ? Après tout, il était bien le seul à avoir écouté ses théories sur l'éducation des femmes et l'amour. Prenant une grande inspiration, Élisabeth se lança.

— J'étais chez ma sœur de lait… pour lui apprendre à lire.

Le jeune homme fronça les sourcils, visiblement intrigué.

— Je croyais que les prêtres devaient enseigner les rudiments de la lecture et de l'écriture dans toutes les paroisses… N'y a-t-il pas une ordonnance à ce sujet ?

— Si, en effet. Mais Lisette n'était pas très attentive à l'époque, et elle a vite dû arrêter l'école pour aider sa mère, ma nourrice. Plus tard, elle s'est mariée et a commencé le même métier. Tout allait bien jusqu'à ce que…

— Jusqu'à ce que?

— Jusqu'à la mort de son mari, au printemps. C'était lui qui s'occupait des quelques formalités ou qui lisait les proclamations affichées, et elle s'est rendu compte qu'elle était prise au dépourvu. Quand je suis venue lui présenter mes condoléances, elle m'a demandé de l'aider. Une chose en entraînant une autre, nous avons convenu que je lui apprendrai à lire.

Impressionné par ce récit, Henry demeura silencieux.

— Pourquoi vous cacher pour accomplir cette action charitable?

— Ne suis-je pas déjà la cible de vos plaisanteries? demanda-t-elle, sur la défensive.

— Je n'ai aucune raison de me moquer, bien au contraire. Votre générosité est tout à votre honneur, je dois même avouer que cela m'offre une raison supplémentaire de vous respecter.

Émue, Élisabeth sentit son cœur chavirer. Elle avait tellement cru qu'il tournerait ses actes en ridicule que son approbation était un véritable soulagement. Ses louanges la touchaient, même si elle refusait de se l'avouer.

— Mais pour quelle raison n'avez-vous parlé de cela à personne?

— De tous ceux que j'ai rencontrés, vous êtes bien le seul à avoir donné quelque crédit à mes idées. Si ma famille avait vent de mes… activités, je serais assurée, non seulement d'un sermon, mais aussi que l'on me défendrait de poursuivre. À leurs yeux, ma réputation, celle de mon entourage, tout cela passe avant le devoir que je me suis imposé ! C'est pour cela que je tenais à préserver le secret.

Sur ce, elle se pencha pour remettre ses souliers.

Henry hocha la tête. À présent qu'il avait connaissance des motivations de la jeune femme, il ne pouvait s'empêcher d'éprouver une certaine admiration à son égard. Elle était entêtée et volontaire, mais elle mettait son énergie au service d'autrui. Il comprenait qu'elle se sente à l'étroit parmi les siens…

Il poussa un soupir. Quoi qu'il en soit, cela ne changeait rien au fait qu'il l'avait déshonorée et qu'il devait réparer ses torts. S'approchant du fauteuil où elle s'était installée, il se mit à genoux devant elle et lui prit les mains. Cela la fit se redresser, une nuance inquiète dans le regard.

— Élisabeth, il faut que vous m'épousiez.

Elle eut un mouvement de recul, qu'elle maîtrisa difficilement, puis répondit avec un rire nerveux :

— Certainement pas ! Je vous ai déjà dit que je ne voulais pas m'encombrer d'un mari, et je suis certaine que vous avez d'autres projets.

— Projets ou pas, nous n'avons pas le choix. J'ai déjà gravement porté atteinte à votre honneur…

— Mais cessez donc ! Puisque je vous dis que c'était mon désir. Cela échappe-t-il à votre entendement ?

Il se renfrogna sous l'insulte, mais s'abstint de tout commentaire. Mieux valait ne pas susciter de querelle avec Mlle d'Arsac, car il sentait qu'il n'en sortirait ni grandi, ni même vainqueur.

Le feu aux joues, Élisabeth s'était empressée de reprendre sa tâche, mais il s'aperçut qu'elle avait les mains tremblantes. Il décida de reprendre son plaidoyer.

— Écoutez-moi, je sais que vous ne souhaitez pas vous marier… Moi-même je dois vous avouer que l'idée de me passer la corde au cou ne m'enchante guère, mais…

— En ce cas, c'est tout réfléchi.

— Non, justement. Laissez-moi finir. Élisabeth, vous portez peut-être mon enfant et…

De rouge, la jeune femme devint pâle comme la mort. Comment avait-elle pu oublier une telle éventualité ? Que faire ? Car, si le fait était avéré, épouser l'Américain serait de deux maux le moindre… Elle risquait d'être enfermée dans un couvent au fin fond d'une province pour expier sa faute ou, pire encore, d'être emprisonnée à la Salpêtrière avec les femmes de mauvaise vie.

Élisabeth ferma les yeux, prise de vertige. Un enfant… Le voulait-elle ? Au fond d'elle-même, elle avait toujours cru qu'elle en aurait, mais cela lui était apparu comme un lointain événement. Pour la première fois de sa vie, cela devenait une possibilité tangible, et elle en avait le tournis. Oui, elle souhaitait avoir un enfant, mais pas dans de telles conditions !

— Est-il certain que je sois… grosse ? demanda-t-elle d'une voix blanche.

Il hésita, mal à l'aise avec le sujet.

—Non, ce n'est pas certain. Si d'ici deux ou trois semaines vous n'avez pas… saigné, nous pourrons en être sûrs.

Son visage se détendit visiblement. Elle se redressa et reprit contenance.

—Très bien. Dans ce cas, nous aviserons en temps utile. D'ici là, je vous saurais gré de bien vouloir m'épargner ce genre de discours. Je le répète : je n'ai nul besoin d'un mari. (Elle hésita, puis décida de le provoquer.) En outre, j'ai entendu dire qu'il existait des moyens de se débarrasser de ce genre d'inconvénients.

Henry sursauta en entendant ses derniers mots. Satisfaite, Élisabeth sut qu'elle avait fait mouche. Qu'il la prenne pour une sans-cœur, une débauchée, n'importe quoi… pourvu qu'elle ne se retrouve pas piégée dans une union qu'elle redoutait plus que tout.

Fébrile, elle tenta de fermer les boucles de ses chaussures, mais ses doigts ne lui obéissaient pas et elle dut s'y reprendre à deux fois pour y parvenir. Quand elle eut enfin réussi, elle se leva, saisit sa cape et la drapa sur ses épaules, avant de s'apercevoir qu'elle avait oublié son fichu. D'un geste rageur, elle s'empara du vêtement et le roula en boule, puis renonça à replacer son masque et se contenta de rabattre sa capuche pour dissimuler la partie supérieure de son visage.

Au moment où elle sortit en claquant la porte, M. Wolton n'avait pas fait le moindre geste ni prononcé un seul mot et, même si elle se répétait que sa ruse avait fonctionné, elle ne put s'empêcher d'en concevoir un certain dépit. S'il lui était aussi facile de tempérer ses ardeurs, elle avait eu raison de le repousser immédiatement, se félicita-t-elle en dévalant l'escalier.

Le claquement de porte et le bruit de pas précipités tirèrent Henry de sa stupeur. Les paroles d'Élisabeth l'avaient profondément blessé. Après tout, elle mettait sa réputation en péril. Il pouvait comprendre qu'une femme décide de mettre un terme à une grossesse, mais n'avait-il pas son mot à dire ? Pourquoi rejetait-elle aussi violemment cette idée ? Et surtout, pourquoi cela lui importait-il autant, à lui ? Après tout, il n'avait aucune envie de se marier. Quant au reste…

Pourtant, plus il y réfléchissait, plus l'idée de demander officiellement Mlle d'Arsac en mariage lui paraissait attrayante. Il parvenait très bien – trop bien même – à s'imaginer partager sa vie avec elle, à l'écouter parler et rire, à la taquiner, à profiter de sa fougue dans l'intimité… Cette simple pensée lui enflamma les sens, et il essaya de se reprendre. Non, ce n'était pas la seule raison qui le pousserait à faire une demande en bonne et due forme, mais cela pèserait indéniablement dans la balance.

Il poussa un soupir tout en remettant son gilet. Dans quelle entreprise s'embarquait-il ? Sa demande serait-elle seulement écoutée ? S'il se fondait sur ses observations de la noblesse française, il courait le risque d'être tourné en dérision. *Qu'à cela ne tienne*, se dit-il plein d'une détermination toute neuve. Ce serait encore la meilleure façon de se guérir de sa fascination pour Élisabeth d'Arsac.

Chapitre 10

Les couloirs de la salle des Machines, au palais des Tuileries, bruissaient d'activité. C'était l'entracte de la première pièce donnée par les comédiens-français, et chacun vaquait dans l'espoir de retrouver une connaissance, faire sa cour à quelque puissant seigneur, ou simplement obtenir un rafraîchissement. Dans la loge occupée par sa famille, Élisabeth s'éventait lentement tout en devisant avec sa mère, son frère et Félicité, qui avait coutume de passer ces soirées avec eux. La jeune femme sentait que son amie cherchait à lui parler seul à seul depuis plusieurs jours, mais elle se défilait.

Toutefois sa mère, qui avait aperçu la comtesse de La Tour du Pin, partit la saluer, entraînant son fils dans son sillage. Ce dernier avait pris soin de refermer la porte de la loge derrière lui, aussi les deux jeunes femmes se retrouvèrent seules, au grand dam d'Élisabeth.

Depuis son rendez-vous avec M. Wolton, elle avait l'impression que ce qui s'était passé entre eux se lisait sur son visage, même s'il était évident qu'il ne s'agissait que d'un tour de son imagination. Pourtant, elle avait de plus en plus de mal à se conformer à l'attitude docile et soumise que l'on attendait d'elle, en particulier lorsque des propos grivois étaient échangés en sa présence. Si sa mère paraissait n'avoir rien remarqué, son amie, en revanche, plus perspicace et sachant sans doute mieux déchiffrer ses expressions, avait dû déceler quelque chose, car elle lui jetait régulièrement un regard interrogateur.

— La représentation est admirable, ce soir, dit Élisabeth pour lancer la conversation sur des banalités.

Félicité éclata d'un petit rire qu'elle dissimula derrière son éventail.

— Allons, Élisabeth ! Les comédiens se seraient mis à déclamer à l'envers que tu ne t'en serais même pas aperçue ! Heureusement que nous avons déjà vu la pièce, sans quoi tu aurais été bien en peine d'en raconter l'histoire…

La jeune femme se mordit la lèvre. Elle aurait dû savoir que, en dépit de ses esquives, Félicité trouverait un moyen d'aborder le sujet qui lui tenait à cœur. Il fallait avouer qu'elle aurait franchement apprécié pouvoir se confier à quelqu'un, et son choix se portait naturellement vers sa meilleure amie, mais elle savait bien que c'était impossible. Mme du Plessis avait beau être critiquée pour ses mœurs depuis son veuvage, elle n'en serait pas moins choquée d'apprendre qu'Élisabeth avait abandonné sa virginité à un quasi-inconnu, un homme que, de surcroît, elle n'avait aucune intention d'épouser.

Félicité continua gentiment à la taquiner, mais Élisabeth ne l'écoutait que d'une oreille. Elle ne cessait de repenser à ces instants partagés avec Henry, au plaisir qu'ils s'étaient donné, à la proposition insensée qu'il lui avait faite… Son esprit divaguait depuis plusieurs jours, presque indépendamment de sa volonté.

—Élisabeth?

Celle-ci se redressa et tourna la tête vers sa compagne, comme tirée d'un songe.

—Élisabeth, tu ne m'as pas écoutée… Cela fait plus d'une semaine que tu es ainsi, distante et rêveuse. Si je ne te connaissais pas mieux, je dirais que tu es amoureuse.

Ces paroles la firent brutalement revenir à la réalité.

—Amoureuse? Certainement pas! s'exclama-t-elle avec conviction, tout en veillant à ne pas parler trop fort pour éviter d'attirer l'attention des curieux. Non, je suis seulement… préoccupée, voilà tout.

Félicité l'observa d'un œil scrutateur, et elle se sentit rougir sous son examen. Elle allait tout deviner, c'était évident.

—Et me feras-tu l'honneur de me dire ce qui te préoccupe à ce point? Me crois-tu indigne de ta confiance?

Au ton de sa voix, Élisabeth comprit qu'elle avait, sans le vouloir, blessé son amie. En lui refusant toute confidence, même la plus innocente, elle l'avait brusquement exclue de sa vie, alors qu'elles partageaient tout depuis bientôt dix ans. Elle baissa la tête, mortifiée, mais sans savoir pour autant comment partager son expérience.

— Pardonne-moi, finit-elle par dire. Me voilà tourmentée depuis quelque temps, et je ne sais par où commencer...

— Et si nous commencions par ce bel Américain, M. Wolton ? répartit Félicité avec un sourire malicieux. N'essaie pas de nier, ajouta-t-elle quand elle vit Élisabeth sur le point de protester. Nous avons tous remarqué qu'il te témoignait de l'intérêt.

Si tu savais, ma chère...

— D'ailleurs, reprit son amie, il m'a semblé très empressé auprès de toi depuis que ton frère nous l'a présenté... Pour un peu, on pourrait croire que tu l'avais déjà rencontré.

Les choses pouvaient-elles encore empirer ? se demanda Élisabeth, aux abois. Félicité était perspicace, elle finirait par faire le lien entre le récit de son aventure à l'Opéra et le jeune homme qui la courtisait.

— Il est vrai qu'il est assidu auprès de moi, admit-elle, la mort dans l'âme. Mais je n'ai pas cherché à l'encourager. (Son mensonge était tellement énorme qu'elle sentit sur sa langue la brûlure du tison.) Peut-être me trouve-t-il plus accessible que les autres dames ? Après tout, c'est un ami de Louis...

Élisabeth songea que son frère trouverait certainement à redire au comportement de M. Wolton envers elle. Mais après tout, en lui manifestant clairement son admiration, celui-ci protégeait d'une certaine façon sa réputation : il ne viendrait à l'idée de personne que leurs relations aient pu prendre un tour si intime.

— Je regrette de te le dire, mais je ne pense pas que son amitié avec ton frère soit pour quelque chose dans l'attitude de M. Wolton à ton égard. Dis-moi… ne serait-ce pas lui, ce mystérieux cavalier rencontré à l'Opéra ? ajouta-t-elle en cherchant le regard d'Élisabeth.

Voilà, elle avait été rattrapée par ses écarts de conduite. À présent, son amie n'aurait de cesse de connaître la vérité… laquelle devait d'ailleurs s'inscrire sur son visage, à en juger par l'expression de Félicité.

— Je m'en doutais, reprit-elle d'un air tranquille. Après tout, tu n'avais jamais fait autant de fausses notes au clavecin…

— Je… en as-tu parlé à quelqu'un ?

Félicité prit une expression faussement outrée.

— Élisabeth d'Arsac, sachez qu'il ne me viendrait pas à l'esprit de dénoncer une faute aussi vénielle. Non, quelques baisers ne sont pas répréhensibles, surtout quand c'est un bel étranger qui vous les donne…, déclara-t-elle avec un sourire entendu. En as-tu profité, au moins ?

Abasourdie par cette question, Élisabeth dévisagea son amie avec des yeux ronds, avant de se forcer à répondre.

— Eh bien… je dois admettre que c'était très agréable.

Voilà, elle l'avait dit. Elle était persuadée d'être rouge comme une pivoine, mais son amie lui pressa gentiment la main.

—Allons, ne te soucie pas de cela. Il ne s'agit que d'un badinage innocent, voilà tout.

—Si tu le dis…

—Mais bien entendu! D'ailleurs, je suis certaine que tu ne verras pas d'inconvénient à ce qu'il se joigne à nous ce soir…

—Comment cela? Je croyais qu'il était retenu auprès de M. Franklin… raison pour laquelle mon frère nous fait la grâce d'être avec nous, d'ailleurs.

—En effet, mais je l'ai convié à nous rejoindre au souper.

Sa vie commençait à devenir très compliquée. Elle s'évertuait à éviter cet homme qui tenait absolument à la pousser à une union dont elle ne voulait pas, et voilà que son entourage se liguait pour le remettre en travers de son chemin. La Providence avait parfois un sens de l'humour discutable.

Mais ce qui agaçait le plus la jeune femme, c'était de constater qu'une part d'elle-même attendait avec impatience le moment de revoir son amant. Pendant qu'il évoluerait parmi les convives, songeait-elle, elle serait en mesure de l'observer, de l'imaginer dévêtu au beau milieu du salon… Elle dut retenir un soupir et sentit une chaleur désormais familière naître entre ses cuisses. Il fallait croire que l'expérience qu'ils avaient partagée l'avait durablement marquée, et qu'une seule fois ne s'avérait pas suffisante. Pourtant, il était impensable de recommencer : contrairement à ce qu'elle lui laissait croire, elle tenait à sa réputation et, s'ils avaient eu beaucoup de chance cette première fois, elle préférait ne pas tenter le destin.

Peut-être Henry serait-il capable d'entendre cet argument… Si elle lui expliquait franchement qu'elle craignait de succomber une fois de plus à la tentation, accepterait-il de ne plus la rencontrer, au moins pour quelque temps ? Le temps d'oublier sa proposition insensée… Oui, il se soumettrait certainement à sa volonté ; si elle devait reconnaître une vertu au jeune homme, c'était bien son sens de l'honneur. Il saurait s'effacer si elle lui faisait part de ses réticences.

Rassérénée, Élisabeth fut en mesure de reprendre la conversation sans se troubler, d'autant que sa mère et son frère reprenaient place dans la loge, ce qui lui épargna les questions pressantes de son amie.

Longuement retenu auprès de M. Franklin, Henry était arrivé à l'hôtel du Plessis juste à temps pour le souper. L'assemblée était plus nombreuse qu'il ne l'avait cru, on comptait une bonne quinzaine de personnes. Il avait été surpris de constater combien peu de femmes participaient à l'événement : seules deux dames mariées, venues sans leurs époux, étaient présentes, ainsi qu'Élisabeth. Il fallait croire que la présence du frère de celle-ci constituait une garantie suffisante pour sa réputation.

Cela ne l'avait pas mis dans les meilleures dispositions : il avait naïvement cru qu'une rencontre dans un cadre moins formel et plus restreint lui permettrait d'aborder la jeune femme, mais cela se présentait mal. Depuis bientôt dix jours, la rouée s'arrangeait pour disparaître dès qu'ils risquaient de se trouver seul à seul. Pourtant, il ne pouvait pas abandonner son projet ! Dire qu'elle n'avait pas daigné le tenir au courant de son état ; elle était peut-être grosse de ses œuvres, et il n'en savait rien.

Se forçant au calme, Henry se mêla aux convives et s'absorba dans la conversation. Comme par fait exprès, il était placé loin d'Élisabeth, et cela l'empêcha de lui parler pendant presque tout le repas. Les propos étaient galants, plus libres que ce à quoi la fréquentation des salons l'avait habitué ; néanmoins, il semblait être le seul à trouver cela gênant. Non qu'il soit contre un peu de libertinage, bien au contraire. Mais il ne manquait pas de noter que beaucoup d'invités offraient des hommages appuyés à sa maîtresse – non, sa future épouse – et cela le rendait terriblement jaloux.

Le repas s'acheva enfin, et l'on se mit à parler politique tout en gagnant le salon. Henry aurait voulu profiter de ce moment pour se rapprocher d'Élisabeth, mais il n'oubliait pas que sa mission consistait à gagner les sympathies à la cause américaine. C'est pourquoi il déploya des trésors d'éloquence pour répondre aux questions dont on l'assaillait sur le Congrès et la guerre contre les Anglais. Du coin de l'œil, il aperçut la jeune femme, installée sur une banquette, en grande conversation avec un invité dont le regard semblait plus attiré par son décolleté que par son visage.

Il dut se retenir de traverser la pièce pour apprendre à ce malotru à surveiller ses manières, mais Louis ne s'embarrassait pas de scrupules : d'un air nonchalant, il se plaça derrière sa sœur et lança une œillade assassine à son interlocuteur. Ce dernier pâlit un peu, se redressa et changea immédiatement d'attitude.

Élisabeth tourna la tête pour dévisager son frère, mais celui-ci lui adressa un petit sourire innocent et s'éloigna rapidement. Revenant près de Henry, il lui pressa légèrement le bras et lui dit à l'oreille :

— Merci de veiller sur elle.

Henry étouffa sa honte et se contenta de hocher la tête en silence. Oui, il veillait jalousement sur elle, mais Louis le tuerait s'il savait ce qu'il avait fait avec sa sœur. Ruminant de sombres pensées, il vit la jeune femme se lever et quitter la pièce, sans que son galant la suive. Brusquement, plus rien n'avait d'importance – ni la conversation, ni les visées politiques de son pays, ni même les rumeurs. Il devait lui parler en privé, et cette occasion ne se représenterait sans doute pas. Il allait lui démontrer que leur union était nécessaire, peut-être en usant de moyens détournés… Il sourit, en s'imaginant lui faire perdre la tête à force de baisers et de caresses, mais se reprit immédiatement. Il ne valait guère mieux que ce malappris tancé par Louis.

Alors qu'il cherchait un prétexte pour quitter le salon à son tour, Mme du Plessis l'interpella :

— Monsieur Wolton, auriez-vous l'obligeance de m'apporter mon éventail ? Il me semble l'avoir oublié dans la bibliothèque.

Ce genre de petits services rendus aux dames était chose fréquente, aussi Henry n'en fut-il pas surpris, mais plutôt reconnaissant, car il tenait désormais une raison valable de s'absenter. Il s'inclina légèrement vers son hôtesse et sortit du salon. Comme il leur tournait le dos, il ne vit pas Louis et Mme du Plessis échanger un regard complice.

Une fois dans le couloir, il arrêta un domestique qui apportait de nouvelles bouteilles de vin et se fit indiquer le chemin jusqu'à la bibliothèque. Celle-ci se trouvait de l'autre côté de la demeure, à un angle du bâtiment. Henry marchait rapidement, car les couloirs n'étaient pas chauffés, provoquant un contraste désagréable avec le salon. Il avait décidé de s'acquitter tout de suite de la tâche qu'on venait de lui confier, puis de se mettre à la recherche de Mlle d'Arsac. Arrivé devant la lourde porte en chêne qui semblait correspondre à la description qu'on lui avait faite, il l'ouvrit d'un coup, et fut stupéfait de découvrir la jeune femme assise dans un fauteuil devant la cheminée, les pieds ramenés sous elle, ses chaussures abandonnées, le regard perdu dans les flammes.

Malheureusement, son arrivée sonore la fit sursauter et dissipa le charmant tableau. Élisabeth tourna la tête dans sa direction, son visage reflétant les émotions multiples qui l'habitaient : l'étonnement, l'agacement et… autre chose. Du désir ?

Cela le rasséréna. Après tout, Mlle d'Arsac ne le détestait peut-être pas, ainsi qu'il le craignait depuis leur dernière rencontre. Cependant, à présent qu'ils étaient seuls, il ne pouvait s'empêcher d'éprouver de la nervosité. Que dirait-elle ? Choisirait-elle de faire appel à son frère ? Il s'humecta les lèvres.

—Élisabeth… quel plaisir de vous trouver ici.

Ce n'était sans doute pas une entrée en matière originale, mais il fallait bien commencer quelque part, et si elle portait son enfant, il devait en avoir le cœur net. La jeune femme le considérait d'un air las, sans donner l'impression de l'avoir entendu. Comme il allait répéter sa phrase, elle prit la parole.

—À vrai dire, monsieur Wolton… Je suis fatiguée de vous fuir.

Henry aurait pu interpréter favorablement cette déclaration, mais l'expression sévère et distante de sa compagne n'augurait rien de bon.

—Voilà dix jours que je me dérobe, que je redoute de me trouver seule avec vous. Cela est très préjudiciable, d'autant que notre bonne entente d'autrefois n'a, semble-t-il, pas échappé à certains. Je sais de source sûre que l'on jase à notre propos.

Elle déplia les jambes et remit ses mules, laissant entrevoir son mollet. Henry, submergé par le désir, fit de son mieux pour l'ignorer.

—Même si cela peut vous paraître surprenant après notre dernier tête-à-tête, je tiens à sauvegarder ma réputation. Or, la seule façon de mettre un terme aux rumeurs serait que vous cessiez de vous montrer si empressé à mon égard.

Il devait avoir l'air malheureux, car Élisabeth le regarda soudain avec une expression presque tendre qui

151

adoucissait toute sa physionomie. En cet instant, elle était d'une beauté incroyable, et il dut se faire violence pour ne pas se jeter à ses pieds. Au lieu de quoi, il se redressa un peu et tenta de conserver sa dignité.

— Pensez-vous sincèrement que cela ferait taire les mauvaises langues ? Pour ce que j'en ai vu, rien ne les arrête, surtout à Paris ! Si je disparais brusquement de votre entourage, n'en tirera-t-on pas des conclusions erronées ?

Tête baissée, Élisabeth paraissait de nouveau plongée dans ses réflexions. Elle se mordillait la lèvre, signe que quelque chose la tracassait. Henry s'émerveilla d'être en mesure de décrypter tous ces petits signaux.

— Élisabeth, reprit-il en faisant un pas vers elle. J'ai le sentiment que vous me dissimulez quelque chose. Je vous en prie, parlez-moi. Ensemble, nous parviendrons peut-être à résoudre vos contrariétés.

Elle se tourna de nouveau dans sa direction et, à la lueur du feu, il crut distinguer l'éclat des larmes dans ses yeux. Alarmé, il lui prit la main et la serra, dans l'espoir que son geste la réconforterait et la pousserait à se confier. Allait-elle lui annoncer sa grossesse ? se demanda-t-il avec inquiétude.

— Je ne suis pas grosse, finit-elle par dire comme si elle lisait dans son esprit. J'ai saigné trois jours après. En revanche… Je dois vous avouer que j'éprouve quelque nostalgie pour les délicieux moments que nous avons partagés.

Henry ne put s'empêcher de sourire largement ; il était tellement soulagé que leur rencontre n'ait pas eu de conséquence et d'apprendre qu'elle le désirait… Bien qu'il n'ait pas eu conscience de retenir son souffle, il poussa un soupir. Pourtant, elle mit un terme à sa bonne humeur.

— Mais ce ne sont que d'agréables souvenirs. Je n'ignore pas que nous ne pourrons renouveler cette aventure. Nous avons eu une chance incroyable de ne pas être découverts ce jour-là, et je me garderai bien de tenter le destin une fois de plus. Ainsi que je vous l'ai expliqué à plusieurs reprises, je ne souhaite pas me marier ; je ne vois aucun intérêt à la vie conjugale, du moins pour le moment.

Elle croisa son regard et le soutint.

— Henry, je vous en supplie, vous devez vous montrer fort pour nous deux. Je sais que je serais incapable de résister si vous vouliez me ravir une fois de plus. Cessez de rechercher ma compagnie, cessez de me présenter une requête à laquelle je ne puis répondre favorablement. S'il vous plaît…

Sa voix mourut, et Henry se sentit bouleversé. Elle avait raison… C'était à lui de veiller sur son honneur, ainsi que Louis le lui avait rappelé involontairement un peu plus tôt. Pourtant, il se surprenait à ne pas vouloir abandonner. Pas tout de suite. Il souhaitait faire la paix avec sa conscience. Pris d'une soudaine inspiration, il prit les deux mains de la jeune femme pour y déposer un baiser et répondit :

— Élisabeth, permettez-moi de faire ma demande au comte d'Arsac.

Elle avait l'impression d'être dans un mauvais rêve. Si elle ne l'avait pas mieux connu, Élisabeth aurait émis de sérieux doutes quant au fait que M. Wolton fût sain d'esprit. Elle avait beau s'échiner à lui expliquer, avec des arguments des plus logiques, qu'elle ne pouvait pas l'épouser, il voulait qu'elle l'autorise à demander sa main ! C'était à n'y rien comprendre. Le contexte eût-il été différent, elle aurait juré qu'il cherchait à la rendre furieuse.

C'était d'ailleurs réussi. Estomaquée, elle se leva et s'écarta de lui, ne sachant si elle devait le souffleter ou s'enfuir de la bibliothèque. Mais elle n'en eut pas le temps. Il avait sans doute prévu sa réaction, et la rattrapa en deux enjambées, avant de lui glisser un bras autour de la taille et de l'embrasser pour étouffer ses protestations.

Élisabeth aurait vraiment souhaité pouvoir le repousser. Elle fit même un geste dans ce but ; posant les mains sur sa large poitrine, elle appuya de toutes ses forces, sans succès. Il la maintenait contre lui d'un bras, tandis que son autre main venait se refermer sur la sienne, au-dessus du cœur. Sentant ses jambes se dérober, elle se laissa aller contre lui, se délectant de le sentir de nouveau si proche.

Pourtant, il mit rapidement fin à leur étreinte, comme s'il se méfiait lui-même des conséquences de son geste. Hors d'haleine, il parvint à reprendre le fil de leur conversation.

— Pardonnez mon comportement cavalier, mais ce que je vais dire requiert toute votre attention.

Mi-amusée, mi-exaspérée par cet aveu, Élisabeth fit la moue. Elle était déterminée à camper sur ses positions, quoi qu'il lui propose. Constatant son silence, Henry poursuivit.

— J'aimerais que vous me laissiez demander votre main à votre père afin que les choses soient réglées entre nous.

— Qu'entendez-vous par là?

— Réfléchissez un peu: croyez-vous vraiment que le comte d'Arsac laisserait sa fille épouser un vulgaire roturier, américain de surcroît?

Prise au dépourvu, la jeune femme ouvrit la bouche, mais aucun son n'en sortit. Elle étudia la question un moment, envisageant les différentes issues possibles… et aboutit à la même conclusion que Henry: avant que son auguste père n'accepte de l'accorder à un homme, celui-ci devrait montrer patte blanche. Or il était évident que les origines familiales du jeune homme ne pouvaient rivaliser avec les siennes, aussi talentueux fût-il.

— Non, finit-elle par dire. Je ne pense pas que mon père accéderait à votre demande. Mais cela ne fait qu'étayer mes propres arguments.

— Laissez-moi terminer, la réprimanda-t-il doucement. Imaginez un peu: votre père refusera forcément ma proposition. Il se montrera courtois, mais fermement opposé à l'idée de cette union, bien que ses raisons diffèrent certainement des vôtres. En revanche, nous y gagnerions vous et moi: j'aurai eu la satisfaction d'essayer de réparer mes torts, même si j'essuie un refus ; de votre côté, je regrette de vous le dire, mais cela risque de refroidir certains de vos prétendants. Pour avoir assez observé les préjugés des nobles français, la plupart croiraient déchoir en passant derrière moi… Ainsi, vous seriez, pour un temps, libérée des ambitions matrimoniales de votre famille et de vos soupirants.

Élisabeth se laissa le temps de digérer le raisonnement, mais un fol espoir naquit en elle. Cela lui permettrait de retrouver son indépendance sans en porter la faute. Sa propre mère n'y trouverait rien à redire. Néanmoins, un pincement au cœur l'empêcha de pleinement adhérer à ce projet. Si cela marchait – et il y avait peu de chances que leur plan échoue – Henry serait tenu de ne plus la voir, peut-être même de l'éviter, et cela lui coûtait.

Le jeune homme sentit son hésitation et décida de lui laisser quelques instants pour réfléchir, ne voulant pas la presser. Elle se dirigea vers la fenêtre et regarda sans le voir le jardin à la française couvert de neige. S'entourant de ses bras, elle prolongea sa réflexion plus qu'il n'était nécessaire ; au fond d'elle-même, Élisabeth savait que cette solution était la meilleure. Elle leur offrait une issue digne à tous deux, et permettrait aux mauvaises langues de trouver une autre cible.

Elle se retournait et s'apprêtait à répondre quand la porte de la bibliothèque s'ouvrit pour laisser le passage à son frère. Celui-ci se dirigea vers M. Wolton.

— Henry, Mme du Plessis tient à vous faire savoir qu'elle a retrouvé son éventail, et vous remercie de la peine que vous vous êtes donné pour elle.

Il aperçut enfin sa sœur.

—Élisabeth, vous êtes là ! Je croyais que vous vous étiez retirée.

— J'ai interrompu Mlle d'Arsac dans ses méditations et elle a eu la bonté de ne pas me renvoyer, dit Henry, volant au secours de la jeune femme.

—Oh, je vois. Dans ce cas, nous allons vous laisser.

Louis s'approcha d'elle pour lui parler à l'oreille.

— Prenez garde à votre réputation. Je sais que Henry ne pense pas à mal, mais vous retrouver seule avec lui pourrait vous porter préjudice.

—Bien entendu, parvint-elle à bafouiller. Je comprends.

Élisabeth espérait franchement que la pénombre de la bibliothèque dissimulait son expression.

—Je tâcherai de m'en souvenir.

—Tant mieux.

Louis reprit d'une voix plus forte, sans quitter sa sœur des yeux.

—Henry, nous allons retourner au salon et laisser ma sœur encore un peu seule. Élisabeth, pensez à verrouiller la porte après notre départ, je ne voudrais pas que quelqu'un d'autre vous découvre ici. Ne tardez pas trop à nous rejoindre.

Dans son dos, M. Wolton lui adressa un regard implorant. Il n'oubliait pas qu'elle n'avait pas encore répondu à sa proposition, et la pressait d'accepter. Louis se détourna et repartit vers la porte. Les yeux rivés à ceux de Henry, Élisabeth hocha lentement la tête, scellant leur accord.

Chapitre 11

On ne l'avait quasiment pas fait attendre dans l'antichambre, ce qui était plutôt bon signe ; il était traité comme un hôte de marque. Les grands personnages avaient tendance à laisser patienter leurs visiteurs aussi longtemps que bon leur semblait, pour marquer leur supériorité. Mais dès que Henry s'était présenté, un domestique empressé l'avait annoncé, avant de l'introduire presque aussitôt dans le bureau du comte d'Arsac.

La veille, quand il s'était retrouvé seul avec Louis, il lui avait fait part de sa volonté de demander la main de sa sœur. Celui-ci s'était montré tout à fait favorable à ce projet et lui avait même donné quelques conseils.

— Sachez que je suis de tout cœur avec vous, et que j'espère que vous obtiendrez l'assentiment de mon père et de ma sœur. J'aimerais cependant que vous me laissiez en parler au comte demain matin et que vous ne vous présentiez qu'après dîner. Je ne peux rien vous garantir, mais je vais plaider votre cause.

Surpris par ce soutien inattendu, Henry avait remercié son ami avec une chaleur à laquelle se mêlait l'inquiétude. Et si Louis obtenait le consentement de leur père ? Le jeune homme eut tôt fait de se raisonner ; Élisabeth pouvait toujours le refuser. Cette idée ne lui plaisait qu'à moitié, car il avait fini par la considérer comme sa future épouse… Mais il s'était vite repris. Elle ne lui appartenait pas, et il ne pouvait prétendre exercer aucun droit sur elle. Il allait demander sa main, essuyer un refus poli, et la laisser vivre sa vie. Plus tard, chacun trouverait un conjoint à sa mesure. Il avait serré les dents, refusant d'imaginer un autre homme partager la vie de la jeune femme et caresser ce corps délicieux.

Revenant au présent, Henry pénétra dans le bureau, une pièce de dimensions relativement modestes compte tenu de la taille de l'hôtel. Un secrétaire, un fauteuil et deux sièges constituaient l'essentiel de l'ameublement. Un feu crépitait dans la cheminée, devant laquelle on avait placé un écran de tapisserie, pour empêcher les flammèches d'abîmer le parquet et le tapis. Fait notable, le comte se leva pour l'accueillir.

C'était un homme qui en imposait. Il devait avoir une soixantaine d'années mais son âge transparaissait à peine ; de la même stature imposante que son fils quoique avec un regard plus dur, une expression fermée et des rides marquées, il donnait l'air d'avoir plus sa place sur un champ de bataille que dans un hôtel parisien. Il émanait de lui une autorité naturelle qui donnait à Henry l'envie irrésistible de se mettre au garde-à-vous.

Il se redressa légèrement et s'efforça de garder une attitude détendue, ce qui n'était pas chose aisée dans sa tenue. Désireux de marquer la solennité du moment, il avait revêtu un habit richement orné et s'était coiffé d'une perruque. Pourtant, M. d'Arsac le salua d'un air affable et l'invita à s'asseoir face à lui.

— Monsieur Wolton, commença-t-il, je connais la raison de votre venue. Mon fils Louis m'en a touché deux mots ce matin.

Avec prudence, Henry hocha la tête en silence, attendant que son hôte poursuive.

— Voyez-vous, la question du mariage de ma fille est un sujet de préoccupation depuis plusieurs années. J'ai reçu de nombreuses propositions, que j'ai toutes écartées sous prétexte qu'Élisabeth était trop jeune ou que le prétendant ne convenait pas…

Il se racla la gorge. Quelque chose n'allait pas. On aurait presque dit qu'il était… embarrassé.

— Or, voilà qu'en un mois à peine, vous vous liez d'amitié avec mon fils et charmez ma fille. Cela représente un sacré tour de force. Ce qui me surprend le plus, c'est que Louis a pris fait et cause pour vous, alors qu'il a toujours été avare de son amitié et de son estime. Pourriez-vous avoir la bonté de m'expliquer ?

L'épreuve de la demande en mariage tournait à l'interrogatoire. Pourtant, Henry sentit que M. d'Arsac cherchait avant tout à l'évaluer. Tous deux n'avaient jamais eu l'occasion d'être présentés l'un à l'autre, et Henry prétendait tout de même épouser Élisabeth. Il répondit aussi posément que possible.

— Je suis sincèrement touché de vos paroles, car l'affection que M. d'Arsac, votre fils, a pour moi n'en est que plus précieuse. Quant à vous expliquer… Je crois m'être efforcé de gagner la considération de vos enfants en demeurant fidèle à mon devoir, aux principes que l'on m'a inculqués et au respect que je leur devais.

En vérité, Henry ne s'expliquait pas vraiment son amitié avec Louis ; c'était comme si, dès le départ, ils avaient compris qu'ils seraient capables de s'entendre et de se faire confiance. Quant à Élisabeth, leurs rapports étaient nettement moins conventionnels… et parfois même houleux. Sa réponse parut néanmoins satisfaire le comte, dont les lèvres s'étirèrent en un mince sourire.

— Voilà qui est parler. À présent que ce point est éclairci, j'aimerais savoir pour quelle raison je devrais vous accorder la main de ma fille plutôt qu'à un autre. Car je ne vous cache pas que M. de La Ferté souhaiterait s'unir à Élisabeth et qu'il compte me rendre visite à ce sujet dans quelques jours. Vous l'avez déjà rencontré, si mes souvenirs sont bons.

Brusquement, il n'était plus question de faire semblant. Sentant la menace de ce noble méprisant, et poussé par un sentiment sur lequel il préférait ne pas s'attarder, Henry déploya ses arguments avec éloquence et minutie. Il lui fallait obtenir la main de la jeune femme, et par tous les moyens. Il ne s'apaisa que lorsqu'il eut achevé son monologue. Peu à peu, il prit conscience qu'il s'était battu passionnément alors qu'il aurait dû traiter cette grave question comme une affaire commerciale ; c'était ainsi que les nobles envisageaient le mariage. En outre, il ne devait pas oublier qu'il avait conclu un accord avec Élisabeth, afin de leur offrir à chacun une issue honorable. En avait-il trop fait, trop dit ?

Sans un mot, le comte se leva pour se placer devant la cheminée et s'absorba dans ses réflexions. Quelque chose dans son attitude lui rappelait Élisabeth la veille, et Henry fut une fois de plus surpris par la facilité avec laquelle il avait pris note de ces particularités.

Élisabeth… que faisait-elle en ce moment même ? Était-elle dans sa chambre, à attendre nerveusement l'issue de son entretien avec M. d'Arsac ? Se trouvait-elle plutôt au salon avec sa mère et sa jeune sœur ? Ou était-elle sortie pour se tenir à l'écart de cette étrange demande en mariage et éviter une rencontre embarrassante dans l'antichambre ?

Le père de la jeune femme se retourna soudain et le regarda droit dans les yeux.

— J'entends vos arguments, monsieur Wolton, et je reconnais qu'ils me paraissent pleins de bon sens, même si votre naissance ne plaide pas en votre faveur.

Henry se renfrogna, désormais habitué à entendre ces remarques qui se voulaient de simples constatations, mais qui n'en étaient pas moins désobligeantes.

— Cela ne répond cependant pas à ma principale interrogation : pourquoi avoir jeté votre dévolu sur ma fille ? reprit le comte d'Arsac.

Un instant pris de court, Henry remua sur son siège dans l'espoir de trouver une position plus confortable. Des phrases toutes faites sur la beauté et l'esprit de la jeune femme lui vinrent à l'esprit, mais il les repoussa, sentant qu'il perdrait la bienveillance de M. d'Arsac.

Sans en avoir vraiment conscience, il se mit à parler avec la plus grande franchise.

—J'ai découvert récemment que Mlle d'Arsac m'avait captivé… Je ne saurais vivre sans elle et, dût-elle devenir mon épouse, je jure que j'engagerai toute mon ardeur à la rendre heureuse. Bien entendu, le choix lui revient, et je comprendrais qu'elle me refuse, mais elle sera assurée de mon admiration et de mon respect.

Un profond silence accueillit sa déclaration et Henry eut la certitude d'avoir ruiné ses chances. Dans quelques instants, on allait le renvoyer, poliment certes, par égard pour son amitié avec Louis, mais fermement, et l'on veillerait à ce qu'il n'approche plus d'Élisabeth. De plus, toute la bonne société aurait bientôt vent de son échec retentissant et du ridicule dont il s'était couvert. Il n'aurait plus qu'à prendre congé de M. Franklin et à repartir vers l'Amérique…

Pourtant, il découvrit que M. d'Arsac le considérait avec amabilité et ne paraissait pas enclin à le faire jeter dehors. Au contraire, il avait l'air presque bienveillant.

—C'est entendu, dans ce cas. Vous épouserez ma fille, et nous veillerons à faire taire les mauvaises langues.

Un peu déconcerté d'avoir remporté l'adhésion du comte, Henry demanda :

—Ne faudrait-il pas demander son consentement à Mlle d'Arsac ? Elle pourrait me refuser, et c'est son droit.

Son hôte l'arrêta d'un geste.

— Je me porte garant de sa réponse. Bien entendu, je n'évoquerai pas ce que vous venez de me dire, car j'estime que c'est à vous de le faire.

Complètement déboussolé, Henry acquiesça et remercia poliment le comte. Ce dernier reprit :

— Je vais tout de suite faire quérir Élisabeth. Vous pourriez attendre dans mon cabinet de lecture, qui se trouve juste à côté, et vous montrer une fois que ma fille aura donné son assentiment.

Henry était incapable de dire quoi que ce soit. Comme dans un rêve, il se laissa guider jusqu'à la petite pièce attenante et, après le départ de M. d'Arsac, se laissa choir dans un fauteuil. La tête entre les mains, il se mit à prier de n'avoir pas commis une erreur monumentale.

Assise sur son lit, les mains dans son giron, Élisabeth, morte d'inquiétude, attendait d'être appelée auprès de son père. Elle avait guetté toute la matinée la venue de M. Wolton et s'était presque sentie soulagée de ne pas le voir paraître. Mais un regard encourageant de son frère pendant le dîner et l'entrée d'un visiteur dans le vestibule avaient mis fin à ses espoirs. Sous un prétexte quelconque, elle était montée se terrer dans sa chambre, priant pour une issue favorable et brève. Elle avait l'impression que cela durait depuis une éternité, mais Henry ne devait pas être là depuis plus d'une demi-heure. Elle poussa un soupir et entreprit, pour la dixième fois au moins, d'ouvrir le livre posé à côté d'elle. Peine perdue. Son esprit battait la campagne.

Que pouvaient-ils bien se raconter ? Henry avait-il déjà fait sa demande ou attendait-il le moment propice ? Le comte lui avait-il ri au nez, ou s'était-il contenté de refuser poliment ? Elle savait son père très attaché à l'honneur et à l'ancienneté de leur famille... Prendrait-il la proposition de M. Wolton comme une injure ?

Un bruit de pas dans l'escalier la tira de ses réflexions. On frappa à sa porte et Élisabeth se leva promptement, donnant l'ordre d'entrer. Une soubrette apparut sur le seuil et s'inclina avant d'annoncer :

— Mademoiselle, monsieur le comte vous réclame dans son bureau.

Élisabeth opina et sortit à la suite de la servante. C'était fait, les dés étaient jetés. Dans quelques minutes, elle allait refuser la demande en mariage et être enfin débarrassée de toute cette histoire. Dans le couloir menant au bureau, elle lissa nerveusement sa jupe. Henry serait-il encore présent, devrait-elle écouter sa déclaration ? Ou son père l'aurait-il déjà renvoyé, ne la convoquant que pour l'informer de son refus ?

Arrivée devant le bureau, elle prit une profonde inspiration, leva le menton et toqua à la porte. Sans attendre de réponse, elle entra, usant de ce petit privilège réservé aux membres de la famille. Le comte était assis à son bureau, mais se leva en l'apercevant. Elle fit une révérence, avant de s'installer sur le siège qu'il lui désignait. Son père était seul, ce qui signifiait que M. Wolton s'était vu opposer un refus et qu'il était déjà reparti. Bizarrement, elle en éprouva un peu de déception ; elle n'aurait pas la possibilité de lui présenter ses excuses et de le remercier des risques qu'il avait pris pour préserver sa réputation.

En dépit de son émoi, Élisabeth parvint à demeurer impassible tandis que le silence se prolongeait. Elle avait appris à patienter quand son père avait quelque chose à lui dire. Ce dernier finit par rompre le silence.

— Ma fille, j'ai reçu tantôt une visite singulière. Mais je pense que vous en avez déjà connaissance.

Ne voyant pas de raison de nier, Élisabeth hocha la tête.

— Croyez bien que j'ai été surpris de la démarche de ce M. Wolton, et plus encore que vous ayez accepté qu'il vienne me demander votre main. C'est un homme visiblement estimable, et pour lequel votre frère éprouve de l'amitié, mais je suis étonné qu'il ait réussi à vaincre vos réticences.

C'était le moment, se dit-elle.

— Père, je comprends votre sentiment. À dire vrai, j'ai tenté de dissuader M. Wolton de son projet, mais il n'a rien voulu entendre.

— N'éprouvez-vous donc rien à son égard ? Louis semble convaincu de votre bonne entente.

Pourquoi diable son frère s'était-il immiscé dans cette histoire ? Voilà qui risquait fort de compliquer les choses !

— Je reconnais que je l'apprécie, et que nous avons eu l'occasion de discuter agréablement. Néanmoins, je crains que Louis ne se soit fourvoyé : je n'éprouve aucune attirance pour l'état conjugal, quoi que l'on vous ait dit.

Le comte la dévisagea une seconde.

— Dois-je comprendre que vous ne répondrez pas favorablement ?

Voilà. Dans quelques instants, tout serait fini.

— Oui, père. Je le regrette.

À ces mots, M. d'Arsac s'assombrit.

— Cela est dommageable, car j'ai déjà donné mon assentiment à M. Wolton.

— Mais… c'est impossible. Il ne m'a même pas fait sa demande.

— Le simple fait qu'il se soit présenté ici indique qu'il vous en avait touché deux mots. Par ailleurs, n'oubliez pas que la décision m'appartient. Et je ne reviendrai pas dessus.

— Non, père !

— Élisabeth, il suffit ! Voilà quatre années que nous tentons, votre mère et moi, de vous trouver un parti. Nous nous sommes montrés patients, mais vous ne pouvez demeurer fille éternellement.

— Pourtant, vous ne pouvez me forcer à me marier.

Le comte plissa les yeux, contenant difficilement sa colère.

— Que les choses soient bien claires – et je ne le dirai qu'une fois j'entends que votre union soit célébrée avant le Carême, répartit-il d'un ton dangereusement calme.

— Pourquoi ? murmura-t-elle, éperdue. Pourquoi maintenant ?

Son père poussa un soupir avant de répondre.

— Vous n'êtes plus une enfant, je puis donc vous mettre au fait… Sachez que nos finances vont très mal ; notre famille est au bord de la ruine, et je ne tiens les créanciers à distance que grâce à notre nom et à nos liens avec la cour. M. Wolton est un homme fortuné qui nous aidera à rétablir notre situation.

C'était comme si le sol se mettait à tanguer sous ses pieds. Ainsi, tout ce qui avait toujours soutenu son existence et son mode de vie était fondé sur un mensonge ? Bien entendu, les nobles étaient connus pour leur prodigalité – c'était même l'une des exigences de leur rang – mais elle n'aurait jamais soupçonné que la situation fût grave à ce point. Quant à Louis… il n'avait même pas daigné lui en parler – car en tant qu'héritier du titre, il était forcément au courant.

— Si je comprends bien, père, vous me vendez au plus offrant, rétorqua-t-elle d'une voix acerbe.

M. d'Arsac pâlit sous l'insulte. Élisabeth était entêtée, mais jamais elle n'avait osé lui parler sur ce ton.

— Ma fille, prenez garde à vos manières, sans quoi je pourrais changer d'avis et vous faire enseigner l'humilité dans un couvent !

Il marqua une pause, pour souligner ses paroles, avant de reprendre d'un air songeur.

— Bien entendu, si vous m'annoncez que vous souhaitez entrer au service de Notre-Seigneur, vous aurez ma bénédiction. L'appel du Christ ne se discute pas.

Élisabeth ferma les yeux, prise au piège. Faire entrer les filles au couvent était un moyen tout à fait légal de s'en débarrasser ; en outre, même s'il convenait de doter une religieuse, le montant était bien inférieur à ce qui était versé pour un mariage, et l'on pouvait se dispenser des frais de la noce. La jeune femme croyait en Dieu, mais n'avait aucune appétence pour la vie monastique. Son père le savait parfaitement et n'hésitait pas à en jouer…

En désespoir de cause, elle s'exclama :

— Mais enfin, père ! M. Wolton n'est même pas noble !

Elle se sentit honteuse d'employer un tel argument, mais elle savait que ce serait peut-être le seul qu'entendrait le comte, si orgueilleux de sa naissance. Pourtant, celui-ci fronça les sourcils.

— Je ne vous aurais pas crue si attachée à ces principes, fit-il d'un ton peiné, et Élisabeth eut la certitude qu'elle venait de le décevoir profondément. Sachez que M. Wolton, qui est attaché à l'ambassadeur Franklin, jouit d'un statut diplomatique ici, ce qui vaut bien une belle naissance. C'est un homme capable qui saura, j'en suis sûr, se hisser aux plus hautes fonctions… Enfin, Sa Majesté a l'intention de signer une alliance avec les Américains, et votre union servirait nos intérêts à la cour.

La jeune femme baissa la tête, ne sachant plus quoi dire. Elle avait l'impression de s'être montrée aussi méprisante que tous ces gens qui la prenaient de haut quand elle évoquait ses idées. Non, c'était pire, car elle connaissait les qualités de Henry. Pourtant, sa colère ne refluait pas ; elle refusait de céder.

—Toutefois, reprit le comte, si la naissance est pour vous un obstacle insurmontable, sachez que M. de La Ferté a sollicité un entretien avec moi dans deux jours, je vous laisse imaginer pour quel motif. Ce serait une union brillante et à la hauteur de nos deux familles, mais je ne vous cache pas qu'il se trouve dans une situation encore plus précaire que la nôtre.

Pour un peu, elle se serait mise à rire tant la situation était ironique. Henry avait-il planifié tout cela, la forçant ainsi à l'épouser ? Son frère était-il de mèche ? Leur père avait-il pris sa décision dès avant cette entrevue désastreuse ?

—Je n'ai donc pas le choix, souffla-t-elle avec amertume.

—Détrompez-vous, Élisabeth. Peu de pères auraient accordé autant de licence à leur fille, ne vous en déplaise. Et vous avez tout à fait le choix. Je vous laisse jusqu'à ce soir pour me donner votre réponse.

Le choix ? En dépit de ce qu'elle avait pu dire, c'était tout décidé. Elle ne retournerait pas au couvent et ne voulait pas de M. de La Ferté. Après tout, tâcha-t-elle de se raisonner, elle s'entendait bien avec M. Wolton et leurs relations étaient agréables.

—Inutile d'attendre, père, mon choix est fait. J'épouserai M. Wolton, puisque vous l'ordonnez. Mais ne demandez pas de m'en réjouir !

—Il n'en a jamais été question, Élisabeth, répliqua froidement M. d'Arsac.

Dans un dernier élan de rébellion, la jeune femme tourna le dos et sortit sans saluer, claquant la porte derrière elle. Une fois dans le couloir, elle empoigna ses jupes et se mit à courir pour s'enfermer dans sa chambre.

Elle l'avait refusé, comme prévu. Mais avait-elle besoin de mettre en avant son manque de noblesse ? se demanda Henry, dépité. Quand Élisabeth avait avancé cet argument, il avait eu l'impression de recevoir un coup de poing dans le ventre. Elle y avait mis tant de force, tant de conviction… En dépit de l'air de tolérance qu'elle se donnait, elle ne valait guère mieux que les autres. Certes, elle l'avait choisi, mais cette victoire lui laissait un goût amer dans la bouche. Il était évident que ce n'était qu'un choix par défaut, et qu'elle n'avait cédé que sous la pression de son père.

Incapable de rester assis plus longtemps, Henry se leva et serra les mains derrière son dos. Il ressentait le besoin de briser quelque chose pour faire passer sa fureur, mais ce n'était pas en dévastant sa demeure qu'il établirait de bonnes relations avec le père de celle qu'il s'apprêtait à épouser. Le comte d'Arsac fit son apparition sur le seuil du cabinet de lecture, une fois la porte claquée.

Il avait l'air bien plus humain que quand ils s'étaient parlé un peu plus tôt. L'affrontement avec sa fille avait laissé des stigmates. Il arborait une expression d'excuse et… de compassion. Henry se raidit et serra les dents. Il ne voulait pas être un objet de pitié, et ne laisserait personne le considérer comme tel.

—Eh bien, je constate que tout est réglé, fit-il d'un ton neutre. Il convient désormais de trouver une date, surtout si vous souhaitez que la cérémonie ait lieu avant le Carême.

—Monsieur, je vous prie de croire que ma fille…

—…a accepté ma demande, l'interrompit-il. Cela me suffit. Je dois malheureusement vous quitter, je suis attendu à Passy. Peut-être pourrions-nous nous revoir demain pour commencer à régler les détails du contrat de mariage?

M. d'Arsac avait visiblement l'intention d'ajouter quelque chose, mais il se contenta d'acquiescer d'un air résigné.

—Qu'il en soit ainsi, dans ce cas. Adieu, monsieur.

Henry salua et sortit, réprimant à grand-peine une envie de hurler. Il avait désiré cette union, puis avait accepté d'écouter les raisons d'Élisabeth et de faire une fausse demande, et voilà qu'il se retrouvait lié à elle de façon presque irrévocable. Étrangement, il était incapable de s'en réjouir.

Chapitre 12

Moins de deux semaines s'étaient écoulées depuis l'entretien entre Henry et M. d'Arsac, quand ceux-ci se retrouvèrent devant le notaire pour signer le contrat de mariage. Les unions étaient interdites en période de Carême, et monseigneur de Paris était connu pour son intransigeance, aussi avait-il fallu faire vite. Conformément à l'usage, les futurs époux ne se retrouveraient qu'après la signature.

Dans les premiers jours qui avaient suivi l'acceptation de sa demande, Henry avait été fou de rage. Il avait peine à croire l'attitude d'Élisabeth qui, d'un seul mot, avait exprimé tout le mépris qu'elle éprouvait à son égard. Pourtant, le doute n'était pas permis ; derrière la porte, il avait tout entendu… À plusieurs reprises, le comte avait tenté de s'expliquer avec lui sur ce point, mais il avait fait la sourde oreille. Louis était ensuite revenu à la charge, mais Henry l'avait fermement prié de ne pas s'en mêler. Il était si blessé dans son amour-propre qu'il lui avait même défendu d'aborder le sujet avec sa sœur. La cicatrice de sa main, qu'il était parvenu à oublier depuis plusieurs semaines, avait recommencé à se manifester et l'élançait en permanence.

À mesure que les préparatifs de la noce avançaient, la colère avait fait place à une froide détermination. Puisque Élisabeth lui reprochait sa basse extraction, qu'elle ne s'attende pas à trouver un mari énamouré prêt à céder à tous ses caprices. Il partagerait le lit de sa ravissante épouse, bien entendu – il eût fallu être un saint ou un ascète pour ne pas succomber – mais il réprimerait tout sentiment d'affection pour la jeune femme. Il s'efforcerait de maintenir une bonne entente entre eux, mais s'abstiendrait d'en faire davantage.

La duplicité de sa fiancée lui était d'autant plus difficile à accepter qu'il s'était plu à imaginer leur vie conjugale. Il avait cru pouvoir être heureux, s'appuyer sur une femme intelligente et volontaire, se fier à son jugement… Sa propre naïveté le désespérait. Au lieu de quoi, il allait se retrouver lié à une fieffée menteuse jusqu'à ce que la mort les sépare.

En arrivant à l'hôtel d'Arsac où devait avoir lieu la signature, Henry ruminait de sombres pensées. Dans la cour, l'activité bourdonnante le détourna un instant de ses idées noires : des serviteurs nettoyaient le pavé à grande eau et dégageaient les abords de l'hôtel ; le jardinier avait sorti certains arbres en pot de la serre et les disposait avec élégance ; vers l'office, on déchargeait des charrettes pleines de victuailles, et il flottait dans l'air le fumet d'un repas qui s'annonçait délicieux. Tout cela pour ses noces. C'était à en avoir le tournis.

Quand il se présenta, le majordome lui ouvrit la porte avec empressement avant même qu'il ait fini de gravir les marches. Le personnel tout entier avait changé d'attitude à son égard. Alors qu'il était autrefois accueilli avec une courtoisie détachée, chacun se démenait désormais auprès de lui, comme pour s'attirer ses bonnes grâces. Ces gens croyaient-ils aux contes que l'on avait colportés sur leur union ? Car, pour renforcer l'aspect dramatique d'un mariage aussi hors du commun, on avait alimenté la rumeur : M. Wolton, tombé désespérément amoureux de la charmante Mlle d'Arsac, avait triomphé du fossé qui les séparait et était parvenu à la conquérir. Celle-ci, séduite mais pudique, n'avait avoué son attachement qu'au moment où son père lui avait fait part de la demande en mariage.

L'histoire était si bien tournée qu'il aurait applaudi s'il en avait eu le cœur. À présent, il était célébré dans les salons comme un modèle d'amour courtois, et leur couple symbolisait l'union entre la France et l'Amérique, officialisée par le récent traité d'amitié. Leurs Majestés avaient même daigné leur faire parvenir des félicitations, et seraient représentées lors de la cérémonie par un membre de la famille royale.

Agacé, Henry décida de concentrer son attention sur ce qui l'attendait. Accompagné de deux membres de l'ambassade qui lui serviraient de témoins, il fut conduit dans le bureau. Louis et M. d'Arsac étaient déjà installés, de même que le notaire qui procéderait à la lecture du contrat. Au moment où fut réaffirmée la décision d'élever les enfants du couple dans la religion catholique, Henry sentit ses compatriotes s'agiter, mais leur fit signe que tout allait bien. En dépit de sa propre foi protestante, il avait accepté de céder sur ce point dans un souci d'apaisement.

La lecture achevée, les articles signés, les femmes de la famille les rejoignirent. Henry était bien entendu seul, mais Élisabeth fit son entrée, accompagnée de sa mère et de sa jeune sœur, Constance, une fillette d'une dizaine d'années. En dépit de ses résolutions, le jeune homme se sentit faiblir en apercevant sa fiancée. Elle était vêtue d'une tenue très simple, un corsage serré qui mettait en valeur sa taille mince et une jupe ample de couleur bleue, et portait pour tout bijou le fameux pendentif qu'elle arborait lors de leur rencontre. Ce rappel de moments plus heureux et insouciants lui fit mal au cœur.

Pendant le bref repas servi juste après, les futurs époux n'eurent aucune occasion de se parler seul à seul, alors même qu'ils ne s'étaient pas revus depuis la soirée chez Mme du Plessis. Élisabeth demeurait en retrait, comme il seyait à une jeune femme bien née, mais il soupçonnait que cela était dû à la perspective de leurs noces, le lendemain. Se conformant à l'image que l'on avait donnée d'eux, Henry tâcha de se montrer spirituel, amoureux et même heureux. Au moment de prendre congé, il parvint à lui chuchoter quelques mots.

— Ma douce, souriez donc un peu. On croirait que vous êtes condamnée au bagne.

Elle lui lança un regard noir.

— Ce n'est pas moi qui ai eu cette idée désastreuse !

— Je vous propose une trêve. Nous aurons toute la vie pour batailler sur ce point, vous ne croyez pas ?

En revanche, je me permets de vous rappeler que nos invités s'attendent à assister à un mariage d'inclination.

Sur ce, il la contempla avec une expression si aimante que Mme d'Arsac s'éventa avec force pour dissimuler son émotion. Élisabeth le dévisagea avec stupéfaction mais détourna vite les yeux.

— Fort bien, monsieur. Je me range comme toujours à vos excellents conseils, rétorqua-t-elle avec une ironie qu'il ne manqua pas de relever.

Henry s'inclina respectueusement et s'en alla, satisfait de constater que sa future épouse n'avait pas perdu toute sa pugnacité.

Dès la fin des civilités, Mme d'Arsac avait entraîné sa fille aînée dans le boudoir, renvoyant Constance dans sa chambre. Il était temps pour elles d'avoir cette « discussion » préalable à la nuit de noces. Élisabeth abordait la confrontation avec sa mère avec plus d'appréhension que les relations physiques avec son mari, sans doute parce qu'elle savait déjà à quoi s'en tenir sur ce dernier point.

D'autant que la comtesse Louise était d'humeur chagrine depuis l'annonce du mariage… Ou plutôt, elle avait commencé par se mettre dans une colère homérique avant de se réfugier dans un profond mutisme en privé et une joie de façade en société, ce qui n'augurait rien de bon. Quand, dix jours plus tôt, Élisabeth avait quitté le bureau de son père de très méchante humeur, elle avait cru que les épreuves de la journée étaient terminées. Or, il avait fallu composer avec la réaction de sa mère, et celle-ci avait été effroyable.

M. d'Arsac était entré au salon où la famille s'était rassemblée, puis l'avait embrassée sur le front en annonçant :

— Je vous présente mes félicitations, madame Wolton.

Élisabeth, les dents serrées, s'était contentée de répondre d'un hochement de tête. Elle en voulait trop à son père de l'avoir contrainte à cette union pour se montrer reconnaissante, ainsi que la tradition l'exigeait.

Néanmoins, sa mère s'était levée d'un bond et s'était mise à crier.

— Qu'entends-je, monsieur ? Vous avez fiancé notre fille sans me consulter ? Et à un roturier, encore !

Surprise de cet éclat de la comtesse, qui abhorrait plus que tout la vulgarité et le tapage, Élisabeth avait cru un instant trouver son salut dans le soutien de sa mère. Pourtant, ses espoirs avaient rapidement été déçus.

— Vous savez pertinemment que je favorise M. de La Ferté depuis toujours ! s'était exclamée Mme d'Arsac, toute à sa fureur. Sa position à la cour est enviable, sa famille aussi ancienne que la nôtre…

— … mais il n'a pas un sou vaillant, avait contré Louis, prenant brusquement part au débat. Qui plus est, je doute qu'il ait choisi en connaissance de cause. Notre Élisabeth peut parfois se montrer… entêtée.

Cette dernière s'était demandé si elle devait se sentir offusquée d'une telle remarque. Elle avait tenté en vain de s'imposer dans la discussion. C'était à croire qu'elle n'existait pas. Elle avait donc assisté, impuissante, au vigoureux échange entre sa mère, son père et son frère, qui décidaient de son avenir comme si elle n'était pas là.

— Je me moque que ce M. Wolton soit riche ! Il n'est pas bien né.

— Mère, je vous garantis qu'il est aussi bien né que certains robins que vous envisagiez pour Élisabeth autrefois.

— Là n'est pas la question ! Qu'allons-nous dire à M. de La Ferté ? Après tout, il jouit d'un grand crédit auprès du roi ; cela pourrait gêner votre avancement ou faire échouer nos requêtes auprès du Parlement. Moi qui souhaitais tant voir nos filles établies auprès de la reine…

En silence, Élisabeth s'était réjouie d'avoir échappé à M. de La Ferté. Si la vie auprès de ses parents pouvait être contraignante, ce n'était rien comparé à la prison dorée qu'était la cour de France, figée dans son étiquette et son cérémonial d'un autre âge.

Mais le comte avait tonné qu'une naissance obscure n'était pas un obstacle. Il avait, une fois de plus, mis en avant le statut diplomatique de Henry, rendant caduc le principal motif de l'opposition maternelle. Mme d'Arsac s'était alors effondrée de façon théâtrale dans une bergère et s'était mise à sangloter, ce qui était pour le moins inhabituel. La comtesse ne perdait jamais son calme, et Élisabeth ne se souvenait pas de l'avoir déjà vue verser des larmes.

— Mais cet homme… cet Américain… c'est un hérétique, avait-elle dit d'une voix hachée, entre deux sanglots.

Cette fois-ci, il avait fallu prendre l'argument en considération. La religion réformée n'était plus censée exister en France depuis près d'un siècle, même si une tolérance était observée, notamment à l'endroit des ambassadeurs étrangers. Pourtant, cela risquait de poser un réel problème, surtout dans une famille aussi proche du pouvoir que la leur.

Après une longue réflexion qui avait laissé entrevoir à Élisabeth la possibilité d'une annulation des fiançailles, son père et son frère avaient réussi à trouver un moyen de contourner cet obstacle. On ferait ajouter, dans le contrat de mariage, une clause stipulant que les enfants du couple seraient éduqués dans la religion catholique. Cette disposition avait un peu apaisé Mme d'Arsac, qui n'en avait pas moins maugréé et refusé de rencontrer son futur gendre. De son côté, Louis avait veillé à obtenir l'assentiment de Henry, que ces questions touchaient apparemment assez peu.

Quelques jours après l'annonce des fiançailles, Élisabeth avait eu la surprise d'apprendre l'histoire que l'on racontait au sujet de ses noces, propagée non seulement par de parfaits inconnus, mais également par son frère et sa meilleure amie ! On parlait d'un mariage d'amour, d'une histoire digne des plus beaux romans de chevalerie… Déconcertée, elle s'en était ouverte à son père, qui lui avait fourni une explication. Voyant que ses efforts pour empêcher le mariage ne menaient à rien, surtout une fois que le roi avait donné sa bénédiction, la comtesse avait exigé que tout soit mis en œuvre pour en faire un événement qui susciterait la curiosité et l'intérêt, et non les railleries. Elle avait elle-même brodé autour de l'inclination des jeunes gens l'un pour l'autre, et c'était ainsi qu'Élisabeth s'était vue rappeler à l'ordre un peu plus tôt.

Mme d'Arsac s'éclaircit la voix. Après avoir pris place sur un sofa tendu de soie aux tons pastel, elle fit signe à sa fille de la rejoindre. Élisabeth s'approcha avec réticence, craignant de déclencher un éclat en commettant quelque maladresse.

— Mon enfant, j'ai assez exprimé mon désaccord quant à votre union pour vous en faire de nouveau part, commença-t-elle.

C'était un soulagement. Élisabeth ne tenait pas à l'entendre énumérer une fois de plus les raisons qu'elle-même avait évoquées pour éviter ce mariage, quand bien même ses motivations étaient différentes de celles de sa mère.

— Pour ma tranquillité d'esprit et ma conscience, nous avons tiré le meilleur parti d'une situation inextricable. Grâce au soutien de Sa Majesté, nous serons même en mesure de sortir de cette épreuve la tête haute.

On dirait que c'est elle qui ira à l'autel, songea la jeune femme.

— Quoi qu'il en soit, il est désormais de mon devoir de vous expliquer ce qui se passera demain, lorsque votre époux vous rejoindra.

Élisabeth tenta de prendre une expression humble, ne voulant pas se trahir.

— Je vous écoute, mère, dit-elle docilement.

La comtesse prit une profonde inspiration et débita presque d'un trait :

— Voyez-vous, les hommes ont certains… besoins, qu'il convient, dans une certaine mesure, de satisfaire. Bien entendu, une fois que vous aurez donné un héritier à votre mari, vous ne serez plus tenue de vous soumettre à ce devoir. N'oubliez pas d'obéir à ses demandes, même si elles vous paraissent étranges ou rebutantes. Bien entendu, si ce qu'il vous demande est contre nature, vous pourrez parfaitement lui interdire de vous toucher.

Elle se tut une seconde.

— Gardez pourtant en tête que, parfois, supporter ce désagrément peut produire des effets bénéfiques. Il peut inciter votre époux à se montrer généreux à votre égard ou à satisfaire une requête qui ne lui seyait pas. C'est à peu près tout.

Mme d'Arsac se tut, visiblement soulagée d'en avoir fini.

Élisabeth était abasourdie. Non seulement la description était pour le moins vague mais, surtout, cela ne correspondait pas du tout à ce qu'elle avait ressenti lors de sa rencontre clandestine avec Henry à l'auberge. Elle s'estima soudain chanceuse de savoir précisément ce qui l'attendait car, si elle avait été vierge, elle aurait été morte d'angoisse à la perspective des relations conjugales. D'un autre côté… Se pouvait-il que ses propres réactions ne soient pas normales ? Inquiète, elle questionna sa mère.

— Mais est-il donc impossible de… d'en éprouver quelque plaisir ?

La comtesse plissa les yeux et la regarda d'un air soupçonneux.

— Qui vous a dit cela ?

— Mme du Plessis, cette semaine, mentit Élisabeth. Elle m'a assuré que le devoir conjugal n'est pas toujours aussi désagréable qu'on le prétend.

— J'avais entendu dire que Mme du Plessis avait un comportement un peu scandaleux depuis son veuvage, mais je n'aurais jamais cru qu'elle vous aurait mis de telles idées en tête ! Sachez que seules les filles de rien peuvent se laisser aller à une telle vulgarité. Faites-moi honneur et ne déchoyez pas de votre position ; une dame bien née ne se comporte pas comme une harengère.

La jeune femme hocha la tête, confuse. Ainsi, elle n'était pas normale ? Elle devait dissimuler ses réactions ? Pourtant, Henry n'avait pas semblé dégoûté… Mais il avait fini par lui proposer une fausse demande en mariage…

Sa mère s'était éclipsée. En proie au plus grand doute, Élisabeth demeura seule, tournant et retournant ces questions dans sa tête. Cette nuit-là, elle eut le plus grand mal à trouver le sommeil.

Debout devant le miroir en trumeau au-dessus de la cheminée de sa chambre, Élisabeth observait son reflet d'un œil morne. Elle s'était levée avant l'aube pour être prête à temps, car la cérémonie était prévue pour la fin de la matinée. Sous la direction de sa mère et le regard admiratif de sa sœur, elle avait été habillée, poudrée et parée, au point qu'elle avait du mal à se reconnaître. Elle portait une de ces robes à paniers immenses qui étaient encore en faveur à la cour mais plus du tout à la ville, et était coiffée d'une perruque imposante.

L'effervescence des premières heures avait fait place à un calme bienvenu quand, une fois les préparatifs achevés, elle avait renvoyé tout le monde. Elle prenait véritablement conscience de la situation : elle allait être mariée et perdre de ce fait son indépendance. Certes, la signature du contrat et la conversation avec sa mère, la veille, l'avaient préparée à l'idée, mais jusqu'au bout, elle avait gardé, sans en avoir conscience, le fol espoir qu'il ne s'agissait que d'un mauvais rêve.

Pourtant, même si les premiers jours elle bouillonnait intérieurement, ne rêvant que de dire son fait à M. Wolton sur sa façon méprisable de la contraindre au mariage, elle avait fini par s'apaiser peu à peu. Bien entendu, elle n'avait pas renoncé à exiger une explication quand ils pourraient parler à cœur ouvert loin des regards indiscrets, mais elle commençait à entrevoir que Henry n'était peut-être pas totalement responsable de la situation.

Après tout, son propre comportement n'était pas exempt d'erreurs… Pour commencer, elle n'aurait jamais dû laisser M. Wolton faire sa demande, ni céder à son père – encore qu'elle ne voyait pas bien comment. Et son fiancé s'était peut-être laissé entraîner par des événements qu'il ne maîtrisait pas tout à fait, notamment l'enthousiasme de son frère.

Comme attiré par ses pensées, Louis frappa à la porte et demanda :

— Élisabeth, êtes-vous décente ?

Quand elle eut répondu par l'affirmative, il entra. Il portait un habit militaire, l'épée au côté, et incarnait à merveille l'aristocrate de haut rang. En apercevant sa sœur, il sourit chaleureusement, s'approcha d'elle et lui prit les mains pour les embrasser. Puis il recula, la tenant à longueur de bras, et la contempla d'un air appréciateur.

— Mademoiselle, vous êtes à peindre, déclara-t-il avec une admiration non feinte.

Cela fit chaud au cœur d'Élisabeth. Elle avait craint d'être ridicule tant sa tenue était différente de ce qu'elle portait habituellement.

— Merci, Louis. Mais dites-moi, que faites-vous ici ? Je croyais que vous ne deviez rejoindre le cortège qu'à l'église.

Le regard du jeune homme se mit à pétiller de malice.

— Oh vraiment ? Alors vous feindrez la surprise en me voyant là-bas.

Elle éclata de rire. C'était la première fois depuis plusieurs jours qu'elle parvenait à oublier un instant son angoisse.

— Reprenons. Vous faites une mariée ravissante, mais il manque un détail… Vous ne portez pas de bijou.

—Je sais. J'avais envisagé de porter le pendentif de notre grand-mère, mais il ne me paraît pas approprié pour un moment aussi solennel.

Louis acquiesça, puis tira de sa poche un petit écrin qu'il lui tendit.

—Puisqu'il est de coutume de faire un présent à la mariée… voici le mien.

Les mains tremblant légèrement, Élisabeth prit la boîte et l'ouvrit. Elle eut un « oh » de ravissement en découvrant ce qu'elle contenait : une croix d'or finement ouvragée et sertie de diamants. Avant qu'elle ait pu réagir, Louis s'était emparé du bijou et passait derrière elle pour le lui mettre. La jeune femme se tourna une fois de plus vers le miroir : la chaîne était à la longueur idéale et le pendentif complétait parfaitement sa tenue.

—C'est magnifique, murmura-t-elle. Merci infiniment.

Ils demeurèrent un instant muets, l'un derrière l'autre, se regardant dans la glace. Enfin, Louis la força à lui faire face et rompit le silence.

—Élisabeth, je suis persuadé que cette union vous apportera tout le bonheur auquel vous avez droit. C'est d'ailleurs la raison pour laquelle j'ai eu à cœur de soutenir la demande de Henry auprès de notre père.

Elle s'en doutait, mais l'entendre de la bouche même de son frère provoqua un déluge d'émotions : l'incrédulité, la colère, la tristesse… Cela ne lui échappa sans doute pas, car celui-ci reprit avec douceur :

—Je connais vos préventions contre le mariage. Pendant longtemps, j'ai même été votre plus ardent défenseur contre nos parents ; vous étiez trop jeune et, surtout, vous méritiez un époux capable de vous écouter et de veiller sur vous. Or, en peu de temps, un lien s'est tissé avec Henry, et vous êtes même parvenue à le tirer de sa réserve. Lui-même a subtilement changé sa façon de vous regarder, de vous parler. Vous ne vous en êtes sans doute pas aperçue mais, à mes yeux et ceux de Mme du Plessis, c'était évident.

Élisabeth ouvrit la bouche pour protester, mais il ne lui laissa pas la possibilité de l'interrompre.

— Non, je vous en prie, laissez-moi finir. Nous nous sommes aperçus de la situation, disais-je, et avons décidé de vous aider. Je ne dis pas qu'il ne se serait rien passé sans nous, mais M. de La Ferté se faisait de plus en plus pressant, et Henry ne semblait pas disposé à faire sa demande si rapidement. Pourtant, quand je vous ai vue hier, vous m'avez semblé d'humeur mélancolique et j'ai redouté d'avoir fait fausse route.

Il lui reprit les mains et la regarda dans les yeux.

— Ma sœur, si jamais je me suis égaré, je vous en prie dites-le-moi. Il est encore temps. Nous trouverons quelque chose, n'importe quoi. Si jamais l'idée de vous unir à M. Wolton et de passer le restant de vos jours avec lui vous est intolérable, faites-m'en part sur-le-champ.

Dans les instants qui suivirent cette déclaration inattendue, Élisabeth sentit son cœur s'emballer. L'issue était là, toute proche ! Et pourtant… en y réfléchissant bien, elle s'était déjà résignée à ce mariage. Non, pire encore, elle en était venue à le considérer comme gravé dans le marbre. Mais ce qui la surprit le plus, ce fut la réaction de son corps : d'un seul coup, les larmes lui montèrent aux yeux et sa gorge se serra, comme si elle éprouvait un chagrin insurmontable.

Louis la dévisagea avec inquiétude, effleurant ses paupières du bout des doigts pour recueillir les larmes. Elle prit une profonde inspiration et répondit, alors que l'humeur de son frère s'assombrissait de seconde en seconde :

— Non, Louis. Il est vrai que j'ai cherché à échapper à l'état conjugal pendant de nombreuses années, et que j'ai présenté tous les arguments qui pouvaient, selon moi, m'éviter ce sort. Toutefois, quelque chose a changé... Même si je vous remercie de votre intérêt, je ne souhaite pas annuler cette union. Je crois que vous avez raison, et que M. Wolton fera un bon époux – meilleur que beaucoup d'autres, et meilleur que tous mes soupirants.

Le jeune homme se détendit visiblement et retrouva bientôt son sourire, bien que moins assuré.

— J'ai votre parole ?

Elle hocha la tête, déterminée, mais se trouva incapable de parler. Comment, en effet, aurait-elle pu expliquer à son frère ce qu'elle venait de découvrir ? La simple idée de ne plus voir Henry l'avait soudain accablée, plus que ne l'avait jamais fait la perspective du mariage.

Chapitre 13

Voilà. Ils étaient mariés.

Élisabeth avait peine à appréhender cette réalité. La journée avait filé à toute allure et seules quelques images lui revenaient en mémoire. Son père la menant à l'autel de Saint-Louis-des-Invalides. La bénédiction nuptiale donnée en présence d'une bonne partie de la cour et du comte d'Artois en personne. Sa sœur tenant le dais en compagnie d'autres enfants. Henry recevant les félicitations avec joie. Elle se revoyait en train d'offrir des présents à leurs invités – des éventails aux dames et des nœuds d'épée, des gants et des chapeaux aux hommes.

Elle ferma les yeux, tout à coup submergée par les souvenirs. Elle avait beau être épuisée, son esprit ressassait inlassablement les événements de la journée. Elle avait du mal à se dire qu'elle s'appelait désormais Élisabeth Wolton, épouse d'un armateur américain.

La jeune femme poussa un soupir. Après la cérémonie, de longues heures avaient été consacrées à recevoir les invités chez ses parents. Enfin, quand elle avait cru être incapable de faire un pas de plus, Henry l'avait conduite jusqu'à la voiture sous les regards de l'assemblée, et ils étaient partis s'installer dans leur nouvelle demeure. Tant qu'il était célibataire, son mari avait vécu à Paris dans le quartier de la Chaussée-d'Antin, mais il avait loué une agréable maison à Passy, non loin de celle de M. Franklin, pour y accueillir convenablement son épouse. L'endroit n'avait aucune commune mesure avec l'imposant hôtel particulier de sa famille, mais à peine Élisabeth avait-elle franchi le seuil qu'elle s'y était sentie très à l'aise. La maison était accueillante et à taille humaine ; il ne serait pas nécessaire de consacrer des heures interminables à son entretien.

Réprimant un bâillement, elle sonna sa femme de chambre pour qu'elle l'aide à se dévêtir. Lors de son arrivée, le personnel lui avait été présenté, et elle avait apprécié sa domestique attitrée. Vive et souriante, Céleste lui avait donné l'impression d'être dégourdie. Cette dernière arriva et entreprit de délacer son corsage et de dégager peu à peu son corps de la lourde armure que constituait la robe.

— Souhaitez-vous que l'on prépare un bain, madame ? proposa la servante.

Un bain… voilà qui paraissait divin. Élisabeth se réjouit à la seule perspective de l'eau chaude sur ses muscles fatigués. Cependant, la nuit était tombée et elle allait devoir partager le lit d'Henry incessamment sous peu…

— Oui, avec plaisir.

Il pouvait bien l'attendre, après tout. Ce bain serait le bienvenu et éloignerait peut-être l'angoisse qui la tenaillait depuis la conversation avec sa mère, la veille.

— Très bien. Je me doutais que vous souhaiteriez vous délasser, je vais donner des ordres en ce sens. La salle de bains est de ce côté-ci, ajouta Céleste en désignant une porte située à côté du lit.

Élisabeth prit soudain conscience qu'elle n'avait même pas visité toutes les pièces de la maison. Certes, elle avait vu les salles d'apparat mais, une fois la porte de sa chambre fermée, elle n'avait eu plus qu'une idée en tête : se reposer. Désireuse de compléter ses connaissances, elle interrogea la servante, qui répondit avec un empressement joyeux.

— La salle de bains est séparée de la chambre par une bibliothèque, où M. Wolton a fait porter votre cadeau de mariage.

À ces mots, Élisabeth fronça les sourcils. Henry lui avait fait don de splendides tissus et bijoux, comme c'était la coutume. Il paraissait singulier de les entreposer avec les livres. Ce devait être temporaire, songea-t-elle. Après tout, ses malles étaient arrivées en même temps qu'elle.

— Cette porte-ci donne sur le cabinet de la garde-robe, lui-même relié au couloir des domestiques. Celle-là donne sur la chambre du maître, ajouta la domestique avec un grand sourire.

Quoi ? Ils étaient si proches ? N'était-ce pas indécent ?

Élisabeth se mordit la lèvre. Ils étaient mariés, après tout. En quoi était-il indécent qu'un époux soit logé à proximité de sa femme ? Elle n'y était pas habituée, voilà tout. Les appartements de ses parents n'étaient pas au même étage. Quant à l'hôtel du Plessis, il n'était pas en reste : la chambre de Félicité et celle de feu son mari étaient situées dans des ailes différentes.

Laissant de côté des réflexions qui ne menaient qu'à sa nuit de noces, Élisabeth enfila une longue chemise informe et un négligé, puis se dirigea vers la salle de bains, précédée par Céleste.

Elle entra dans la bibliothèque et s'arrêta un instant pour l'observer. C'était une pièce de dimensions modestes, dotée d'une seule grande fenêtre donnant sur le jardin. Les boiseries étaient peintes dans des tons verts et bleus, qui s'accordaient à merveille au mobilier – deux fauteuils, une petite table de travail et une bibliothèque encastrée dans le mur du fond.

— Je ne comprends pas, murmura-t-elle, hésitante.

Elle se tourna vers la servante.

— Tu m'as bien dit que M. Wolton avait fait porter mon cadeau de mariage ici ? Les caisses ont-elles été déplacées ?

La jeune fille parut légèrement décontenancée, mais un sourire illumina bientôt son visage.

— Oh non, madame. Je me suis mal exprimée. M. Wolton a fait organiser la bibliothèque pour vous. Tous ces livres sont à vous.

Submergée par une émotion indéfinissable, Élisabeth s'approcha d'un pas vif des volumes reliés de cuir. Comment avait-il su… ? C'était exactement le genre de cadeau susceptible de lui plaire. Elle se mit à déchiffrer les titres des ouvrages ; Shakespeare, quelques poètes anglais plus récents, des livres en italien… Elle grimaça intérieurement : cela faisait longtemps qu'elle n'avait pas pratiqué cette langue, détrônée par la vague d'anglomanie qui touchait le royaume depuis quelques années.

Poursuivant son exploration, elle eut la surprise de découvrir des livres qui lui appartenaient ; en y repensant, elle les avait fait emballer quelques jours plus tôt, mais elle n'aurait jamais cru qu'on aurait pris soin de les sortir et de les installer dans son appartement. Il lui faudrait vraiment remercier M. Wolton… Henry dès qu'elle en aurait l'occasion.

Un soudain courant d'air lui rappela qu'elle était en chemise et qu'un bain l'attendait. Elle pénétra dans la pièce contiguë et constata que celle-ci était particulièrement bien aménagée. Dans la salle d'eau, chauffée par une cheminée et un poêle, le sol était carrelé de dalles noires et blanches disposées en damier. Les derniers rayons du soleil filtraient par la fenêtre, mais la lumière provenait également d'une girandole à plusieurs bougies installée dans un coin. Au centre trônait une vaste baignoire d'où montait de la vapeur.

Avec délice, elle laissa Céleste lui ôter son négligé pour le déposer sur une chaise, et se plongea, en chemise, dans l'eau chaude. Un subtil parfum de rose l'accueillit, et elle comprit qu'on avait versé quelques gouttes d'huile florale, ainsi qu'elle en avait l'habitude chez ses parents. Poussant un soupir de satisfaction, Élisabeth s'abandonna aux mains expertes de la servante qui entreprit de lui déverser le contenu d'un seau sur la tête avant de lui laver les cheveux. Les doigts agiles massaient son cuir chevelu et l'eau chaude agissait comme un baume, dissipant peu à peu ses tensions. Sa chevelure rincée et essorée, Élisabeth cala le dos contre la paroi de la baignoire et renversa la tête en arrière, le regard perdu dans le vague.

Elle avait dû s'assoupir, songea-t-elle en ouvrant brusquement les yeux alors qu'elle ne se souvenait pas les avoir fermés. L'air était toujours lourd et humide, mais il lui sembla que l'eau avait refroidi. Les chandelles étaient bien entamées même si le feu brûlait toujours ardemment et que le poêle diffusait une chaleur continue. En outre, elle ne vit pas sa servante, qui avait dû s'esquiver un instant.

Empoignant les rebords de la baignoire, Élisabeth se redressa un peu, l'eau lui arrivant juste au-dessus des seins. Elle se retourna en percevant un léger bruit de pas, et eut la surprise de découvrir Henry derrière elle. C'était sans doute son entrée, aussi discrète soit-elle, qui l'avait tirée de son sommeil.

Son mari lui décocha un petit sourire et s'approcha lentement. Il était enveloppé d'une robe de chambre en cotonnade, mais elle constata qu'il ne portait ni chaussures ni bas et que le col de sa chemise, largement ouvert, laissait voir un triangle de peau bronzée qui lui rappela bien des souvenirs… Elle s'agita un peu, mal à l'aise. Se pouvait-il qu'elle soit une débauchée pour penser à ce genre de choses dès qu'elle apercevait cet homme ?

— Eh bien, madame Wolton, comment vous sentez-vous ? Vos appartements sont-ils à votre convenance ? demanda-t-il tout en allant chercher la chaise pour s'installer près d'elle.

— Oui, je m'y plais déjà beaucoup, merci. Et je tenais également à vous exprimer ma profonde gratitude pour votre présent.

Il s'arrêta un instant, surpris.

— Ce n'est rien…

— À vos yeux, peut-être, mais c'est de loin ce qui m'a procuré le plus de joie aujourd'hui ! s'exclama-t-elle avec vivacité.

— Vous êtes donc à ce point attachée aux biens matériels ? rétorqua-t-il, mi-moqueur, mi-sérieux.

Il faisait allusion à leur mariage, songea-t-elle, honteuse.

— Je suis désolée, je ne voulais pas sous-entendre que…

— Ne vous inquiétez pas, je sais très bien ce que vous pensez, fit-il d'un ton énigmatique.

Élisabeth fronça les sourcils mais s'abstint de relever. Après tout, ils avaient tous les deux dû endurer une très longue journée et la fatigue émoussait parfois les bonnes manières.

Henry finit par s'asseoir et baissa les yeux sur son épouse, qui se mit à rougir sous son inspection. Certes, il l'avait déjà vue nue, mais les circonstances étaient… différentes. Bizarrement, être observée dans son bain lui paraissait bien plus intime que les moments qu'ils avaient partagés.

— Quel est donc cet accoutrement ?

— Je vous demande pardon ?

— Pourquoi diable vous baignez-vous en chemise ? Avez-vous froid ? Vous avez l'air d'une nonne !

La jeune femme considéra sa tenue sans comprendre.

— Mais… enfin… Je suis toujours vêtue ainsi pour me laver. Cette pratique était effectivement en vigueur au couvent, mais sachez que notre reine elle-même se baigne ainsi.

— Cela dépasse l'entendement ! Notez que si ce que vous dites est vrai, cela explique pourquoi Sa Majesté n'est toujours pas grosse après bientôt huit ans de mariage…

Élisabeth baissa la tête et s'absorba dans la contemplation de ses ongles. Ce n'était pas un sujet à aborder, surtout dans de telles circonstances.

— Allons, débarrassez-vous de cette chose encombrante !

Le ton de Henry était péremptoire, mais elle ne s'en laissa pas conter.

— Je ne vois pas en quoi cela vous gêne.

Le jeune homme répondit dans un demi-sourire :

— Élisabeth, ne vous faites pas plus prude que vous n'êtes… Je vous ai déjà vue beaucoup moins vêtue, si mes souvenirs sont bons. Du reste, l'heure est venue, me semble-t-il, de célébrer notre nuit de noces.

À mesure que son expression se faisait suggestive, la jeune femme sentait ses joues s'empourprer. Allons bon, c'était ridicule, s'admonesta-t-elle. Non seulement elle savait parfaitement à quoi s'attendre, mais en plus

elle devait avouer qu'elle était assez impatiente de passer à la suite des événements.

—Ma chère femme, ne me faites pas languir…, reprit Henry d'une voix légèrement enrouée.

Tiens donc, était-il un tant soit peu désarçonné par la situation?

—Très bien, finit-elle par céder.

Joignant le geste à la parole, Élisabeth empoigna les rebords de la baignoire et se hissa hors de l'eau.

Une fois arrivé chez eux, Henry s'était retiré dans sa chambre pour se remettre de cette longue journée. Il avait ôté l'habit de cérémonie, le gilet et la cravate, ne conservant que sa chemise et ses chausses. Il s'était aspergé le visage et les mains d'eau froide, soucieux d'apaiser le désir brûlant qui le consumait à la perspective de sa nuit de noces, puis s'était mis en quête de son épouse.

Ne la trouvant pas dans sa chambre, Henry avait exploré la bibliothèque et découvert un rai de lumière sous la porte de la salle de bains attenante. Il était entré discrètement, renvoyant la servante d'un geste et s'était arrêté un instant pour contempler Élisabeth. Alanguie dans la baignoire, la jeune femme lui tournait le dos. Ses longs cheveux blonds humides ondulaient jusqu'au sol, ajoutant à ses attraits. Il éprouvait le besoin impérieux de glisser ses doigts entre les mèches, d'en éprouver la douceur et d'inspirer leur parfum. À cette seule pensée, son sexe se raidit.

La jeune femme avait deviné sa présence et s'était tournée vers lui, les paupières mi-closes, le regard encore embué de sommeil, les joues rosies par la chaleur. Elle était ravissante ainsi, comme si elle s'éveillait après l'amour, et cette vision délicieuse raviva son désir. Pourtant, quand il s'était approché et avait constaté de quels oripeaux elle s'affublait pour se laver, il était bien vite redescendu sur terre. L'ample chemise flottait autour d'elle et dissimulait à sa vue son joli corps souple. Et dire qu'Élisabeth ne comprenait manifestement pas en quoi cela lui déplaisait !

Pourtant, ce reliquat d'innocence chez celle qu'il avait déflorée à peine trois semaines plus tôt avait quelque chose d'étrangement excitant… Revenant au problème présent, il parvint, non sans mal, à la persuader de se défaire de l'encombrant vêtement. Élisabeth se leva et lui fit face…

D'un seul coup, tous les souvenirs de la journée écoulée, la cérémonie, les félicitations d'usage, les sourires forcés, la fatigue, s'évanouirent de son esprit. Elle se tenait devant lui, ruisselante. Elle ne mesurait pas le ravissement qu'elle lui offrait, ainsi exposée à son regard. Le tissu, trempé, adhérait à chaque courbe et repli de son corps, mettant en valeur ses seins, dont les tétons roses commençaient à pointer sous l'effet du froid, son ventre plat, ses hanches arrondies… et les boucles brunes entre ses jambes. Henry se tendit brusquement, raide comme la justice, et déglutit avec difficulté. Il se félicita que sa robe de chambre puisse dissimuler l'ampleur de sa réaction.

Élisabeth se pencha et fit mine de retirer sa chemise, mais il lui saisit le poignet pour l'en empêcher. Il ne voulait pas qu'elle le prive d'une vision aussi enchanteresse. Sans comprendre, elle croisa son regard, où elle lut la chaleur de son désir, ce qui la fit rougir de la tête aux pieds – il pouvait s'en rendre compte aisément.

—Non, belle dame, je crois que j'ai changé d'avis pour l'instant, murmura-t-il incapable de parler de façon plus distincte.

Quand elle esquissa un geste pour se couvrir, il lui saisit l'autre poignet et s'approcha d'elle. La jeune femme s'agita un peu, mal à l'aise, mais ne le quitta pas des yeux, fascinée par ses mouvements lents et déterminés. Henry entreprit de sucer un téton et fut immédiatement enveloppé par les effluves fleuris. Les yeux fermés, il aspira dans sa bouche la petite pointe tendue, se serrant contre son corps tiède et lui immobilisant les bras.

Son épouse était sur le point de perdre haleine et il sourit sans lever la tête. Lui lâchant les poignets, il posa les deux mains sur sa taille, savourant la sensation du tissu qui frottait contre la peau d'Élisabeth et l'échauffait légèrement. Elle se mit à le caresser précautionneusement, glissant d'abord les doigts dans ses cheveux, avant de suivre les contours de son visage, de descendre le long de son cou et de s'immiscer sous le col de sa chemise. Désireux de la sentir plus fermement, il s'écarta un instant et ôta sa robe de chambre d'un mouvement d'épaules avant que tous deux reprennent ce qu'il avait interrompu.

La jeune femme était beaucoup moins hésitante que la dernière fois. Mue par la curiosité, elle explorait avidement son corps, ce qui l'excitait au plus haut point. Pourtant, elle s'interrompait parfois et se figeait, les yeux fermés, comme pour profiter pleinement des sensations qu'il faisait naître en elle. Il devait reconnaître qu'il n'était pas peu fier de provoquer une telle réaction.

Elle dégageait un parfum entêtant, composé de cette fragrance florale qu'elle semblait utiliser au bain et de sa propre odeur, plus musquée… l'odeur de son excitation. Henry s'en imprégna et se laissa griser. Brusquement, il eut envie de la goûter, de la sentir sur sa langue. Repoussant doucement les mains qui parcouraient son corps, il se pencha et souleva le tissu mouillé pour le remonter jusqu'à la taille.

—Oh, mais que faites-vous ? demanda-t-elle d'un ton qui se voulait accusateur mais qui ne semblait que languissant.

Il leva les yeux vers elle, le regard brillant d'une étincelle malicieuse.

—N'est-ce pas la coutume d'échanger un baiser entre époux ?

—Je…

Quoi qu'elle ait souhaité ajouter, Élisabeth oublia complètement la suite de sa phrase. Seigneur, il l'embrassait là ! Dans cet endroit si intime qu'elle-même osait à peine effleurer et qu'il avait caressé de ses doigts, il…

Elle étouffa une plainte, se mordant les lèvres, et fut certaine de le sentir sourire contre sa peau. D'un mouvement insistant de la tête, il la força à écarter un peu plus les jambes et à lui offrir un meilleur accès à son point sensible. Et dire qu'elle avait cru atteindre le summum du plaisir la dernière fois…

C'était… indescriptible, vraiment. Indicible. Pourtant c'était si bon… Il passait la langue sur ce petit bouton de chair qui avait déjà enflammé tout son être, lui agrippant fermement les hanches pour qu'elle n'échappe pas à ses assauts – non qu'elle en ait véritablement envie. Bientôt, il parut trouver un tempo satisfaisant et elle enfonça les doigts dans ses cheveux, sans savoir si c'était pour garder son équilibre, écarter sa tête… ou l'empêcher de se détourner avant d'avoir achevé ce qu'il avait commencé. Brusquement, Élisabeth se rendit compte qu'elle haletait, que ses hanches remuaient au rythme de la langue de son mari.

La tension ne cessait de croître dans tout son corps, surtout dans cette partie sensible. La jeune femme empoigna les épaules de Henry, qui avait glissé un bras sous sa jambe pour que son pied repose sur le rebord de la baignoire. Ainsi exposée, elle aurait dû se sentir honteuse et dévergondée, mais elle n'éprouvait qu'une joie inexprimable, qui eut tôt fait de se loger dans son bas-ventre avant d'exploser et de retentir dans tous ses muscles. À mille lieues de toute considération de pudeur ou de décence, elle poussa un cri vibrant et s'affala sur son compagnon.

Elle était incroyable. Henry goûtait enfin au fruit défendu, le nectar d'Élisabeth s'insinuant sur sa langue et dans sa bouche, l'odeur de son excitation se faisant plus forte. Il aurait cru devoir insister un peu plus pour la persuader de se plier à cette caresse, mais elle avait répondu avec une ardeur qui le laissait pantois. Il aurait été sot de se priver des plaisirs qu'il pouvait trouver dans le lit de sa jeune épouse… Ou, en l'occurrence, dans sa salle de bains.

Quand elle cria de plaisir, il fut sur le point de se répandre et s'efforça de se calmer. Il voulait venir en elle, sentir son étroit fourreau de chair se refermer sur son sexe. Élisabeth se cramponnait à lui comme si ses genoux menaçaient de céder. Et, à en juger par les tremblements qui la parcouraient, c'était sans doute le cas. Elle était délicieusement abandonnée, une jambe toujours levée, qu'il soutenait de son bras.

À contrecœur, Henry s'écarta. La jeune femme n'était pas en état de marcher, il allait devoir la porter jusqu'au lit… Mais en serait-il capable ? Sa verge était gonflée au point d'en être douloureuse et chaque friction de ses chausses le mettait au supplice. Il tenta de reculer d'un pas et heurta la chaise qu'il avait approchée plus tôt.

La tête enfouie dans le cou de Henry, Élisabeth avait l'impression que des étoiles dansaient sur ses paupières baissées. En proie au vertige, des frissons incoercibles la parcouraient et elle avait l'impression que ses jambes menaçaient de se dérober. Pourtant, au fond d'elle-même, elle éprouvait un manque physique.

Là où il l'avait pénétrée la dernière fois, se faisait sentir une palpitation de plus en plus prononcée. Elle voulait le sentir en elle, il le fallait.

La jeune femme se redressa en prenant appui sur les épaules de son compagnon dont elle croisa le regard enfiévré de désir. Elle se mordit la lèvre, songeant qu'il n'avait peut-être pas encore joui, et jeta un rapide coup d'œil à ses culottes pour en avoir la confirmation. Oui. À en juger par l'énorme bosse qui déformait son vêtement, son mari était loin d'avoir obtenu satisfaction.

De ses doigts tremblants, elle entreprit de défaire les boutons pour libérer le sexe du jeune homme. Une expression de surprise passa dans son regard mais, très vite, il baissa les paupières quand elle referma la main sur son pénis. Il était si doux et chaud, et pourtant si dur... Difficile de croire qu'une telle chose était entrée en elle, pourtant elle en éprouvait un désir irrépressible. Serait-il sensible aux baisers autant qu'elle ? se demanda-t-elle soudain.

Il n'y avait qu'une seule façon d'en avoir le cœur net : Élisabeth se pencha et effleura des lèvres la peau tendue et satinée. Pourtant, à son grand désarroi, il lui mit la main sous le menton et la força à se relever.

— Assez, ma douce.

Sa voix était si rauque qu'elle était difficile à comprendre. La jeune femme fronça les sourcils.

— Vous aurais-je fait mal ?

Un petit rire lui répondit.

—Loin de là… Pourtant je crains de ne pas tenir longtemps si vous continuez, or j'ai la ferme intention de consommer notre union.

Elle rougit, mais ne put s'empêcher d'éprouver une sorte de fierté à savoir qu'il était aussi sensible à ses attentions.

Henry finit prestement d'ôter ses vêtements et s'assit sur la chaise rembourrée. Que faisait-il donc? Lui prenant la main, il l'attira doucement à lui et l'invita à s'asseoir… sur ses genoux.

—Que… que faites-vous? Ne faut-il pas être dans un lit pour cela?

—Le lit est trop loin. Plus tard, si vous le souhaitez, nous pourrons recommencer.

Sans rien ajouter, il la hissa sur lui, lui plaçant une jambe de chaque côté de l'assise. Élisabeth craignait de mourir de honte, mais la curiosité prit le pas sur ses réticences. Elle laissa Henry la tenir par les hanches et caler son sexe à l'entrée de son intimité. Quand il la fit descendre le long de son érection, une longue plainte monta dans sa gorge, qu'elle ne chercha même pas à étouffer. Il lui semblait que le plaisir qu'elle avait ressenti jusque-là était décuplé.

Ses gémissements n'avaient pas l'air de gêner Henry, bien au contraire. Il resserra la prise sur ses hanches et se mit à remuer avec elle, cherchant à la combler. Ce ne fut pas long: échauffée par ses baisers dévastateurs, elle ressentit un puissant orgasme au bout de quelques va-et-vient. Dans son abandon, elle lui griffa même le dos.

La jouissance d'Élisabeth fut à l'origine de la sienne, il en était certain. La vue de cette délicieuse jeune femme se mordant les lèvres, les yeux mi-clos, la tête basculée en arrière, la sensation de ses ongles qui s'enfonçaient dans sa chair, l'irrésistible friction de sa chair contre la sienne, eurent raison d'Henry qui se laissa emporter par un orgasme sans précédent.

Pendant quelques instants, ils demeurèrent silencieux, profitant encore du bruit de leurs respirations saccadées, de la sensation de leurs corps imbriqués et couverts de sueur. Henry embrassa son épouse avec passion, avant de l'écarter délicatement de lui, l'aidant à se relever. Ne trouvant pas le négligé qu'elle avait dû porter pour venir jusqu'ici et refusant de lui faire remettre sa chemise trempée, il l'enveloppa dans sa propre robe de chambre et remit ses vêtements à la hâte.

Sans un mot mais en la serrant étroitement contre lui, il la ramena jusqu'à sa chambre. La servante avait profité du bain pour préparer et bassiner les draps, et il l'aida à s'y glisser, remontant les couvertures jusqu'à son menton, de peur qu'elle n'attrape froid. Seule dans ce grand lit, elle paraissait vulnérable et il éprouva le désir de ne pas la quitter.

Élisabeth elle-même, qui était sur le point de s'endormir, lui demanda d'une voix ensommeillée :

— N'allez-vous donc pas rester avec moi ? *J'aimerais tellement.*

—Non, répondit-il d'un ton qui se voulait ferme. Vous êtes épuisée et je dois encore régler quelques détails avec le personnel.

Elle parut vaguement décontenancée, mais elle parvenait à peine à garder les yeux ouverts.

—Votre robe de chambre…, reprit-elle.

—Gardez-la. Vous me la rendrez plus tard. Je suis juste à côté.

Incapable de résister à l'impulsion, il déposa un léger baiser sur la tempe de la jeune femme, avant de s'éloigner résolument. Si jamais il partageait son lit, il craignait fort de ne plus pouvoir se passer d'elle. Or c'était précisément ce qu'il cherchait à éviter. Il s'était juré de n'accorder d'importance à cette relation que sur un plan strictement physique.

—Mais enfin, père! M. Wolton n'est même pas noble!

La bagatelle et rien d'autre. C'était le prix que paierait cette insolente pour s'être montrée si méprisante à son égard.

Avec un dernier regard et un soupir, Henry quitta sa jeune épouse pour rejoindre la solitude glacée de sa propre chambre.

Chapitre 14

Incroyable comme deux mois de mariage pouvaient changer une femme, songea Élisabeth en s'éveillant à l'aube un matin d'avril. Elle qui avait l'habitude, comme toute dame à la mode, de traîner au lit jusqu'à midi, s'était peu à peu conformée aux mœurs de son époux, non par obligation mais par goût. Avec fascination, elle avait découvert combien les journées pouvaient être employées dès le lever du jour, et la satisfaction qu'elle en tirait valait bien quelques heures de sommeil en moins.

Bien entendu, ses nouvelles habitudes n'étaient pas totalement passées inaperçues. Si Félicité la taquinait gentiment en lui disant qu'elle se transformait en parfaite épouse de bourgeois, certaines mauvaises langues à la ville comme à la cour insinuaient que les manières roturières de Henry déteignaient sur elle. Pourtant, Élisabeth s'en fichait comme d'une guigne.

Aussi étrange que cela puisse paraître compte tenu de sa résistance initiale, elle se félicitait presque quotidiennement d'avoir contracté cette union. Pis encore, il lui semblait être heureuse, ce à quoi elle ne s'était pas attendue.

Élisabeth roula sur le dos et ferma les yeux. Elle disposait de cette liberté qu'elle avait tant désirée autrefois, et jamais son mari ne mettait en doute ses capacités. Il se reposait entièrement sur elle pour l'organisation de la maisonnée, la laissant faire ses choix sans interférer dans ses affaires, et elle devait admettre que cela lui plaisait.

Henry ne s'était pas opposé à ce qu'elle continue à donner des cours, contrairement à ce qu'elle avait redouté. Bien au contraire, il était allé jusqu'à lui suggérer d'ouvrir cette école dont elle avait parlé lors de leur première rencontre « officielle ». Cette perspective avait beau être enthousiasmante, elle n'en demeurait pas moins effrayante, et Élisabeth avait décidé de se laisser le temps d'y réfléchir. En outre, la jeune femme avait appris, au détour d'une conversation avec son frère, que son époux avait ses intérêts à cœur.

—Votre mari témoigne de beaucoup de prévenance à votre égard, avait un jour déclaré Louis. Son choix de s'installer à Passy en est la preuve.

—Comment cela ? avait rétorqué Élisabeth, surprise.

—Vous n'avez donc pas compris ? Enfin, c'est évident : M. Wolton a choisi de louer une maison ici pour que vous puissiez vous aventurer dans le village et donner des leçons sans risquer votre réputation.

Elle en était restée bouche bée pendant dix bonnes secondes.

—Comment ? Pourquoi ?

— Je soupçonnais quelque chose dans ce goût-là, Élisabeth. Vous ne croyez quand même pas que vos disparitions régulières, soi-disant pour aller vous recueillir à l'église, étaient passées inaperçues ? M. Wolton m'a confié vous avoir aperçue un jour et s'être inquiété de votre sécurité. Heureusement que vous avez pu compter sur sa discrétion. Il m'a même défendu de vous faire des remontrances, arguant que vous n'aviez fait que suivre un bon sentiment.

Son frère la considérait d'un air un peu moqueur, et Élisabeth avait voulu lui révéler toute la vérité mais, au dernier moment, un scrupule l'avait retenue. Après tout, Henry aurait très bien pu avancer cet argument pour la ruiner aux yeux de ses parents, mais il s'était gardé de le faire. Encore une chose qu'elle devait porter à son crédit. Et puis… c'était leur secret, et elle souhaitait le préserver.

Dans son lit, la jeune femme s'étira comme un chat, se délectant de la langueur de ses membres encore engourdis. Comme presque toutes les nuits depuis ce mémorable moment dans la salle de bains, Henry était venu la rejoindre. Elle qui avait cru qu'elle finirait par se lasser de ses attentions se retrouvait à les attendre avec impatience ; le soir allait de pair avec la promesse d'une intimité délicieuse.

Pourtant, Élisabeth devait reconnaître qu'elle était déçue que son époux ne partage pas son lit une fois leurs… affaires finies. Jamais il ne s'attardait, il s'éclipsait toujours sous un quelconque prétexte. Tout d'abord, elle s'était efforcée d'être compréhensive : cela ne se faisait pas de partager la même chambre. Puis une sorte de ressentiment l'avait habitée, car il lui semblait que leurs relations étaient bien plus intimes que dans beaucoup de couples. Mais dernièrement, elle avait l'intuition qu'autre chose était en jeu, quelque chose de bien plus grave.

La première fois, elle avait cru qu'un voleur s'était introduit dans leur demeure et avait agressé Henry. Celui-ci avait poussé un hurlement à faire dresser les cheveux sur la tête, et elle s'était précipitée à son chevet, ignorant l'éventuel danger. Néanmoins, elle l'avait découvert seul, en sueur, et l'air égaré. Cela n'avait duré qu'un instant, et il s'était très vite repris en l'apercevant. Il avait esquissé un pâle sourire et l'avait rassurée en prétendant qu'il ne s'agissait que d'un cauchemar. Elle avait accepté son explication sans insister.

Mais cela avait recommencé. Et désormais, chaque fois qu'elle avait essayé de le rejoindre, elle avait trouvé la porte verrouillée et s'en était sentie blessée. Ainsi, il ne lui faisait pas assez confiance pour veiller sur son sommeil ? Car elle était désormais persuadée que quelque chose n'allait pas et que ces terreurs nocturnes en étaient la manifestation la plus évidente. D'ailleurs, celles-ci survenaient presque immanquablement les soirs d'orage.

Cette nuit encore, quand elle l'avait entendu crier après qu'il l'eut quittée, elle avait dû poser une main sur sa bouche et enfouir la tête sous son oreiller pour étouffer ces bruits déchirants et réprimer un gémissement d'angoisse. Surtout, elle avait pris une décision. Cela ne pouvait plus durer ; il fallait qu'elle lui parle pour démêler cette affaire.

La jeune femme se redressa et s'assit au bord du lit. Elle eut beau se lever avec précaution, le vertige qu'elle ressentait depuis plusieurs jours se manifesta. Elle retint un gémissement et se cramponna à la colonne du baldaquin, mais déjà Céleste, qui venait d'entrer, s'approchait pour l'aider. La servante humecta une serviette et lui bassina les tempes, ce qui lui permit de reprendre son souffle. Élisabeth était dans un état singulier, mais vu le nombre de nuits passées à guetter les cauchemars de son mari, ce n'était guère surprenant.

Le lever et la toilette se passèrent sans autre incident notable, et elle fut bientôt tout à fait remise, drapée dans la robe de chambre qu'elle n'avait jamais rendue à Henry. Fidèle à ce qui était devenu une habitude, la jeune femme se rendit ensuite dans le cabinet de travail de son époux, où tous deux déjeunaient. Cela s'était fait peu à peu, mais elle était désormais très attachée à cette pratique, qui leur offrait un moment de calme et de complicité avant leurs journées respectives. Ils parlaient de tout et de rien, échangeaient des anecdotes sur leur enfance ; parfois, Henry sollicitait son opinion sur tel ou tel sujet en rapport avec la question américaine et faisait cas de ses réponses.

En entrant dans la pièce, Élisabeth fronça les sourcils. Était-ce un effet de son imagination, ou avait-il les traits plus tirés, les joues plus creuses ? Son mari était-il en train de s'épuiser sans qu'elle s'en soit rendu compte plus tôt ? Il avait beau être parfaitement mis et lui sourire, cela ne parvenait pas à réchauffer son regard sombre.

— Je commençais à me languir de vous, ma douce, l'accueillit-il en l'aidant à s'asseoir. Voilà plusieurs jours que vous vous montrez moins empressée à me rejoindre.

Ne souhaitant pas l'alarmer pour rien, Élisabeth lui répondit d'un air enjoué.

— J'essaie de susciter les ardeurs de mon mari en me faisant désirer.

Le regard d'Henry devint brusquement sérieux, et il réagit si vite qu'elle n'eut pas le temps de comprendre ce qui se passait. Il se pencha, lui enserra la nuque et déposa un baiser passionné sur ses lèvres, la laissant à bout de souffle et un peu étourdie.

— Ne doutez jamais de mon désir, déclara-t-il d'un ton ferme.

Voilà qui augurait plutôt bien de la journée, finalement.

Ils se rassirent face à face et entamèrent le repas. Quand il s'aperçut qu'Élisabeth ne prenait qu'une tasse de bouillon pour accompagner les petits pains en lieu et place de son chocolat, Henry la plaisanta gentiment.

— Si vous continuez de vous montrer si frugale, l'on va encore m'accuser de vous faire oublier toute votre bonne éducation.

Élisabeth sentit une trace d'amertume dans ses propos, et se hâta de détourner son attention.

— Ne deviez-vous pas voir monsieur l'ambassadeur, hier ? Nous n'avons pas eu l'occasion d'aborder ce sujet quand nous nous sommes… retrouvés hier soir.

Elle rougit légèrement à ce souvenir. C'était ridicule ! Il n'y avait rien de honteux à leurs relations intimes. Mais la cause de son trouble n'était pas tant la honte que les sensations brûlantes provoquées par ces réminiscences. Néanmoins, Henry ne parut pas le remarquer. En fait, il semblait plus préoccupé que quand elle l'avait rejoint, et cela l'effraya.

— Qu'y a-t-il ? Auriez-vous appris quelque fâcheuse nouvelle ?

Il poussa un soupir et croisa son regard.

— À vrai dire… J'aurais préféré disposer d'un peu de temps pour vous y préparer, mais sachez que les affaires des États-Unis sont remarquablement avancées. Grâce aux efforts de M. Franklin, un traité d'alliance a été signé entre nos deux pays, et le roi a accepté de nous envoyer une aide militaire contre l'ennemi anglais. En conséquence…

Élisabeth se mordit la lèvre inférieure, même si elle soupçonnait ce qui allait suivre. Henry se racla la gorge.

— En conséquence, ma présence n'est plus requise en France. Nous appareillerons pour Philadelphie dans trois mois, à la fin de juin.

La jeune femme ouvrit la bouche, mais aucun son n'en sortit. Bien entendu, elle avait su que le jour viendrait où elle devrait dire adieu à sa famille et à son pays, mais elle n'aurait pas cru que cela viendrait si vite. Elle ferma brièvement les yeux, songeant à tout ce qu'elle laisserait derrière elle, à la situation inconnue qui l'attendait là-bas. Son cœur se serra. Comment ferait-elle pour s'adapter, comment serait-elle accueillie, elle, une Française, noble de surcroît ?

Quand ils s'étaient rencontrés, elle avait pensé comprendre la douleur de l'exil qu'elle percevait parfois chez Henry, cette facette obscure de sa personnalité qui ressurgissait par moments, mais à présent, elle prenait conscience de tout ce qu'il avait abandonné. Comme il devait se languir de rentrer ! Elle le suivrait, bien entendu, mais cette perspective lui fit monter les larmes aux yeux.

Henry se leva et lui posa une main rassurante sur l'épaule.

— Je sais que c'est une façon brutale de vous l'annoncer. Mais j'ai moi-même été pris au dépourvu. Croyez bien que j'aurais préféré avoir le temps de mettre nos affaires en ordre, même si j'ai hâte de retrouver mon pays.

Elle hocha la tête sans mot dire, luttant contre la tristesse qui lui enserrait la poitrine comme un étau. Pourtant, elle devait se raisonner. Après tout, elle disposerait de près de trois mois pour profiter de la France et faire ses adieux. Désireuse de faire contre mauvaise fortune bon cœur, Élisabeth résolut de ne pas trop laisser paraître ses tourments. Elle se redressa et posa sa main sur celle d'Henry.

— Je me doutais que nous partirions, tôt ou tard, répondit-elle avec un faible sourire. Si je puis vous être utile, n'hésitez pas à me solliciter. Je détesterais rester passive alors que notre avenir est en jeu.

Il hocha la tête en réponse, sans avoir l'air véritablement soulagé.

—Je vous en suis reconnaissant… et vais très certainement vous mettre à contribution. Je dois partir à Nantes sur l'heure, pour prendre connaissance par moi-même de l'état de notre navire, prévenir l'équipage et organiser le départ. J'en suis désolé, mais j'ai bon espoir que vous ne soyez pas seule pendant mon absence; vos amis et votre famille seront enchantés de vous avoir tout à eux.

Sur l'heure? Il devait partir toutes affaires cessantes? Assurément, c'était une plaisanterie… Elle attendit qu'il démente, qu'il s'excuse de son erreur, mais non. Il n'ajouta rien.

—Combien de temps serez-vous parti? demanda-t-elle d'une voix enrouée, toute trace de sourire disparue de son visage.

—Trois semaines, quatre tout au plus. Même si la diligence est rapide, il faut compter cinq jours pour rejoindre la ville, et autant pour revenir.

Elle aurait pourtant dû se réjouir. Trois semaines d'indépendance totale! Sans mari, ni chaperon, elle serait libre de faire ce que bon lui semblerait. Mais cette perspective lui laissait un goût amer dans la bouche, qui ne laissait pas de la surprendre.

—Qui vous accompagnera?

—Personne. L'équipage m'attend à Nantes, et le trajet n'est pas dangereux. Quand bien même il le serait, je sais me défendre et je ne voyage jamais sans un pistolet.

Le cœur de la jeune femme se serra. Elle repensa à ces cris qu'elle entendait de plus en plus fréquemment, et frémit. Qu'adviendrait-il de lui quand il serait loin d'elle, sans personne pour veiller sur lui ? Ces cinq longues nuits seraient épuisantes…

Une idée germa brusquement dans son esprit. Si elle pouvait trouver un moyen de se rappeler à lui, même à l'autre bout du royaume… Avisant Céleste qui passait dans le couloir, Élisabeth saisit l'opportunité et s'excusa brièvement, prétextant une affaire domestique dont elle venait de se rappeler. Elle s'empressa de rejoindre sa domestique et lui demanda à voix basse :

— Sais-tu où est mon mouchoir ?

— Sur votre coiffeuse, madame. Mais vous l'avez porté ces derniers jours…, répondit la soubrette d'un air surpris.

— C'est parfait. Arrange-toi pour le glisser dans le portemanteau de mon époux.

Le visage de Céleste s'éclaira d'un sourire, car elle avait certainement saisi l'intention de sa maîtresse.

— Soyez-en assurée, madame.

Sur ces entrefaites, la servante partit d'un pas léger s'acquitter de sa tâche, tandis qu'Élisabeth retournait dans le cabinet de travail. Son mari la considéra d'un air interrogateur, et l'inquiétude qu'elle éprouvait à son sujet revint tout à coup. Elle comprit soudain qu'elle n'aurait pas d'autre occasion avant longtemps pour aborder le sujet qui lui tenait à cœur. Elle aurait préféré que le moment soit plus propice, mais les événements en avaient décidé autrement.

Se levant pour regarder Henry dans les yeux, Élisabeth demanda d'une voix claire :

— Avant votre départ, ayez la bonté de m'expliquer à quoi sont dus vos hurlements nocturnes.

Henry s'attendait à tout : des vapeurs, des cris, une crise de nerfs peut-être. Il aurait même supporté des insultes en apprenant aussi brusquement à Élisabeth leur prochain voyage et son départ immédiat pour Nantes. Il s'était lui-même trouvé pris au dépourvu quand Benjamin Franklin lui avait annoncé, la veille au soir, qu'il était temps pour lui de rentrer. Il n'avait que trop tardé, et le Congrès attendait son rapport.

Il s'était attendu à tout, oui, mais pas à cela. Pourquoi diable mettait-elle le sujet sur la table, alors qu'il aurait déjà dû être à mi-chemin entre Paris et Orléans ? Jamais il n'aurait dû attendre qu'elle se lève, songea-t-il avec dépit.

Son épouse soutenait son regard sans fléchir, l'image même de la détermination, mais il n'allait pas lui répondre. Il n'avait pas le temps de s'épancher sur le sujet.

Dis plutôt que tu ne veux surtout pas y penser, lui souffla une petite voix.

Sa main ornée d'une cicatrice fut parcourue d'un spasme douloureux, et il serra les dents pour retenir un gémissement.

— Henry ?

Cette femme ne désarmait jamais. Comment avait-il pu être séduit par ce trait de caractère? Bras croisés, sourcils froncés, elle arborait une expression butée qui n'augurait rien de bon. Dans d'autres circonstances, il se serait peut-être attaché à dissiper ses interrogations, mais ce n'était pas le bon moment.

Ce ne sera jamais le bon moment.

—Oh, silence! s'intima-t-il à haute voix.

Élisabeth le dévisagea, bouche bée, hésitant visiblement entre la colère et l'incrédulité. Son mari parlait-il tout seul?

—Je ne m'adressais pas à vous, se reprit-il immédiatement.

—Je l'espère bien. Mais poursuivez, je vous en prie. Répondez donc à ma question.

Comment? Comment pourrait-il en parler avec elle, quand il s'efforçait de toute son âme d'oublier ce qui le tourmentait? Il était incapable de se remémorer cet épisode sans frissonner. S'il fermait les yeux, il était certain que la scène se répéterait sans relâche derrière ses paupières closes.

—Henry, vous tremblez!

Elle lui posa une main sur le bras et le secoua, ce qui lui fit rouvrir les yeux. Une vague de panique s'abattit sur le jeune homme. À la simple évocation de ses souvenirs, il avait été aspiré dans un passé qu'il s'efforçait de tenir à distance.

L'affolement céda à la colère. De quel droit osait-elle s'insinuer dans ses affaires? Pourquoi tenait-elle tant à tout savoir ? Ne savait-elle donc pas refréner sa curiosité ?

— C'est étrange, j'aurais gagé qu'on vous avait appris à quel point il est impoli de poser des questions intimes, rétorqua-t-il d'une voix glaciale.

La jeune femme recula comme s'il l'avait giflée. Il connut un bref accès de culpabilité, qui ne dura pas.

— Ne vous a-t-on jamais dit que la curiosité est un vilain défaut ?

Cette fois-ci, ses propos provoquèrent une réaction indignée.

— Je ne vous permettrai pas de m'insulter ! Ce n'est pas parce que j'ai abordé un sujet apparemment sensible que vous devez vous croire autorisé à me traiter de la sorte…

Elle se radoucit.

— Pardonnez mon indiscrétion, mais il me semblait que les époux avaient le devoir de s'épauler. Je pensais que, compte tenu de notre intimité, vous auriez pu vous reposer sur moi…

Ses dernières paroles avaient une intonation d'incrédulité. De toute évidence, sa jolie épouse avait cru pouvoir l'assujettir par le biais de leurs relations physiques. Henry émit un rire sans joie.

— L'intimité, parlons-en ! Nous partageons quelques moments – délicieux, il faut bien l'admettre – dans votre lit, mais ce n'est pas cela, être intimes.

— Et nos déjeuners, ici même, tous les jours ? Nos discussions sur les affaires d'Amérique et de France ?

Je vous trouve bien injuste, monsieur, mais je mettrai cela sur le compte de votre angoisse.

De l'angoisse ? De l'angoisse ! Non, cela n'avait rien à voir avec de l'angoisse. C'était… de l'indignation, tout simplement. Une juste colère face à la tendance de son épouse à vouloir mettre son nez dans ses affaires.

Ce n'est pas de l'angoisse, c'est une peur irrépressible, murmura de nouveau la petite voix dans sa tête. Mais déjà, Élisabeth revenait à la charge.

—Serait-ce lié à cette cicatrice que vous dissimulez et qui tarde à guérir ?

Henry ferma les yeux. Son épouse était beaucoup trop perspicace, malheureusement pour lui. Mais pourquoi maintenant, pourquoi dans ces conditions ? Il avait surmonté ses crises diurnes, il n'allait pas en subir une nouvelle ! Lui qui redoutait tellement ce voyage, voilà qu'elle le mettait dans une situation impossible.

Il fallait qu'il parte, qu'il quitte cette maison sur-le-champ. Il se sentait à l'étroit, sur le point d'étouffer, comme s'il allait être englouti…

Cesse d'y songer.

Mais d'abord, il devait la repousser assez violemment pour qu'elle ne l'interroge plus jamais au sujet de ses cauchemars.

—Madame, je ne le répéterai pas : cessez de vous mêler de mes affaires. Nous savons tous deux que notre union n'est qu'une façade à laquelle vous n'avez eu de cesse d'essayer d'échapper, aussi épargnez-moi votre fausse considération. Quant à ce que vous évoquez, nos discussions et nos déjeuners, rassurez-vous : ils ne vous empêcheront plus de vaquer à vos occupations mondaines.

Honteux de l'injustice dont il faisait preuve à l'égard de la jeune femme, mais incapable de lutter, il inclina brièvement la tête et se tourna vers la porte. Faisant mine de ne pas remarquer l'expression défaite d'Élisabeth, il sortit du cabinet de travail et remonta dans sa chambre, où son portemanteau l'attendait, bousculant Céleste dans l'escalier.

Quelques instants plus tard, il était parti.

Élisabeth avait l'impression que le sol tanguait sous ses pieds. Était-ce parce qu'elle avait de nouveau le vertige ? Après le départ de son mari, elle était demeurée figée sur place dans le cabinet de travail, incapable d'esquisser le moindre mouvement. Au cours de leur altercation, elle s'était cramponnée à l'assise du fauteuil, et c'était certainement la seule chose qui l'empêchait de tomber.

Elle entendit des bruits de pas précipités, la porte d'entrée qui se refermait, puis les roues d'un fiacre qui s'éloignait. Pourtant, elle était toujours comme pétrifiée. Ce fut ainsi que Céleste la trouva, debout, les muscles raides, regardant droit devant elle. Avec des gestes doux et des paroles apaisantes, la servante l'avait ramenée à sa chambre, déshabillée et aidée à se recoucher.

Son cœur et sa tête lui semblaient étrangement vides. Comme si, en partant, Henry avait emporté ses émotions et sa force de caractère. Néanmoins, la jeune femme ne versa pas de larmes, ne poussa pas de hauts cris. Elle se sentait soudain épuisée. Elle avait l'impression que les deux mois qu'elle venait de vivre n'étaient qu'un mensonge, un simulacre, et cela l'attristait bien plus qu'elle n'aurait su dire.

La pièce autour d'elle continuait de tourner, en dépit du fait qu'elle était étendue sur son lit. Élisabeth ferma les yeux pour réprimer un haut-le-cœur, sans succès. À côté d'elle, Céleste, qui lui faisait respirer un flacon d'eau de Hongrie, l'observait d'un air inquiet et semblait se retenir de parler.

— Qu'y a-t-il ? finit-elle par demander, agacée, à la servante.

— Madame, pardonnez mon audace mais… se pourrait-il que vous soyez grosse ?

Élisabeth se redressa brusquement, et regretta aussitôt son geste. Se laissant retomber contre les oreillers, elle répondit d'une voix mal assurée :

— Que dis-tu ? Comment le saurais-je ?

Céleste se dandina un peu d'un pied sur l'autre avant de reprendre :

— Eh bien, depuis que j'ai commencé mon service auprès de vous, vous n'avez saigné qu'une seule fois, juste après votre mariage. Je pensais que vous ne disiez rien car vous souhaitiez en être sûre, mais vu que vous êtes malade presque tous les matins depuis une semaine, c'est une chose entendue.

— Grosse ? Mais que…

Élisabeth n'acheva pas sa phrase, submergée par l'énormité de la nouvelle. Elle attendait un enfant.

En ce moment même, il se développait en elle… Poussée par un instinct qu'elle ne savait pas s'expliquer, elle posa la main sur son ventre. Comment Henry réagirait-il ?

Elle se rembrunit. Henry venait de partir, fou de rage, pour de longues semaines. Devait-elle lui apprendre la nouvelle par courrier ? Le prier de revenir séance tenante ? Elle poussa un profond soupir et se résigna à attendre. Le temps lui éclaircirait peut-être les idées, et elle n'avait pas envie de se confronter tout de suite à son époux, fût-ce par lettre interposée.

Même si elle ne devait pas trop tarder, le moment propice finirait bien par venir.

Chapitre 15

La brise océane avait dissipé les nuages et le soleil réchauffait les rues du port de Nantes, de minces volutes de vapeur s'élevant du pavé humide. La matinée était déjà bien avancée, et les quais fourmillaient d'activité. Des femmes ravaudaient les filets, des portefaix aidaient les matelots à charger les cales des navires, des boutiquiers s'efforçaient de vendre leurs produits à grands renforts de boniments…

Contournant habilement les cordages et les ballots qui s'entassaient à proximité des passerelles d'embarquement, Henry se laissait guider par Russell Moore, le capitaine de son vaisseau. Celui-ci marchait d'un pas décidé et, accompagné d'un représentant des autorités portuaires, un certain Lemieux, faisait visiter les installations à l'armateur américain.

Son mariage avait véritablement changé beaucoup de choses… Depuis son arrivée, Henry était assailli d'invitations par les nobles locaux, les négociants, et même le gouverneur. Chacun voulait rencontrer le roturier américain qui avait réussi à épouser une femme issue d'une vieille famille noble très bien en cour. Le récit de leur histoire d'amour aussi soudaine que passionnée avait, à l'évidence, largement dépassé Paris et ses environs, pour se répandre dans les provinces au gré des journaux mondains et des correspondances.

S'il n'aimait pas être exhibé ainsi qu'une bête de foire, le jeune homme devait reconnaître que cela avait servi ses intérêts au-delà de tous ses espoirs. Il n'avait plus à se soucier de négocier les prix des marchandises qu'ils emporteraient, car tous se battaient pour traiter avec lui. Aux yeux de ces gens, cela revenait à faire sa cour au roi, qui ne devait pourtant pas beaucoup s'en soucier.

Inspectant les réparations effectuées sur la coque du navire lors du carénage, Henry félicita le maître charpentier de son ouvrage et ce dernier afficha une expression ravie en guise de réponse. Il contint son exaspération, et songea qu'il valait mieux cela que de voir des visages renfrognés partout sur son passage. L'Amérique était à la mode, et lui-même encore plus, alors autant profiter de cette opportunité pour établir de solides bases commerciales.

Mais la journée avançait et la faim et la soif se faisaient cruellement sentir. Il entraîna Moore et Lemieux dans un cabaret à proximité, où les trois hommes se firent servir à manger avec un vin de l'arrière-pays. Le Français leva sa chope et déclara :

— Même si elles viennent un peu tard, laissez-moi vous présenter mes félicitations pour votre mariage. J'espère bien que nous aurons l'occasion de voir votre dame avant votre départ.

— Bien entendu. Je suis certain qu'elle sera enchantée de visiter la ville, répondit-il d'un air absent, son accent plus prononcé qu'à l'ordinaire.

En l'absence d'Élisabeth, Henry constatait qu'il était moins enclin à parler français. Il ressentait la surprenante envie de redevenir l'étranger d'autrefois, celui auquel personne ne prêtait attention, et non celui que chacun reconnaissait et montrait du doigt quand il vaquait à ses occupations.

Élisabeth… Cela faisait dix jours qu'il avait quitté Paris, mais il n'avait toujours reçu aucune nouvelle d'elle. Certes, lui-même n'avait pas donné signe de vie, mais tout de même. Il aurait cru qu'elle lui témoignerait un peu plus d'intérêt ; elle avait eu l'air sincèrement touchée quand il lui avait annoncé son voyage. Bien entendu, leur dispute pouvait expliquer le silence de son épouse… et il aurait pu prendre les devants.

Mais il n'en avait pas eu le temps, tenta-t-il de se convaincre pour la vingtième fois au moins. Ou plutôt, non. Il s'était arrangé pour ne pas en avoir. Pourtant, il aurait aimé partager ses expériences avec la jeune femme : lui raconter le dîner chez le gouverneur, les regards qui semblaient le suivre partout où il se rendait, les négociants qui s'efforçaient de lui parler quelques mots d'anglais ou les dames qui lui demandaient d'innombrables détails – qu'il ne connaissait pas – sur la mode parisienne… Il aurait voulu l'avoir à son bras, profiter de ses talents en société et de sa grâce pour se fondre plus aisément dans la foule pendant qu'elle se retrouverait au centre de l'attention.

Juste après son arrivée, il avait trouvé, plié et dissimulé entre deux habits, un mouchoir de batiste qui, à en juger par le monogramme brodé, appartenait à son épouse. Il avait tout d'abord cru qu'il s'agissait d'une erreur des domestiques mais, quand il avait porté le tissu à son visage pour l'inspecter, il avait saisi un effluve du parfum floral si caractéristique de la jeune femme. Depuis lors, et à sa grande honte, il gardait constamment ce précieux témoignage avec lui, sous sa chemise.

Henry se passa une main dans les cheveux. Elle lui manquait. Atrocement. En dépit de tout ce qu'il avait pu dire pour la blesser, elle avait eu raison d'affirmer qu'ils partageaient plus qu'une intimité physique. Certes, cet aspect-là de leurs relations lui manquait, mais ce n'était pas le plus important. Il voulait la retrouver au déjeuner et discuter avec elle des événements de la veille, il voulait l'entendre s'exercer au clavecin, il voulait la regarder partir rejoindre sa mère ou ses amies...

M. Lemieux, qui avait continué à parler de tout et de rien, cessa de dégoiser quand ses propos ne rencontrèrent pas la réponse attendue. Il se dépêcha de finir sa chope, puis marmonna une excuse avant de s'éclipser en enfonçant son tricorne sur son crâne.

Le capitaine Moore attendit que leur compagnon ait disparu pour s'adresser à Henry en anglais. Il s'exprimait d'un ton mesuré, apparemment peu désireux qu'on les entende.

— Henry, ne le prenez pas mal, mais l'honnêteté et l'estime qui nous lient depuis longtemps m'obligent à vous faire part de mes scrupules quant à votre union.

Aïe. Voilà exactement la conversation qu'il redoutait depuis plusieurs jours et qu'il était parvenu à esquiver jusque-là. Malheureusement, il ne pouvait pas dire au capitaine Moore de se mêler de ses affaires. Outre que ce dernier pouvait très bien lui dire de se débrouiller seul pour rentrer à Philadelphie, il était avant tout un ami de la famille, ayant commencé comme mousse sur l'un des navires de son père. C'était un homme d'expérience, dont les avis étaient écoutés, qu'il s'agisse du commerce ou des affaires plus personnelles.

Le jeune homme finit sa chope et en commanda une seconde pour se donner une contenance. En quels termes devait-il parler de son mariage ? Car le capitaine ne se contenterait pas de propos généraux, ni même de cette prétendue histoire d'amour qu'ils avaient servie à la bonne société et aux journaux.

— Je reconnais que cela s'est fait assez vite, et j'aurais aimé vous prévenir afin que vous assistiez aux festivités. Toutefois, comme vous le savez déjà, je n'en ai pas eu le temps.

— Là n'est pas la question, mon garçon.

Henry se raidit. Moore l'appelait rarement « mon garçon », et cela n'annonçait rien de bon.

— Votre épouse est peut-être charmante et aimable, elle est sans doute à sa place dans un salon de la bonne société parisienne, mais que sait-elle de vous ? Que sait-elle de la vie d'un armateur, qui plus est en Amérique ? Qui vous dit que, une fois installée à Philadelphie, elle ne vous lassera pas ? Sera-t-elle seulement capable de s'adapter et de s'intégrer dans notre pays ?

Bien entendu, toutes ces questions avaient déjà effleuré Henry, mais il s'était arrangé pour les oublier. Ou plutôt, il s'était convaincu, en observant la façon dont Élisabeth s'était glissée dans le rôle d'épouse et de maîtresse de maison, qu'elle avait les épaules assez solides pour affronter les épreuves qui l'attendaient de l'autre côté de l'Atlantique… surtout s'il se trouvait à ses côtés pour la seconder.

— Sachez que ma femme est loin d'être une écervelée, rétorqua-t-il d'un ton plus acerbe qu'il ne l'aurait voulu.

Diable, entendre attaquer Élisabeth le mettait de fort méchante humeur. Il se força à respirer avant de reprendre d'une voix plus calme :

— Mme Wolton parle très bien l'anglais, sait parfaitement tenir une maison et comprend les mécanismes politiques qui influent sur les relations entre nos deux pays. Je suis persuadé qu'elle saura tenir son rang à Philadelphie, et peut-être même vous surprendra-t-elle.

Pourtant, le marin avait l'air peu touché par ce plaidoyer.

— Je ne puis m'empêcher de penser qu'elle en avait après votre argent… ou sa famille, tout du moins.

— Nul n'est intéressé – ni Élisabeth ni sa famille ! s'exclama-t-il, attirant l'attention de leurs voisins. Je connais bien son frère, et je peux vous assurer que c'est un honnête homme, de même que ses parents. Bon sang, leur mère s'opposait à ce mariage !

Il n'osait pas lui dire qu'Élisabeth elle-même s'était montrée la plus fervente opposante. Inutile d'apporter de l'eau au moulin de son interlocuteur.

— J'espère de tout cœur me tromper, Henry. Mais je dois avouer qu'une union conclue pour des raisons politiques a peu de chances d'être heureuse. Or vous méritez d'être heureux, et j'ose croire que vous ne vous êtes pas jeté dans ce mariage sur un coup de tête.

— Certainement pas, répondit le jeune homme avec fermeté.

C'était la vérité. Il en prit conscience en même temps qu'il achevait sa phrase. Si leur union avait été précipitée par la force des choses, il ne regrettait toutefois pas son choix.

— D'après vos propos, vous semblez avoir de l'admiration pour cette jeune femme, mais méfiez-vous : c'est dans l'adversité que l'on prend la véritable mesure des gens qui nous entourent.

Ces mots résonnèrent de façon particulière chez Henry : il ne cessait de se reprocher sa conduite lors de leur séparation et se rejouait la scène sans relâche. Son épouse avait paru soucieuse à son sujet, elle avait eu l'air de chercher à le débarrasser d'un fardeau, et il l'avait repoussée, trop effrayé de ce qu'il avait à lui révéler.

— A-t-elle connaissance des circonstances de notre arrivée ?

Non. Surtout pas.

D'un seul coup, sa peur panique était revenue, de même que la douleur dans sa main blessée. Henry s'efforça de les mettre de côté et s'éclaircit la voix avant de répondre.

—Pas dans les détails, non.

Moore parut franchement soucieux.

—Il le faut pourtant, mon garçon. Tôt ou tard, elle finira bien par l'apprendre, et mieux vaut que vous la mettiez au fait des événements avant que quelqu'un s'en charge à votre place.

—Je le sais, oui.

Le capitaine lui posa la main sur le bras comme s'il sentait qu'il avait besoin d'être réconforté.

—Si cette jeune femme dispose ne serait-ce que la moitié de l'intelligence que vous lui prêtez, elle comprendra. Mais il faut éclaircir ce point au plus vite ; plus vous attendrez, plus cela risque de se retourner contre vous.

Henry baissa la tête sans mot dire. Même s'il ne mettait pas en doute la pertinence des conseils de Moore, il ne pouvait s'empêcher de se sentir acculé. Lui aurait-on mis un couteau sous la gorge qu'il se serait trouvé dans le même état d'esprit. Pourtant, il ne pouvait pas laisser cette histoire envenimer sa vie et hypothéquer son avenir…

Prenant une profonde inspiration, il décida de faire face. Après tout, quand on était menacé, la meilleure parade consistait à attaquer.

— Vous avez raison, Russell. J'ai beau redouter ce moment, je ne peux pas laisser un secret pareil peser sur notre union.

L'homme face à lui hocha la tête d'un air grave.

— Je suis heureux que vous ayez pris cette décision. Et je vous prie de bien vouloir excuser mes doutes, mais ils me semblaient légitimes avant que nous ne parlions de votre épouse. À présent, je vois combien vous lui êtes attaché, et je prie sincèrement qu'elle éprouve la même inclination à votre égard.

Henry se mordit la lèvre pour retenir une remarque amère. S'il éprouvait de l'amitié et peut-être même… de l'affection pour sa femme, celle-ci ne voyait en lui qu'un roturier qu'elle avait épousé sous la contrainte. Un mariage comme celui que semblait favoriser Moore n'était certainement pas de mise, mais il pouvait au moins s'assurer qu'ils vivent en bonne intelligence.

Il comptait rester encore une bonne semaine à Nantes. Outre les obligations liées au départ, il avait de nombreux engagements auxquels il ne pouvait se dérober. Mais dès qu'il en aurait l'occasion — et le plus tôt serait le mieux — il rentrerait à Paris à bride abattue pour retrouver Élisabeth. Il devait lui parler. Avant de ne plus en avoir le courage.

* * *

Vêtue d'une tenue d'équitation rouge et coiffée d'un tricorne noir galonné d'or, Élisabeth se promenait à cheval avec Félicité. Les deux amies avaient récemment adopté ce divertissement pour profiter ensemble du temps printanier qui succédait enfin à l'hiver interminable. Après avoir parcouru la place Louis-le-Grand, elles remontaient désormais la longue avenue arborée des Champs-Élysées, qui partait de la place Louis XV. Derrière elles, à distance respectueuse, deux pages les suivaient, tant pour veiller à leur sécurité que pour observer les convenances. Néanmoins, à présent qu'Élisabeth était mariée, elle n'avait plus besoin d'être aussi étroitement surveillée qu'autrefois, ce dont elle se félicitait en temps normal.

Pourtant, son amie semblait avoir décidé de lui faire la morale aujourd'hui, et Élisabeth était bien en peine de lui échapper. Jamais elle n'aurait dû se confier à elle, se répéta la jeune femme pour la dixième fois au moins depuis le début de leur promenade. Mais elle avait eu besoin de partager la nouvelle. Personne d'autre ne savait qu'elle était enceinte. Elle devait à tout prix s'en ouvrir à quelqu'un, sans quoi elle allait devenir folle.

— Je persiste à croire que tu devrais prévenir ton époux qu'il va être père, répétait d'ailleurs son amie.

Élisabeth fit la grimace.

— Je ne peux pas lui annoncer une chose pareille par courrier… Imagine que la lettre se perde ! Ou qu'elle tombe entre de mauvaises mains.

— Cesse de t'abriter derrière de faux prétextes. J'ignore ce qui s'est passé entre vous avant le départ de M. Wolton, mais j'ai l'impression que tu lui en veux, et que c'est pour cette raison que tu refuses de lui écrire.

Élisabeth se concentra un instant sur le chemin qu'empruntait sa jument, ce qui était parfaitement inutile vu que le terrain était plat et dégagé et qu'elles avançaient au pas. Devait-elle parler à son amie de la scène affreuse qui avait eu lieu ce jour-là ?

— Je crois que tu me caches quelque chose… Cela fait combien… deux semaines que vous êtes séparés, et pourtant tu ne lui as pas envoyé la moindre lettre.

— Lui non plus n'a pas daigné donner de ses nouvelles !

— Si chacun de vous attend que l'autre fasse le premier pas, vous n'êtes pas près de vous réconcilier, rétorqua Félicité d'un ton sentencieux.

Elle arrêta sa monture pour forcer Élisabeth à en faire autant et à la regarder.

— Est-ce que… est-ce qu'il t'a fait du mal ? S'est-il montré violent ou injurieux ?

— Non, bien sûr que non !

Ou plutôt… Oui, il lui avait fait du mal. Elle avait été atteinte dans sa fierté quand il avait détruit ses certitudes quant à leur bonheur. Elle avait eu le sentiment de n'être qu'une jeune fille naïve brusquement détrompée de ses espérances, et cela l'avait blessée, plus qu'elle n'avait osé se l'avouer jusqu'à présent. Et puis, il y avait la solitude, cette atroce sensation de vide qu'elle ressentait si vivement. Chaque acte quotidien lui semblait avoir perdu de son relief depuis le départ de Henry. Quant à ses nuits… elles étaient peuplées de rêves brûlants qui ne lui faisaient qu'éprouver plus durement encore son isolement lorsqu'elle se réveillait, excitée et en sueur, sans personne près d'elle.

Félicité fit volter sa monture pour se placer face à elle, et lui serra la main. Comme Élisabeth demeurait silencieuse, son amie étudia son visage avec attention.

— Je crois qu'il ne t'a pas blessée physiquement mais… Vous êtes-vous disputés avant son départ?

Oh, à quoi bon persister à se taire? Son amie n'aurait de cesse de la questionner avant de connaître toute l'histoire, et elle ne se sentait pas l'énergie de contrer ses tracasseries. En quelques phrases, Élisabeth raconta les cauchemars d'Henry, ses propres interrogations et la réaction violente du jeune homme, leur altercation dans le cabinet de travail et la façon dont, en quelques mots, son mari avait mis à bas tout ce qu'elle avait cru édifier avec lui.

Elle acheva sa tirade un peu à bout de souffle. Félicité ne répondit pas immédiatement, se donnant sans doute le temps de digérer toutes ces informations. Quand elle finit par prendre la parole, une expression soucieuse se lisait sur ses traits.

— Élisabeth…, je comprends que tu en veuilles à ton mari, c'est tout à fait légitime. Mais je pense tout de même que tu dois lui apprendre sa paternité prochaine, il a le droit de le savoir.

— Il n'a même pas pris la peine de me demander comment j'allais depuis son départ!

Même à ses oreilles, sa protestation lui paraissait puérile. Elle poursuivit néanmoins.

—Il sera bientôt rentré… Dans une semaine, deux tout au plus. Il est inutile de lui écrire à présent.

Félicité haussa un sourcil.

—Et si ton silence le poussait à prolonger son séjour à Nantes ? Peut-être que tu te féliciteras bientôt de l'avoir averti en temps et en heure. On ne peut pas présager de ce qui va se passer, mais on peut prévoir au mieux.

—J'ai tellement peur, murmura Élisabeth.

—Mais de quoi ? S'il t'a épousée, cela signifie qu'il t'a choisie pour devenir la mère de ses enfants.

—Oui, bien entendu…

Elle ne pouvait vraiment pas révéler la vérité à son amie. Que Henry s'était cru obligé de demander sa main et qu'ils s'étaient retrouvés coincés dans une union qu'ils ne désiraient pas. Aujourd'hui encore, c'était trop difficile.

—T'est-il venu à l'esprit que la réaction de ton mari avait pu, elle aussi, être motivée par la peur ? D'après ce que tu dis, ses cauchemars sont récurrents et violents, ils trahissent peut-être une crainte profonde.

Si elle n'avait pas été aussi absorbée par ses propres tourments, Élisabeth aurait ri. Henry, avoir peur ? Alors qu'il avait traversé les océans et affronté la bonne société française sans broncher ? Voilà qui lui paraissait fort plaisant.

—Je ne vois pas ce qu'il pourrait redouter, fit-elle d'une voix butée. Et puis il pourrait m'en parler, je n'ai pas l'intention de me moquer de lui.

Oh, elle se faisait vraiment l'effet d'une petite fille entêtée. Mais elle n'arrivait pas à réfléchir correctement.

— Avouer que l'on a peur est difficile, surtout pour un homme, répondit Félicité d'un ton conciliant. Il en a peut-être honte et refuse de partager cela avec toi…

— Je n'avais jamais envisagé les choses sous cet angle.

Voilà qu'elle passait pour une égoïste de la pire espèce. Elle ferma les paupières, sentant les larmes monter et refusant de les laisser couler. Décidément, elle était à fleur de peau ces temps-ci.

— Essaie de te mettre à sa place, je t'en prie. À présent, rentre chez toi, tu as besoin de repos. Tu ne voudrais pas qu'il arrive quelque chose à ton enfant, n'est-ce pas ?

Élisabeth hocha la tête, la gorge trop nouée pour parler.

— Et promets-moi que tu lui écriras dès ton retour.

— C'est juré.

Les deux jeunes femmes se séparèrent et chacune repartit dans une direction opposée. Félicité suivit un instant son amie du regard, puis lança sa monture au petit trot.

Plongée dans ses pensées, Élisabeth ne prêtait pas attention à ce qui se passait autour d'elle. Il fallait reconnaître que Félicité avait raison. Elle s'était laissé dominer par le ressentiment, sans être capable de voir au-delà des apparences. Or, à présent qu'elle se remémorait leur altercation, il lui apparaissait évident que Henry avait été plus paniqué que véritablement en colère.

Elle devrait donc lui écrire pour lui apprendre la nouvelle. Étrangement, elle se sentait rassérénée. Au moins, elle avait cessé de tergiverser et pris une décision que nul ne pourrait blâmer. Quant à la réaction de son époux… elle l'affronterait le moment venu.

Tout d'abord, elle entendit un grand fracas sur l'avenue, et se retourna pour voir de quoi il s'agissait. Un groupe de jeunes gens montés sur des chevaux rapides semblaient s'amuser à faire la course pour rattraper la voiture d'une célèbre actrice. Enthousiaste, elle avait passé la tête à la portière, et les encourageait à grands renforts de cris.

Comprenant qu'elle se trouvait sur leur trajet, Élisabeth pressa sa jument de gagner le côté de l'allée. Malheureusement, l'un des cavaliers eut la même idée qu'elle pour contourner une voiture qui arrivait en face, et lui coupa la route, effrayant sa monture au passage. La jument se cabra et désarçonna Élisabeth, qui atterrit lourdement sur le sol.

Elle poussa un cri quand une vive douleur, partant du bas de son dos, se diffusa dans son corps. Les cavaliers étaient déjà loin, n'ayant sans doute même pas remarqué l'accident qu'ils avaient provoqué. Pourtant, d'autres promeneurs se précipitaient vers elle, tandis que son page mettait pied à terre pour l'aider à se relever.

Élisabeth grimaça mais fut soulagée de constater qu'elle sentait ses jambes et ses pieds. Elle était endolorie et en serait quitte pour une belle frayeur, mais ce n'était rien qu'un bon bain chaud ne pourrait dissiper. Appuyée au bras du page, elle tenta de se redresser mais en fut incapable. Elle demeura pliée en deux, la douleur se propageant jusqu'à son ventre. Une vague de terreur l'assaillit. Et si l'accident avait de graves conséquences, non pour elle, mais pour son enfant?

Alors qu'elle avait l'impression que le monde se dérobait autour d'elle, Félicité, qui avait apparemment entendu le tapage et était revenue sur ses pas, lui passa un bras autour de la taille, tout en ordonnant de faire reculer les curieux et d'appeler un fiacre. Quand elle sentit une nouvelle onde de douleur lui tordre le ventre, Élisabeth lui serra la main à lui briser les doigts et laissa échapper un gémissement.

Elle perdit la notion du temps, mais se retrouva, sans trop savoir comment, assise dans une voiture inconnue, soutenue par Félicité. Celle-ci lui murmurait des mots sans suite pour tenter de l'apaiser, en vain. Élisabeth comprit ce qui se passait dans un douloureux éclair de lucidité. Elle était en train de perdre son bébé.

Enfouissant la tête contre l'épaule de son amie, elle se mit à pleurer sans retenue.

Chapitre 16

Élisabeth avait pleuré une journée et une nuit entières avant que ses larmes ne finissent par se tarir. Après trois jours, la douleur avait fini par s'estomper et elle avait dormi d'un sommeil lourd et sans rêve. Mais cinq jours plus tard, le chagrin était toujours aussi vif et le vide en elle lui paraissait impossible à combler.

Les heures qui avaient suivi l'accident lui revenaient peu à peu, et des images indistinctes refaisaient surface dans sa mémoire comme dans un brouillard. Tout juste se rappelait-elle avoir été ramenée chez elle et mise au lit, tandis que des voix inquiètes murmuraient autour d'elle. Dès que la nouvelle leur était parvenue, ses parents et son frère s'étaient succédé à son chevet, mais aucun d'entre eux n'avait pu lui arracher plus de quelques mots, et encore moins un sourire. Seule Constance, qui s'efforçait d'être sérieuse, l'avait un instant détournée de sa peine quand sa tendance naturelle au babillage avait repris le dessus.

Mme d'Arsac s'était installée à demeure, et Louis et Félicité, morts d'inquiétude, lui rendaient visite chaque jour. Même si elle leur était reconnaissante de leurs soins, Élisabeth n'arrivait pas à oublier la cause de leur présence à ses côtés. Henry lui manquait affreusement. Elle regrettait vivement qu'il ne soit pas là pour l'épauler et lui jurer qu'il ne lui tenait pas rigueur de ce malheur. Mais même si son frère l'avait fait prévenir immédiatement, il ne serait pas de retour avant plusieurs jours, pour peu qu'il décide d'écourter son voyage.

La jeune femme n'avait pas encore réussi à quitter sa chambre. Elle s'était déjà levée la veille, mais ses jambes chancelantes avaient menacé de se dérober sous son poids. Il était encore tôt, ce matin, et elle avait envoyé sa mère prendre un peu de repos, arguant que Céleste pouvait bien veiller sur elle quelques heures. La comtesse avait quelque peu rechigné, mais s'était finalement laissée fléchir, sans doute séduite par la perspective de dormir dans un vrai lit.

Une rumeur au rez-de-chaussée attira soudain l'attention d'Élisabeth. Elle percevait des éclats de voix, dont une indubitablement masculine et autoritaire, sans parvenir à distinguer les propos échangés. Henry était-il enfin de retour ? Le cœur battant, elle se redressa sur ses oreillers et envoya sa chambrière prendre des renseignements sur l'origine du tapage. Celle-ci revint presque aussitôt, faisant une drôle de figure, et Élisabeth comprit avec tristesse qu'il ne s'agissait sans doute pas de son époux.

— Madame, M. de La Ferté demande si vous avez un instant à lui accorder. Il souhaite s'enquérir de votre santé.

Que faisait-il ici ? La politesse et la décence exigeaient qu'il prenne de ses nouvelles, mais en général les nobles laissaient les domestiques s'acquitter de cette tâche en leur nom. Toutefois, M. de La Ferté l'avait courtisée, et il estimait peut-être naturel de venir chez elle en personne.

Élisabeth éprouva l'envie de le renvoyer sans le recevoir, mais se ravisa. Elle ne pouvait se permettre d'agir ainsi envers quelqu'un d'aussi influent et qui avait ses entrées à la cour. En outre, il parviendrait peut-être à lui changer les idées, et c'était là l'essentiel.

—Aide-moi à m'habiller et fais-le entrer.

Élisabeth se leva, vacilla et se rattrapa de justesse à la colonne du lit ; elle était encore trop faible. Céleste lui enfila rapidement sa robe de chambre et l'étendit de nouveau dans son lit, avant de sortir en toute hâte. La soubrette avait sans doute été impressionnée par l'arrivée d'un personnage d'une telle importance, et ne voulait visiblement pas le faire attendre.

À peine quelques minutes plus tard, M. de La Ferté apparaissait sur le seuil de sa chambre. Il était somptueusement vêtu d'un habit couvert de broderies et coiffé d'une perruque immaculée. À l'évidence, il avait prévu de faire des visites aujourd'hui.

L'homme s'approcha d'une démarche assurée et, parvenu à son chevet, s'inclina gracieusement au-dessus de sa main.

—Ma chère mademoiselle d'Arsac, j'ai été chagriné d'apprendre que vous étiez au plus mal.

— Je suis bien aise de vous voir, monsieur. Vous faites preuve d'une grande sollicitude en venant prendre de mes nouvelles par vous-même, et je suis très sensible à cette généreuse attention. Puis-je toutefois vous rappeler que je m'appelle désormais Élisabeth Wolton ?

Elle adoucit sa remarque d'un sourire, mais cela n'empêcha pas M. de La Ferté de grimacer comme s'il avait mordu dans un citron. Si elle n'avait pas été si lasse, Élisabeth aurait presque trouvé la scène comique.

— Pardonnez-moi, madame. La force de l'habitude…, lança-t-il en balayant la remarque du revers de la main. Mais dites-moi plutôt comment vous allez.

Brusquement, Élisabeth se demanda ce qui avait filtré de son accident. Bien entendu, tout Paris devait savoir qu'elle avait fait une chute de cheval après avoir été bousculée, on devait même supposer qu'elle s'était blessée car elle n'avait pas su retenir ses larmes, mais connaissait-on les détails ? Se mordant la lèvre, elle chercha un moyen de formuler une réponse qui n'en révélerait pas trop.

M. de La Ferté avait dû sentir sa gêne, car il poursuivit d'un ton nonchalant :

— Quand je me suis enquis de vous auprès de votre frère, M. d'Arsac a été assez vague, parlant de douleurs consécutives à votre chute. Toutefois certaines rumeurs – mais on aurait tort de prendre celles-ci pour argent comptant – prétendent que vous souffririez d'un autre mal, disons… plus… féminin.

Au moins, elle avait sa réponse. Soit les domestiques avaient parlé, soit le médecin s'en était chargé, et toute

243

la ville bruissait désormais de ragots à son sujet. C'était un véritable cauchemar. Elle n'avait plus qu'à prier pour que Henry ne l'apprenne pas avant son retour.

Partant du principe qu'il était inutile de nier une rumeur, sauf à vouloir lui donner plus d'importance, la jeune femme esquissa l'ombre d'un sourire et répondit :

— Vous avez vous-même eu la sagesse de souligner qu'il ne fallait pas prêter foi aux bruits de couloir. Je puis vous assurer que je me porte mieux, même si la douleur est encore vive. Vous comprendrez, j'en suis certaine, que c'est surtout la considération de mes proches qui m'a tenue éloignée de la vie mondaine ces derniers jours. Et vous connaissez l'entêtement de la comtesse à veiller sur ses enfants, ajouta-t-elle d'un air entendu.

Son visiteur hocha la tête avec la même expression de connivence, même si Élisabeth était persuadée qu'il ne croyait pas un mot de ce qu'elle lui racontait. Pourtant, il eut la délicatesse de s'abstenir de tout commentaire, et la jeune femme lui en fut reconnaissante.

— Vous voilà paré pour faire votre cour, me semble-t-il, reprit-elle pour changer de sujet.

M. de La Ferté se rengorgea en souriant.

— Tout à fait, et c'était également le but de ma visite. La reine elle-même tenait à avoir de vos nouvelles, et m'a demandé de lui en faire part.

Touchée, Élisabeth sentit son humeur s'alléger peu à peu.

— Dites à Sa Majesté que je lui sais gré de l'intérêt qu'elle me témoigne, et que je m'efforce de me rétablir au plus vite.

Elle aurait volontiers ajouté qu'elle se tenait disposée à la servir, mais cette possibilité n'était plus envisageable. Son mariage à un roturier l'avait exclue de fait de toutes les charges à la cour. Élisabeth n'avait jamais éprouvé beaucoup d'attirance pour ce rôle, mais elle eut un petit pincement au cœur en songeant qu'elle ne pourrait plus jamais paraître à Versailles sans y être noyée dans la masse des anonymes.

L'homme qui se tenait à son chevet continuait de raconter la vie de la cour, rapportant des anecdotes amusantes ou intéressantes. Élisabeth se laissa happer par le récit, captivée par la façon dont son interlocuteur parvenait à lui faire revivre tel ou tel épisode de la vie auprès du roi. Elle se rendit compte avec stupéfaction que cet homme était un comédien né. Et même s'il s'attachait à dépeindre les ridicules ou les cocasseries de ses pairs, elle sentait qu'il avait à cœur de la distraire.

À quoi sa vie aurait-elle ressemblé si elle avait choisi de l'épouser, lui ? se demanda-t-elle soudain. Elle chassa aussitôt cette idée saugrenue. Il était vain de s'interroger sur ce qui n'était plus possible. Pourtant, désireuse de tirer les choses au clair en elle-même, la jeune femme se figura l'avenir qui aurait été le sien aux côtés de cet homme.

Laissant son visiteur deviser seul, elle s'imagina devenue Élisabeth de La Ferté, dame de cour auprès de la reine… Ils auraient vécu une vie brillante quoique superficielle – et financièrement instable, elle ne l'oubliait pas. Elle était capable de se voir deviser avec cet homme au cours d'un repas, mais lui aurait-il accordé autant de liberté que Henry? Aurait-il accordé de l'importance à ses opinions? Elle en doutait fortement. Poursuivant sa réflexion, elle tenta de se représenter les relations conjugales… et échoua lamentablement. Cela lui paraissait tout bonnement infaisable. M. de La Ferté n'éveillait strictement rien en elle, à part un vague inconfort quand il risquait un œil vers son décolleté à la dérobée ou lui pressait la main de façon trop insistante.

Quelque chose en elle se détendit. Jamais elle ne regretterait d'avoir épousé Henry plutôt que cet homme. Elle se sentit réconfortée au-delà de toute expression. Et autre chose se fit jour en elle. Quelque chose qu'elle ne parvenait pas vraiment à définir…

— Mademoiselle d'Arsac? Élisabeth?

La voix de M. de La Ferté l'arracha à ses pensées, et elle lui accorda de nouveau toute son attention, renonçant toutefois à lui rappeler son nom.

— Toutes mes excuses, j'étais distraite.

Il hocha la tête d'un air compréhensif.

— Bien entendu. Quoi de plus normal dans votre état…

À ces paroles, la colère s'empara d'Élisabeth, mais elle ne fut pas en mesure de répondre. Déjà, son visiteur reprenait son récit d'un incident survenu à une dame lors de la dernière chasse royale. Il parvint à lui arracher quelques sourires, mais le cœur n'y était plus.

— Pardonnez-moi, fit-elle au bout de quelques instants. Je me sens bien lasse, et je m'en voudrais de vous retenir plus longtemps loin de Sa Majesté.

— Bien entendu, j'abuse de votre temps et de votre complaisance, répondit-il en saisissant sans peine l'allusion.

Il était resté debout durant toute sa visite, aussi se contenta-t-il de s'incliner au-dessus de sa main. Néanmoins, il ne s'écarta pas tout de suite.

— Mademoiselle d'Arsac… vous est-il déjà arrivé de vous demander ce que serait votre vie si vous ne m'aviez pas refusé ? demanda-t-il brusquement.

Prise de court, la jeune femme fut incapable de trouver une repartie digne de ce nom alors qu'elle venait précisément de se poser cette question. Elle n'en eut pas non plus le temps.

— Cette question est purement rhétorique, monsieur. Mme Wolton est déjà mariée.

Se tournant vers la porte, Élisabeth laissa échapper une exclamation de surprise. Henry était de retour.

Fidèle à sa résolution de quitter Nantes au plus vite pour retrouver son épouse, Henry s'était dépêché de mettre ses affaires en règle, puis il avait confié une fois de plus le navire et l'équipage au capitaine Moore, et avait fait route vers Paris. Après trois jours de diligence où il avait cru mourir d'ennui tant le trajet lui paraissait lent, il avait choisi de chevaucher pour le reste du voyage, abandonnant son valet et ses bagages qui le rejoindraient un peu plus tard.

Un étrange sentiment d'urgence l'avait étreint, l'empêchant de dormir et le poussant à repartir dès le lever du jour. Paris n'était plus très loin, et une course à cheval dans le petit matin l'aiderait à s'éclaircir les idées et à préparer son discours. L'air un peu frais s'était réchauffé dès les premiers rayons du soleil, le printemps était suffisamment avancé pour rendre les routes sèches et praticables.

Il était à peine plus de 10 heures quand Henry entra dans les faubourgs de Paris, qu'il traversa pour rejoindre Passy. En revoyant la maison qu'il avait désertée pendant près d'un mois, il eut l'impression de retrouver un vieil ami. C'était ridicule. Il ne vivait ici que depuis son mariage, ce n'était pas son foyer. Sauf que… Élisabeth vivait ici, et elle incarnait désormais sa famille. Qui sait, ils seraient peut-être bientôt parents ? Un étrange sentiment de bonheur l'envahit à cette idée.

Il devait se reprendre, et commencer par lui présenter ses excuses et s'expliquer. Franchissant le portail de la maison, Henry fronça les sourcils. Quelque chose n'allait pas… Plusieurs voitures se trouvaient dans la cour, en plus de la sienne ; l'une d'entre elles, un carrosse armorié attelé à deux magnifiques chevaux pommelés l'interloqua franchement. Que signifiait un tel équipage, surtout à une heure aussi matinale ?

Tandis qu'il mettait pied à terre, un serviteur s'approcha pour lui prendre les rênes et s'occuper de sa monture. Encore couvert de poussière, Henry entra dans la maison et fut accueilli par Céleste, la femme de chambre d'Élisabeth.

— Oh monsieur, vous êtes de retour ! Nous ne vous attendions pas de sitôt…

— J'ai pu me libérer de mes engagements. Mais dis-moi, quelle est donc la cause de cet encombrement dans la cour ? Ma femme aurait-elle un visiteur de marque ?

La servante rougit et baissa les yeux, et Henry se mit à redouter le pire.

— Madame a été… bien malade. Oui, bien malade.

— Malade ? Et comment cela ? Nul n'a pris la peine de me prévenir ?

— Si, monsieur, je vous jure ! J'ai entendu le frère de madame ordonner qu'on vous remette un pli dès le soir de son accident, il y a près d'une semaine.

Il n'avait rien reçu de tel. Fermant les yeux un instant pour calculer les délais, Henry comprit que cette missive avait dû le croiser. Il saisit la jeune femme par les épaules, et se fit violence pour ne pas la secouer comme un prunier.

— Quel accident ? Explique-toi, je n'y comprends rien. Comment va-t-elle ?

Les larmes montèrent aux yeux de Céleste, et il la lâcha, craignant de lui faire mal. Elle finit par répondre en balbutiant :

— Madame… a fait une chute lors d'une promenade à cheval… Elle était avec Mme du Plessis, articula-t-elle à grand-peine en déglutissant. Elle n'est pas blessée, mais elle a… perdu le bébé.

Henry se sentit blêmir. Elle avait perdu le bébé ? Elle était donc enceinte quand il était parti ? Pourquoi ne pas le lui avoir dit? Le désespoir lui serra le cœur, et il dut s'appuyer au mur pour ne pas tomber.

— Et Élisabeth? Comment se porte-t-elle?

Son épouse avait été forcée de subir cette épreuve seule, sans son soutien. Quelle douleur avait dû être la sienne!

— Elle va mieux. Madame la comtesse n'a pour ainsi dire pas quitté son chevet, mais elle se repose pour l'instant. Votre épouse est dans sa chambre et…

— Je monte tout de suite la voir, l'interrompit-il.

Inutile de s'encombrer de détails supplémentaires. Le plus urgent était de retrouver Élisabeth, de lui témoigner son chagrin et son affection, puis de l'aider à se rétablir.

Gravissant les marches deux à deux, Henry atteignit le palier et tourna dans le couloir pour entrer dans la chambre. Comme il ne souhaitait pas la déranger si elle dormait, il ralentit l'allure pour étouffer le bruit de ses pas. Peut-être ferait-il un détour par sa propre chambre pour se rafraîchir et se changer…

Pourtant, des bruits de voix lui parvinrent, et il se rappela brusquement le carrosse qu'il avait aperçu dans la cour. Félicité était-elle présente? Il n'avait pas reconnu les armoiries, mais cela ne voulait rien dire, car il n'était pas familier de ces décorations auxquelles les nobles accordaient tant de prix. Toutefois, à mesure qu'il avançait, il eut la certitude de reconnaître une voix masculine, et il se figea sur place, juste à côté de la porte entrebâillée.

Élisabeth ne pouvait pas entretenir un galant ici même ! Certes, les Françaises recevaient leurs visiteurs dans leur chambre, parfois même alors qu'elles étaient encore au lit, mais l'heure était trop grave pour s'adonner à un tel badinage… Néanmoins, quand il entendit la conversation, il n'eut plus aucun doute sur l'identité de ce mystérieux visiteur : ce satané La Ferté n'avait donc pas cessé de rôder auprès de sa femme !

Henry eut l'impression qu'un voile rouge passait devant ses yeux. Il se sentait affreusement trahi. Même s'il n'était pas en mesure de les comprendre, chaque mot prononcé lui faisait l'effet d'un coup de poignard dans le dos. Et ce fut pis encore quand il remarqua le sourire dans la réponse d'Élisabeth. Ainsi, elle ne se souciait guère de lui ni de leur enfant et s'autorisait à fleureter avec son ancien soupirant.

L'espace d'un instant, il fut tenté de tourner les talons et de s'enfuir, de retourner à bride abattue à Nantes et de rentrer en Amérique, où il trouverait un moyen d'oublier la jeune femme. Reprenant ses esprits, il décida qu'il était temps pour lui d'affronter la réalité, aussi douloureuse et désagréable soit-elle. Il posa la main sur la poignée, bien décidé à interrompre leur entretien, mais eut le temps d'entendre le courtisan demander à sa femme si elle n'aurait pas préféré être sienne.

Avec un calme dont il ne se serait jamais cru capable, Henry entra dans la chambre et remit à sa place ce séducteur de pacotille. La scène était éloquente : allongée dans le lit, à peine vêtue d'une robe de chambre, Élisabeth le dévisageait avec une expression stupéfaite. La Ferté, très à son aise, tenait toujours la main de la jeune femme entre les siennes. Ce dernier se redressa lentement et, d'un air plein de morgue, s'adressa à lui :

— Ah bonjour, Wolton. J'ignorais votre retour. Mais à en juger par votre apparence, cela ne fait guère longtemps que vous êtes là.

Il l'évalua d'un œil scrutateur, détaillant sa tenue de voyage froissée et poussiéreuse, ses cheveux ébouriffés par la course au grand air, la barbe naissante qui lui ombrait les joues. Henry se força à prendre une profonde inspiration avant de rétorquer :

— Effectivement, je tenais à faire la surprise à ma femme.

Il crut voir Élisabeth se crisper. Ainsi, elle cachait quelque chose…

— Votre épouse était souffrante, et je me suis permis de venir m'enquérir de sa santé. Sa Majesté a manifesté de l'intérêt pour elle.

Si M. de La Ferté n'avait pas parlé d'un ton aussi hautain, ses propos auraient pu passer pour une explication aimable. Néanmoins, Henry doutait fortement qu'il s'agissait de son intention ; cet homme ne voyait probablement aucune raison de justifier sa présence dans la chambre d'une dame malade à une heure aussi matinale.

— Je suis heureuse de vous savoir de retour, monsieur. Votre voyage s'est-il bien déroulé ? demanda Élisabeth d'une voix faussement enjouée, sans doute pour désamorcer la tension palpable qui régnait dans la pièce.

—À merveille, ma chère. L'épouse du gouverneur de Nantes brûle d'impatience de vous rencontrer avant notre départ.

Son regard était rivé à celui de la jeune femme, mais il aperçut, du coin de l'œil, M. de La Ferté avoir un mouvement de surprise. Elle n'avait donc pas eu le temps de le prévenir ? À moins qu'elle n'en ait pas eu l'intention, et qu'elle souhaite seulement se divertir avec cet homme en attendant le retour de son époux. Décidément, son aimable femme se révélait d'une grande duplicité…

—Allons, je ne vais pas discuter de mes affaires ici. Cette conversation n'est pas digne de vous.

En dépit de ses efforts, il avait du mal à dissimuler sa rancœur et son amertume. Il changea de sujet et s'adressa à leur visiteur.

—Voilà que j'oublie tous mes devoirs… Vous êtes sans doute attendu, je ne voudrais pas que votre présence auprès de Mme Wolton vous porte préjudice.

Pour une fois, il eut la satisfaction de voir La Ferté esquisser une grimace et rester coi. Mais ce répit fut de courte durée. Le courtisan chevronné ne se laissa pas désarçonner bien longtemps, et s'inclina une fois de plus au-dessus de la main d'Élisabeth avant de se diriger lentement vers la porte, où il salua Henry d'un signe de tête à peine perceptible.

—Je ne voudrais pas troubler les émouvantes retrouvailles entre époux. Inutile de me raccompagner,

Wolton, je retrouverai bien mon chemin, ajouta-t-il comme s'il s'adressait à un domestique.

Se tournant vers le lit et s'inclinant profondément, il reprit :

— Je demeure votre serviteur, madame. N'hésitez pas à faire appel à moi, si je puis vous être bon en quoi que ce soit.

Henry faillit se précipiter au chevet d'Élisabeth, qui était soudain devenue pâle comme la mort. Puis il se ravisa : il l'avait presque entendue rire quelques minutes plus tôt, elle n'allait pas désormais lui faire croire qu'elle subissait le contrecoup de la fatigue et de l'émotion !

Dans son dos, la porte se referma, et ils se retrouvèrent seuls.

Chapitre 17

Le silence parut se prolonger à l'infini, mais Élisabeth était certaine qu'il n'avait duré que quelques instants quand elle se força à prendre la parole. Son mari semblait incapable de proférer le moindre son, et elle devait impérativement dissiper le malentendu lié à la présence de M. de La Ferté.

— Henry, je suis sincèrement soulagée de vous retrouver…

— Soulagée, madame ? Vraiment ? Et puis-je me permettre de vous demander en quoi ma présence vous soulage ?

La jeune femme sursauta devant tant de brusquerie, mais s'efforça de garder son sang-froid. Inspirant profondément, elle reprit :

— J'ai… fait une chute et…

Elle déglutit car sa gorge se serrait à l'évocation de ces souvenirs douloureux. Puis elle ajouta :

— J'ai… j'ai perdu notre enfant.

Sentant les larmes lui monter aux yeux, elle baissa la tête. Cet aveu lui faisait tellement mal, et elle ne voulait pas montrer sa faiblesse, elle n'en avait pas l'habitude. Néanmoins, ce terrible accident l'accablait, et elle se devait d'en informer Henry. Lui seul pouvait comprendre sa douleur : même si elle ne l'avait pas prévenu immédiatement, c'était de leur enfant qu'il s'agissait, après tout. D'une voix enrouée, elle décida de lui confier ses angoisses et ses doutes :

— J'ignore si le ciel nous a punis de nos errements… J'espère de tout cœur que non, et je ne puis que prier pour le salut de cette âme innocente.

Henry demeura silencieux mais elle l'entendit approcher du lit. Comme il lui prenait la main, elle se redressa pour croiser son regard, dans l'espoir qu'il lui témoigne un peu de compassion. Mais elle fut choquée par la froideur qu'elle y découvrit.

— Épargnez-moi vos sanglots, je vous en prie. Il n'y a pas cinq minutes, je vous entendais rire avec votre visiteur, et vous voudriez me faire croire que vous êtes submergée par le chagrin ?

Il éclata d'un rire dur avant de reprendre :

— Je suis peut-être étranger, mais je ne suis pas idiot. Qui me dit que vous ne vous êtes pas commodément occupée de cet… inconvénient, pour reprendre un terme que vous avez utilisé autrefois ?

Élisabeth le dévisagea, désemparée. Elle se souvenait avoir employé une formule similaire, mais il s'agissait alors de le rassurer à l'issue de leur première rencontre. En outre, cela aurait mis en péril son âme immortelle… Non, jamais elle n'aurait osé faire une chose pareille !

Arrachant sa main aux siennes, elle s'écarta le plus possible de lui.

—Comment pouvez-vous insinuer une conduite aussi… effroyable ? Sachez, monsieur, que jamais il ne me serait venu à l'idée d'agir ainsi ! Si vous saviez comme j'ai souffert…

—Oh, mais je ne doute pas que vous ayez souffert ! Mais peut-être que l'on vous y a aidée, que l'on vous a suggéré d'agir pour arriver à ce résultat…

—Mais de quoi parlez-vous, enfin ?

Il se pencha pour la regarder droit dans les yeux.

—Qui me dit que cet homme, ce La Ferté, n'est pas votre amant ? Qui me dit qu'il ne vous a pas encouragée à vous libérer de ce fardeau ?

Elle était désormais rouge de colère et en proie à la plus grande confusion. Sentant qu'elle ne gagnerait rien à rester dans le lit, elle agrippa la colonne et se leva, en dépit de la faiblesse persistante qu'elle ressentait dans ses jambes. La chambre se mit à tournoyer autour d'elle et le bourdonnement dans ses tempes se fit assourdissant, mais elle n'y prêta aucune attention.

—Monsieur, la douleur et la fatigue vous égarent. Je puis vous jurer que je n'ai jamais entretenu de liaison avec M. de La Ferté, ni avec un autre !

—En ce cas, expliquez-moi pourquoi vous n'avez pas pris soin de m'avertir que vous étiez grosse. Car même si vous l'ignoriez lors de mon départ, cela remonte désormais à plus de trois semaines…

—Vous-même n'avez pas eu l'obligeance de prendre de mes nouvelles ou de donner des vôtres ! Vous avez partagé mon intimité mais, en réalité, vous m'avez toujours tenue à distance. J'ai cru un moment que vous souhaitiez que je fasse partie intégrante de votre vie, mais j'ai pu constater combien je me fourvoyais juste avant votre départ.

La conversation avait un air de déjà-vu, songea-t-elle avec amertume. Même si elle ne le lui avait pas dit directement, elle répétait les arguments qu'elle avait assénés à Félicité pour justifier son inaction.

—À dire le vrai, j'étais sur le point de vous le mander lorsque mon accident est survenu, reprit-elle d'une voix plus douce.

—Que c'est commode! rétorqua-t-il avec une ironie mordante. Non, madame, je regrette mais je ne vous crois pas.

—Demandez donc à Mme du Plessis!

—Comme si votre meilleure amie n'allait pas mentir pour vous protéger…

Henry s'éloigna et se mit à faire les cent pas. Élisabeth tenta de s'approcher de lui, mais ses jambes se dérobèrent et elle dut saisir à deux mains le dos de la bergère installée devant la cheminée. Elle tremblait de tous ses membres, mais avait bon espoir que l'ample robe de chambre dissimule sa faiblesse. Elle ne triompherait pas de cet affrontement alitée, et son orgueil lui interdisait de s'asseoir. Pas avant d'avoir été lavée de tout soupçon.

—Dans ce cas, adressez-vous à Louis! Après tout, il est votre ami et ne vous mentirait pas…

—Votre frère était l'artisan de notre union, il ne se dédirait pas.

—Vous avez là une bien piètre opinion de lui…

Son époux se retourna et se figea un moment, tandis qu'un soupçon d'hésitation passait sur ses traits. Elle décida de pousser son avantage.

—D'ailleurs, expliquez-moi pourquoi je vous aurais trompé, avec M. de La Ferté ou avec un autre, alors que nous sommes mariés.

Cette fois-ci, le rire de Henry se teinta d'accents lugubres.

— Madame, soit vous êtes terriblement naïve, soit vous me prenez bel et bien pour un imbécile. Nombreux sont ceux qui méprisent les vœux qu'ils ont prononcés devant témoins, et les nobles ne sont pas les derniers…

— Les autres, peut-être, mais pas moi.

— Et qu'en saurais-je? Vous n'avez jamais voulu de cette union, vous avez très bien pu estimer que vos vœux n'étaient pas valables.

Élisabeth, déjà blême, devint pâle comme la mort.

— Que voulez-vous dire? demanda-t-elle d'une voix blanche d'indignation.

— J'étais dans le cabinet de lecture de votre père, le jour où nos fiançailles ont été conclues. J'ai tout entendu, inutile de nier. Mes origines roturières ont été votre principal argument pour me refuser. Vous n'avez cédé que sous la menace de votre père.

Elle eut brusquement l'impression d'avoir perdu pied. Il était juste à côté d'elle le jour où elle s'était opposée à leur union! De là venaient sa défiance à son égard, sa rancœur à l'encontre de la noblesse… Si seulement il savait qu'elle n'avait prononcé cette phrase que pour persuader son père, que ce n'était pas lui qu'elle refusait, mais l'idée même du mariage ! Comment pourrait-elle le convaincre qu'il avait mal interprété ses propos ?

Sous l'effet de l'angoisse et de la colère, sa fièvre monta encore d'un cran et elle se mit à transpirer. Une douleur sourde s'empara de son ventre, et la jeune femme dut se forcer à respirer lentement pour la surmonter. Que faire, à présent ?

— Oh…

Incapable de dire autre chose, ni de penser clairement, Élisabeth laissa échapper cette simple syllabe, qui n'exprimait en rien ce qu'elle ressentait. Henry plissa les yeux.

— C'est donc là votre seule réponse ? « Oh », répéta-t-il en imitant son expression.

— Non, absolument pas !

Elle se sentait bouillir à présent, mais aucun mot ne parvenait à franchir ses lèvres. La rage l'étouffait et embrumait peu à peu son esprit comme son corps. L'espace d'une seconde, Élisabeth se prit à espérer que son mari s'apercevrait de son état, qu'il croiserait son regard et serait capable d'y déchiffrer sa douleur d'être ainsi mise en cause, mais en vain. Celui-ci continuait à arpenter la pièce, poursuivant inlassablement sa tirade.

— Jamais je n'aurais dû me laisser convaincre… Votre frère devait savoir quelque chose pour me pousser ainsi au mariage. Lui avez-vous parlé ? demanda-t-il d'un ton sec en se tournant brusquement vers elle.

— Que voulez-vous dire ?

Le bourdonnement dans sa tête s'était mué en vacarme et elle avait le sentiment de ne plus rien comprendre à la scène, d'en être le témoin impuissant.

— Je parle de notre aventure, bon sang ! Avez-vous raconté à Louis ce qui s'est passé entre nous ?

La jeune femme sursauta en l'entendant jurer.

Qu'il mette ainsi sa parole en doute aurait dû l'exaspérer au plus haut point, mais elle se sentait étrangement détachée, aussi rétorqua-t-elle avec froideur :

— En aucun cas. Mais quoi que je puisse vous affirmer, vous ferez toujours en sorte de remettre en cause ma sincérité, n'est-ce pas ?

Henry s'immobilisa enfin et la regarda droit dans les yeux. Élisabeth avait conscience de ne pas se montrer sous son meilleur jour, mais elle n'en avait cure. Il lui semblait déceler enfin une réaction sur le visage de son époux, et elle voulait à tout prix que celle-ci se manifeste. Pourtant, ses espérances furent rapidement déçues : le jeune homme haussa les épaules d'un air impuissant et se remit à marcher de long en large.

Frustrée par son mutisme, par sa propre incapacité à se justifier, le jugement obscurci par la douleur et le chagrin, Élisabeth cessa de chasser les remarques peu amènes qui affluaient dans son esprit. Se redressant par un effort de volonté, elle fit face à son mari et assena d'une voix posée :

— Ayez au moins la bonté de reconnaître que, si je suis fautive, vous l'êtes tout autant.

Il s'arrêta net.

— Et en quoi le serais-je, madame ? Éclairez-moi de vos lumières, je vous en prie.

— Tous ces cauchemars, ces secrets que vous refusez d'avouer, votre blessure à la main, même... Vous refusez de partager vos tourments avec moi, pourquoi vous ferais-je part des miens ?

Le jeune homme parut mal à l'aise et Élisabeth entrevit enfin la possibilité de battre en brèche son obstination.

— Sachez que cela ne plaide vraiment pas en votre faveur. On croirait que vous êtes coupable d'un grand crime et que vous cherchez à tout prix à le cacher !

Quand elle vit que Henry ne bougeait pas, elle porta la main à sa bouche. *Ô Seigneur, aurait-elle vu juste ?* se demanda-t-elle avec angoisse.

Sa femme venait-elle vraiment de l'accuser d'être un criminel ? Et surtout, comment pouvait-elle savoir ce qu'il dissimulait avec tant de soin ? Quelqu'un aurait-il vendu la mèche ?

Face à lui, Élisabeth ressemblait à une statue : parfaitement immobile, le teint blafard, la bouche entrouverte, agrippée au fauteuil, elle le dévisageait avec une crainte mêlée d'horreur. Elle avait bel et bien peur de lui...

Henry leva une main tremblante et la passa sur son visage. C'était un cauchemar. Il allait bientôt se réveiller, dans son lit, et se lèverait pour s'assurer que sa femme dormait paisiblement...

Mais rien de tel n'arriva et il dut se rendre à l'évidence : il avait été démasqué. Quelque personne mal intentionnée avait peut-être renseigné son épouse. À moins qu'elle n'ait deviné d'elle-même. Au fond, cela importait peu. Bientôt, la vérité éclaterait au grand jour et il devrait quitter ce pays.

Quelque part au fond de son esprit, l'idée l'effleura que cet événement malencontreux lui permettrait de se sortir de ce mariage impossible et de rendre sa liberté à Élisabeth. Il essaya de s'en réjouir, mais sans succès. Peut-être était-il encore trop tôt ?

— Mon Dieu, Henry… Dites-moi que je me trompe…, finit-elle par articuler. Dites-moi que l'homme que j'ai épousé n'est pas un scélérat…

Sa colère, qui s'était un peu apaisée en recevant cette attaque, revint à la charge encore plus violemment qu'avant. Même au plus fort de leurs tourments, cette femme pensait encore à elle. S'inquiétait-elle de son sort, ou de connaître le fin mot de l'histoire ? Non ! Tout ce qui lui importait, c'était que sa précieuse réputation ne soit pas entachée, que son existence ne soit pas bouleversée par des révélations scandaleuses !

— Vous, toujours vous ! s'exclama-t-il d'un ton hargneux. Quoi qu'il arrive, il faut toujours que la situation tourne autour de votre petite personne ! Ne ressentez-vous jamais un peu d'intérêt ou de compassion à l'égard des autres ?

— Mais enfin…, balbutia-t-elle. Il est indispensable que je connaisse un peu mon mari…

Cet argument ne lui sembla guère convaincant, et ne fit rien pour tempérer son courroux.

— Pour ce qui est de me connaître, madame, je crois que c'est le cas, au sens le plus strict du terme.

Son courroux colora légèrement ses joues pâles.

— J'ai le droit de savoir ce que l'on vous reproche !

— Comme toujours, vous n'avez que des droits, mais aucun devoir ! Vous avez le droit de connaître mon passé, vous avez le droit de vous moquer des convenances… mais uniquement lorsque cela vous arrange ! Il me semble que vous aviez le devoir de m'avertir de votre grossesse, et celui d'observer une attitude un tant soit peu honnête en mon absence.

La jeune femme se mit à pleurer en silence, de grosses larmes coulant sur son visage sans qu'elle paraisse en avoir conscience. Troublé par cette vision, Henry se sentit fléchir une fois de plus… avant de se reprendre. Il oubliait toujours à quel point son épouse savait jouer la comédie, il n'y avait qu'à voir de quelle façon elle l'avait attiré dans son lit.

Se sentant impuissant, il serra les poings, et éprouva une vive douleur en voyant Élisabeth lever le bras comme pour se protéger. Elle ne croyait tout de même pas…

Lançant une bordée de jurons en anglais, Henry ouvrit la main et recula d'un pas avant de s'exclamer :

— Bon Dieu, madame, je n'ai pas l'intention de vous frapper ! Je suis peut-être un rustre à vos yeux, mais je respecte les femmes, et jamais je ne m'abaisserai à un tel déshonneur.

Élisabeth avait toujours l'air perdue et désemparée, mais elle hocha doucement la tête.

— Pardonnez-moi, fit-elle d'une voix douce.

Il se sentit brusquement très las, et eut l'impression de s'être comporté comme un imbécile. Certes, il avait déchargé sa colère, mais où cela l'avait-il mené? Poussant un soupir, il décida de prendre congé de son épouse et se dirigea vers la porte qui menait à sa propre chambre. Élisabeth n'avait sans doute aucune envie de le voir s'attarder ici, et lui-même ressentait le besoin de s'isoler.

— Je vous laisse, à présent. J'ai besoin de me reposer, et je vous suggère d'en faire autant.

Il se mordit la lèvre, comprenant qu'il venait de sous-entendre que la jeune femme avait une mine défaite.

Puis il ajouta sur un ton moins autoritaire:

— Nous reparlerons de tout cela plus tard.

Henry inclina la tête avec raideur et dépassa son épouse, quand soudain la porte s'ouvrit derrière lui. Élisabeth poussa une exclamation de surprise.

— Mère!

La comtesse se tenait dans l'encadrement de la porte, à peine vêtue d'un déshabillé, et venait de toute évidence de sauter du lit. Elle dévisagea sa fille avec une expression inquiète, avant de reporter son regard sur Henry, qu'elle considéra d'un air hautain.

— Monsieur, surveillez votre langage lorsque vous vous adressez à ma fille, fit-elle avec dignité.

Il n'en fallut pas davantage pour mettre le feu aux poudres.

— Madame, je vous saurais gré de bien vouloir ne pas vous mêler de cette conversation. Cette affaire ne regarde que mon épouse et moi !

— Il en va du bien-être de mon enfant, monsieur Wolton. Cette affaire me concerne donc au premier chef. Je ne partirai pas ! Vous ne cessez de l'importuner depuis votre retour. Ne niez pas, la demeure tout entière résonne de vos cris depuis que vous avez mis pied à terre.

— À votre guise, dans ce cas ! Mais sachez que votre précieuse Élisabeth n'est peut-être pas aussi innocente qu'elle veut bien s'en donner l'air…

Les yeux d'Élisabeth s'agrandirent encore, dévorant son visage pâle, comme si elle redoutait qu'il dévoile leur secret le plus honteux. Mme d'Arsac ne sembla pas s'en apercevoir et poursuivit sa diatribe à l'encontre de son gendre, se faisant de plus en plus véhémente à mesure que sa voix montait dans les aigus.

— Une telle conduite est inqualifiable ! Indigne d'un homme de qualité ! s'égosillait-elle.

— Peut-être vous a-t-il échappé que je ne suis pas un homme de qualité, madame la comtesse, répondit Henry d'un air doucereux. Rappelez-vous : vous avez vendu votre fille au plus offrant moyennant une contribution financière…

La mère d'Élisabeth se tut une seconde comme s'il venait de la gifler, et il serra les dents. Il n'avait jamais vraiment apprécié cette femme, mais de là à l'insulter ouvertement... Mme d'Arsac ne fut toutefois désarçonnée qu'un court instant et répliqua de plus belle. Leur joute oratoire avait des allures de mauvaise farce.

—Assez! hurla une voix.

Oublieux de leur environnement, Henry et Mme d'Arsac s'étaient laissés emporter, sans considération pour Élisabeth, qui les regardait tous deux d'un air de reproche.

—Sortez, ordonna-t-elle d'une voix faible. Laissez-moi...

Seigneur, elle avait encore plus mauvaise mine qu'au début de leur affrontement, constata-t-il soudain. Que lui arrivait-il donc?

—Sortez! répéta-t-elle dans un souffle à peine audible.

La jeune femme, quasiment pliée en deux, ne fit pas l'effort de se redresser, et se dirigea d'un pas hésitant vers son lit. Henry tenta de l'aider, mais il était déjà trop tard: à peine eut-elle lâché le meuble, qu'Élisabeth, perdant connaissance, s'effondra lourdement sur le sol.

Chapitre 18

Devant la silhouette inanimée de sa femme, Henry éprouva une profonde terreur. Était-elle… ? Il se pencha avec empressement sur elle, et lui toucha la joue du dos de la main. Elle était brûlante de fièvre. Derrière lui, Mme d'Arsac s'époumonait de plus belle, l'accusant d'avoir tué sa fille. Sans un mot, il attira contre lui le corps inerte, effrayé de le découvrir plus léger que dans son souvenir, et se releva pour l'étendre sur le lit.

— Plutôt que de m'agonir d'injures, vous feriez mieux d'envoyer quérir le médecin, lança-t-il sèchement à sa belle-mère, sans se retourner.

Il n'avait aucune envie d'affronter son mépris et sa colère, d'autant que cette fois-ci il sentait qu'il méritait les foudres de Mme d'Arsac. Bon sang, l'état d'Élisabeth s'était détérioré sous son nez et il n'avait pas été fichu de s'en rendre compte ! Et dire qu'il venait de reprocher à son épouse son égoïsme…

La comtesse se rua sur le palier et appela les domestiques à grands cris, mettant toute la maisonnée en effervescence. Très vite, il entendit le portail s'ouvrir, tandis que Céleste arrivait avec une bassine pleine d'eau fraîche. Henry écarta de la tempe d'Élisabeth une mèche emmêlée et trempée de sueur, mais Mme d'Arsac le chassa d'un air impérieux.

—Vous avez fait assez de mal comme cela, monsieur. À présent, sortez et laissez-nous veiller sur elle.

Se retenant de répliquer vertement, Henry hocha la tête avec raideur.

—Je serai dans la bibliothèque. Envoyez-moi le médecin après sa visite.

La servante ne lui prêtait aucune attention, trop occupée à rafraîchir la malade, mais sa belle-mère se contenta de hausser les épaules en le repoussant vers le couloir. Au moment où la porte se refermait sur lui, la dernière chose qu'il aperçut fut le visage d'Élisabeth, pâle contre l'oreiller blanc. Même sa belle chevelure blonde ne suffisait pas à rendre son éclat à sa figure blême. Cette vision le hanterait longtemps.

Se dirigeant d'un pas lourd vers la bibliothèque, il ordonna aux domestiques qu'il croisa de l'avertir dès l'arrivée du médecin et de passer le mot aux autres. Une fois dans la pièce, il se laissa choir dans un fauteuil, et se passa une main sur le visage. Que faisait-il ici ? Il ne saurait sans doute rien avant plusieurs heures, le temps qu'on examine son épouse et qu'un diagnostic soit formulé. Il aurait pu profiter de ce temps, ou même d'un bref instant, pour se laver et se changer, mais c'était comme si toute volonté l'avait déserté.

Henry se sentit accablé. Il s'était mis dans une colère noire, persuadé de son bon droit, mais les apparences n'étaient-elles pas trompeuses ? Peut-être avait-il commis une grave erreur… Mettant de côté ses doutes, il prêta l'oreille, attentif aux bruits de la maison. Bientôt, la porte d'entrée s'ouvrit et des voix se firent entendre. Il se tendit dans l'espoir de saisir des bribes de conversation, mais rien d'intelligible ne lui parvint – à moins qu'il soit bouleversé au point de ne plus comprendre le français.

Après une attente qui lui parut interminable, on frappa à la porte pour lui annoncer la présence du médecin, qui entra immédiatement. C'était un homme d'une cinquantaine d'années, élégamment vêtu quoique sans ostentation. Une perruque grise et des lorgnons à monture métallique lui conféraient un air compétent. Il s'inclina légèrement, et Henry, en dépit de son impatience, l'invita à s'asseoir avant de le questionner. Il n'eut cependant pas besoin de le faire, car le docteur prit immédiatement la parole.

— Monsieur, je sais que l'état de votre femme vous inquiète, et je suis venu vous parler dès que j'en ai eu l'occasion.

— Je vous remercie de votre dévouement. M'apportez-vous quelque nouvelle rassurante ?

L'homme se rembrunit, et Henry se leva pour arpenter nerveusement la bibliothèque. Voilà qui n'était pas bon signe.

— Malheureusement, je ne puis abonder en ce sens. Madame votre épouse paraissait se remettre correctement de son… malheureux événement, mais un violent changement de ses humeurs a renversé la situation. Je crains qu'elle ne souffre d'une mauvaise fièvre, due à un échauffement brutal du sang.

Henry serra les poings. La fièvre n'était pas une maladie à prendre à la légère, surtout dans l'état de faiblesse d'Élisabeth. Nombreux étaient ceux qui y succombaient ou, s'ils s'en remettaient, en demeuraient changés à jamais.

— N'y a-t-il rien que l'on puisse faire pour accélérer la guérison ?

— Non, je regrette. J'ai ordonné qu'on la baigne régulièrement pour faire baisser la fièvre et qu'on la fasse boire. Mais je crains que la prière soit plus efficace que toute autre solution.

— La prière ! Vous vous moquez, sans doute !

— Je conçois que vous soyez peiné, mais préparez-vous au pire. Mme Wolton est au plus mal, et a à peine conscience de ce qui l'entoure.

Le jeune homme ferma les yeux, sentant une brûlure sous ses paupières. Il n'allait pas perdre Élisabeth, c'était impossible !

— Est-elle condamnée ? s'entendit-il demander d'une voix dénuée d'émotion.

Le médecin poussa un soupir et remua dans son fauteuil, mal à l'aise.

— Je ne puis vous l'assurer pour le moment. Il faudra voir comment évolue la maladie avant de se prononcer. Toutefois, il ne serait pas inutile de lui faire administrer les derniers sacrements. J'ai déjà conseillé madame la comtesse en ce sens, ajouta-t-il après un raclement de gorge.

Henry rouvrit les yeux, sentant sa colère s'enflammer une fois de plus.

— Il me semble pourtant que cette décision n'appartient qu'à moi !

Il prit une profonde inspiration pour se calmer.

— Pardonnez mon emportement. Je redoute qu'elle nous quitte…

Son interlocuteur se leva et hocha la tête d'un air entendu.

— C'est évident. Mais soyez courageux ; les voies du Seigneur sont impénétrables, et votre épouse se remettra peut-être sans séquelles, reprit-il en lui tapotant le bras.

Henry faillit lui dire qu'il doutait franchement d'une intervention divine, mais il se retint. À quoi bon choquer cet homme qui croyait sincèrement lui offrir un peu de réconfort ? Il raccompagna son hôte jusqu'à l'entrée en le remerciant d'être venu si vite. Celui-ci promit de revenir de bonne heure le lendemain matin.

De nouveau seul, le maître de maison hésita. Fallait-il retourner dans la bibliothèque pour y trouver un peu de calme, ou essayer de voir sa femme ? Suivant son instinct, il gravit l'escalier et entra dans la chambre sans s'annoncer.

Céleste se retourna, visiblement surprise, mais sa belle-mère n'était nulle part en vue. Il supposa que celle-ci était partie s'habiller, peut-être pour se rendre à l'église… Dans le lit, Élisabeth était immobile, seule sa poitrine se soulevait légèrement au rythme de sa respiration. À pas feutrés, Henry s'approcha d'elle et lui prit la main pour la serrer, sous le regard interloqué de la servante qui avait sans doute suivi leur altercation. En dépit de son état de santé préoccupant, les formes de la jeune femme, que l'on devinait sous le drap mince et la chemise trempée, firent naître une flambée de désir malvenu. Henry se fit l'effet d'un monstre. Son épouse était au plus mal, mais lui ne pensait qu'à ses appétits charnels...

Il était sur le point de déposer un baiser sur la paume brûlante quand sa belle-mère rentra dans la chambre, accompagnée d'un prêtre qu'il identifia comme celui de leur paroisse. Le religieux dut sentir la tension qui régnait, car il prit immédiatement la parole et dit d'un air inquiet :

— Monsieur Wolton, j'aurais aimé faire votre connaissance dans des circonstances moins dramatiques. Votre épouse s'est toujours montrée d'une parfaite dévotion, croyez que je partage votre peine.

— Elle n'est pas morte et elle ne mourra pas, marmonna Henry entre ses dents, incapable de s'en tenir aux bonnes manières.

— Nous l'espérons tous, monsieur, répondit l'homme d'un ton égal.

Il fit signe à un enfant qui l'accompagnait, et que Henry n'avait tout d'abord pas aperçu. Celui-ci, également vêtu d'un surplis, portait un coffret. À cette vue, Céleste tomba à genoux et se signa, et Henry comprit qu'il devait s'agir de l'hostie qu'on ferait avaler plus tard à sa femme.

— À présent, je vous demanderai de nous laisser seuls, dit le prêtre en observant la malade.

— Je doute fort que ma femme soit en état de se confesser…

— Qu'à cela ne tienne, nous prierons pour elle. En attendant sortez, je vous en conjure.

Du coin de l'œil, il vit que la comtesse aurait souhaité ajouter quelque chose, et peut-être même rester dans la pièce, mais elle se retira, aussi suivit-il son exemple. Il n'aimait pas traîner auprès des hommes d'église, qu'il trouvait trop puissants et à mille lieues de ses propres croyances. Rebroussant chemin, il s'installa de nouveau dans la bibliothèque.

Le temps s'écoula lentement. À en croire la pendule posée sur le manteau de la cheminée, le prêtre demeura près de trois heures avec Élisabeth, sans que rien de ce qui se passait dans cette chambre ne filtre. Enfin, on vint avertir Henry que le curé partait et que, en sa qualité de maître de maison, c'était à lui de le raccompagner.

L'homme paraissait fatigué et inquiet. Il s'arrangea néanmoins pour renvoyer les domestiques et l'enfant, afin d'échanger quelques paroles avec l'Américain.

— Mon fils, je sais que vous ne partagez pas notre foi, et je le regrette, mais je vous prie instamment d'implorer la clémence du Seigneur pour votre épouse.

— Pourquoi donc ? A-t-elle confessé… ?

Oh mon Dieu, se dit-il. Avait-elle fini par admettre qu'elle avait avorté ?

— Seuls quelques péchés véniels. En revanche, son état est préoccupant, et je pense que les prochains jours seront décisifs.

S'agissait-il d'un prêtre ou d'un médecin ?

— Croyez en mon expérience de ces situations, reprit-il comme s'il avait deviné ses pensées.

Henry hocha la tête, remercia le religieux et sortit avec lui sur le perron.

— Une dernière chose. Lors d'un bref accès de lucidité, Mme Wolton m'a juré sur la croix qu'elle n'avait pas cherché à faire passer l'enfant… Elle me l'a dit avec des accents de sincérité qui ne trompent pas.

Sur ce, il s'éloigna, laissant Henry en proie à une angoisse et une perplexité si profondes que son estomac se noua. Élisabeth avait juré… Il se passa une main dans les cheveux, ne sachant plus quoi faire. Il doutait fort que son épouse, pour indépendante qu'elle soit, mente en pareilles circonstances. C'était donc en lui-même qu'il devait chercher, et reconnaître qu'il s'était laissé aveugler par… quoi donc ? De la colère ? Certainement, car il n'avait jamais supporté ce La Ferté. De la rancœur aussi, sans doute, inspirée par les propos de la jeune femme lors de leurs fiançailles.

Néanmoins, pouvait-il assurer qu'il n'y avait pas d'autre raison à son emportement ? Il se mit à marcher dans la cour pour rejoindre le jardin, et ainsi nourrir sa réflexion. Passant en revue leurs quelques mois de mariage, Henry prit conscience qu'il s'était effectivement arrangé pour tenir son épouse à distance. Pas physiquement, non. Encore que, son obstination à dormir loin d'elle y avait contribué. Mais plus que tout, il s'était efforcé de ne pas être touché par elle, il ne s'était autorisé ni à la chérir ni à apprécier les moments qu'ils passaient ensemble…

Peine perdue. D'une façon ou d'une autre, après l'avoir marqué dans sa chair, Élisabeth s'était insinuée dans son esprit et dans son cœur, s'y taillant une place et repoussant peu à peu les ténèbres qui obscurcissaient son humeur depuis qu'il avait quitté l'Amérique. Il comprenait enfin que sa vie lui paraissait plus légère, plus paisible, depuis que la jeune femme s'y était invitée. Il l'aimait.

Henry s'arrêta net, au beau milieu d'un parterre. Il aimait Élisabeth, et il n'avait pas été en mesure de le reconnaître plus tôt, et encore moins de le lui avouer. Lui qui avait cru qu'il ne ressentait qu'une attirance physique doublée d'admiration pour son indépendance d'esprit… Dire qu'il avait accusé son épouse d'être naïve. En y repensant, il ne valait pas mieux.

Non, il était pire qu'elle, se morigéna-t-il. Car Élisabeth l'avait accueilli comme son époux dès le début. Elle s'était donnée à lui, physiquement et moralement. Lors de leur dispute, elle s'était efforcée de rester digne et de ne pas l'attaquer jusqu'à ce qu'il la pousse dans ses retranchements. Et si l'avenir prouvait qu'elle s'était mal comportée en son absence – à supposer qu'il n'ait pas, une fois de plus, mal interprété la situation – ce serait uniquement parce qu'il l'avait laissée seule et assez dépourvue pour qu'elle cherche du réconfort auprès du premier venu.

Quant à cet enfant qu'elle avait perdu… Il sentit son cœur se serrer douloureusement dans sa poitrine.

Même s'il avait ignoré cette grossesse jusqu'à son issue malheureuse, il ne pouvait s'empêcher d'éprouver une profonde tristesse. Après tout, le matin même, il s'imaginait engendrer une descendance avec Élisabeth. Henry éprouvait une impression de grand vide en lui, comme si cette naissance avortée avait laissé des traces indélébiles, avait enterré leurs espoirs.

Il fallait qu'il parle à sa femme, qu'il s'explique. Il lui devait des excuses. Les accepterait-elle ? Rien n'était moins sûr… Pourtant, il ne pouvait plus se draper dans sa dignité.

Comme il revenait vers la maison, il eut la surprise d'apercevoir Louis, en grand uniforme d'officier, qui descendait de cheval dans la cour. Dès qu'il l'aperçut, le jeune noble le salua.

— Henry, vous êtes enfin de retour, quel soulagement ! Mon message a fini par vous trouver…

— Pour tout vous dire, j'ai quitté Nantes plus tôt que prévu, sur un coup de tête. Je n'ai appris la triste nouvelle qu'à mon retour.

— J'en suis désolé… Mais je suis tout de même heureux que vous soyez là. Même si elle s'est bien remise, Élisabeth a dépéri pendant ces quelques jours, et votre présence ne pourra que l'apaiser. L'avez-vous vue ? Vous êtes encore en tenue de voyage…

— Oui, je…

— Parfait. Sachez que M. de La Ferté a paru ce matin à la cour, et qu'il répandait de fort méchants bruits à votre sujet. Je me suis empressé de vous défendre, mais je tenais à vous prévenir que ces rumeurs, dont il ne faut absolument pas tenir compte, risquent de vous atteindre dans quelques jours.

Henry pâlit, ce que Louis remarqua immédiatement. Il n'y avait plus d'hésitation à avoir, aussi décida-t-il de confesser toute l'histoire. En peu de mots, il raconta comment il avait découvert Élisabeth en compagnie de La Ferté et s'était sans doute mépris sur la nature de leur relation, puis comment il avait appris la fausse couche de son épouse et de quelle façon il avait réagi. Sans chercher à s'épargner, il s'efforça de se montrer sincère tout en soulignant les origines de ses doutes.

Quand il eut fini, Louis demeura silencieux un long moment. Si longtemps, en fait, que Henry crut que son ami ne lui reparlerait plus. L'officier avait les poings fermés, les lèvres serrées et paraissait en proie à la fureur. Impossible de le lui reprocher.

— Je devrais vous provoquer en duel pour laver cet affront, finit-il par dire d'une voix où perçait une colère difficilement contenue.

— Vous remporteriez aisément la victoire, mais je ne vois pas de raison de m'y opposer, répondit Henry avec résignation.

Si tel devait être le cas, il aurait au moins fait amende honorable. Pourtant, Louis leva une main comme pour lui intimer le silence.

— Il faut reconnaître que nous ne vous avons pas soutenu comme nous l'aurions dû. Mais Élisabeth m'avait fait jurer de ne pas vous en parler, et je lui ai obéi. J'avais tort…

— De quoi parlez-vous ?

— Le jour de votre mariage, ma sœur et moi avons eu une petite discussion. Même si j'ai favorisé cette union, j'avais la nette impression que quelque chose clochait. Quand j'ai interrogé Élisabeth, elle m'a pourtant juré que c'était la répugnance pour l'état marital, bien plus que votre rang, qui l'avait poussée à lutter de toutes ses forces contre le projet.

Incapable de prononcer un mot, Henry se contenta de hocher la tête pour signifier qu'il comprenait et encourager son interlocuteur à poursuivre.

— Mon père m'a rapporté que vous étiez installé dans son cabinet de lecture lorsque ma sœur a appris votre demande. Il m'a également présenté les… réticences exprimées par Élisabeth pour refuser votre demande, et notamment le fait que vous n'appartenez pas à la noblesse, dit-il dans un soupir. Je sais que les apparences sont contre elle, mais… vous ne devez pas vous fier à ses paroles. Il est fort probable que, se voyant acculée, elle ait avancé le seul argument qui aurait pu fléchir le comte.

— Pourquoi personne n'a-t-il jugé bon de me l'expliquer, dans ce cas ? Si ce que vous dites est vrai, cela nous aurait épargné plusieurs mois de malentendus.

— Vous n'étiez guère enclin à la conversation dans les jours qui ont suivi cet incident, rappelez-vous. Quand j'ai essayé d'aborder le sujet, vous n'avez pas voulu en entendre parler.

Henry se remémorait les quelques jours entre sa demande et la signature du contrat comme dans un brouillard, mais à présent qu'il y repensait, Louis lui avait peut-être glissé un mot… Il baissa la tête, honteux.

Dès le départ, son entêtement avait été préjudiciable à leur union.

— Nous nous sommes trompés en croyant que vous sauriez surmonter cet épisode. En outre, j'ai jugé préférable de rester fidèle à la promesse que j'avais faite à ma sœur.

— Quelle promesse ? Celle de ne pas trahir les vraies raisons de sa répugnance ?

— Non. Élisabeth ne voulait pas que vous sachiez qu'à ses yeux, vous feriez un bon époux. Elle a même précisé que vous étiez mieux indiqué que tous ses autres soupirants, et elle incluait M. de La Ferté dans le lot.

Une brûlure étrange remplaça d'un coup le vide qui s'était creusé dans la poitrine d'Henry après leur dispute. À présent, il était assuré qu'elle l'avait préféré à La Ferté, et cela le réconfortait.

— Je vous remercie d'avoir finalement choisi de me faire part de son secret, dit-il d'une voix émue.

— C'est pour elle que je l'ai révélé, non pour vous. J'ai toujours été persuadé que vous étiez le seul à pouvoir la rendre heureuse, ne me faites pas mentir.

— Je m'y engage.

Après une profonde inspiration, Henry ajouta :

— Je l'aime.

Une ombre de sourire passa sur le visage de Louis, et quelque chose dans sa posture se détendit.

— Voilà qui ne me surprend pas. Mais ce n'est pas à moi que vous devriez faire cet aveu.

— Élisabeth est alitée et inconsciente…

— Alors restez à ses côtés ! Bon sang, Wolton, ne me faites pas regretter de vous avoir épargné.

Henry fit mine de rejoindre la maison, mais il se ravisa.

— Un seul problème : la comtesse, votre mère, monte la garde auprès de votre sœur, et je doute fort d'être en odeur de sainteté… Elle m'a chassé de la chambre et s'évertuera à m'en défendre l'accès.

Cette fois-ci, le sourire de Louis fut sincère, même s'il n'effaçait pas complètement l'inquiétude qu'on lisait dans son regard.

— J'en fais mon affaire, ne vous tracassez pas.

Ils rentrèrent ensemble. Pendant que Louis convainquait sa mère, Henry fit halte dans sa chambre pour se changer et se rafraîchir un peu. Quand il s'installa enfin avec Élisabeth, toujours inconsciente, il se surprit à esquisser un sourire, lui aussi. Malgré les effets de la fièvre sur l'aspect de la jeune femme, celle-ci parvenait encore à avoir l'air désirable, les lèvres entrouvertes, les cheveux emmêlés… Pour un peu, on aurait pu croire qu'il venait de lui faire l'amour et qu'elle avait succombé à un sommeil réparateur. Henry secoua la tête pour reprendre ses esprits. Toutefois, il sortit le mouchoir de son épouse, celui qu'il avait découvert dans ses bagages et portait depuis constamment sur lui, et le porta à ses narines, humant le parfum si caractéristique pour se réconforter.

Il avait une bataille à mener, contre la maladie et contre son propre aveuglement. Mais son ami venait de lui fournir la meilleure arme qui soit : l'espoir. Grâce à lui, Henry avait désormais une chance de l'emporter.

Chapitre 19

Louis avait tenu parole et avait promptement éloigné Mme d'Arsac. Celle-ci s'était d'abord offusquée, puis avait tempêté autant que possible, mais avait fini par céder devant la volonté inébranlable de son fils. Elle avait néanmoins refusé de quitter la maison et passait plusieurs heures par jour au chevet d'Élisabeth. Henry et elle avaient conclu une sorte de trêve et étaient parvenus à un accord tacite : le jeune homme demeurait avec son épouse la nuit et en milieu de journée, tandis que la comtesse veillait sa fille le reste du temps.

Le premier soin d'Henry avait été d'avertir son équipage à Nantes pour retarder le départ. Si Élisabeth guérissait… non, quand Élisabeth serait guérie, elle aurait besoin de temps pour se remettre, et il ne souhaitait pas éprouver sa santé plus que de raison. Tant pis pour le Congrès.

L'Américain remua dans le fauteuil qu'il ne quittait plus guère, à côté du lit. Il avait les muscles endoloris à force de nuits passées à somnoler, avant de s'éveiller en sursaut pour vérifier que sa femme respirait toujours, pour lui bassiner les tempes ou simplement remonter les couvertures. Le jour se levait, une belle matinée de mai dont la douceur et le calme contrastaient violemment avec son état d'esprit. Il vivait la peur au ventre depuis près d'une semaine et se demandait combien de temps il tiendrait avant de devenir fou. Par deux fois, ils avaient cru la malade perdue ; sa fièvre était montée brusquement, et ils avaient dû avoir recours à des saignées pour lui dégager la tête.

Toutefois, depuis la veille, elle semblait respirer plus librement, son souffle s'était apaisé et son front paraissait rafraîchi. Henry s'était laissé porter par l'espoir. Le ciel ne permettrait pas que son épouse disparaisse sans qu'il ait fait amende honorable.

— Henry…

La voix était faible et enrouée, mais parfaitement reconnaissable. Il bondit de son siège et saisit la main d'Élisabeth qui avait entrouvert les yeux et tourné la tête dans sa direction.

— Ma douce, comment vous sentez-vous ?

— Je…

Sa gorge, irritée par les longues journées sans boire, était sèche comme du sable, et elle se mit à tousser avec force. Inquiet, Henry avisa un verre sur la table de chevet et versa un peu d'eau, puis passa un bras autour des épaules de la jeune femme pour l'aider à avaler quelques gorgées.

Élisabeth était très pâle et paraissait exténuée, pourtant quelque chose dans ses traits lui assura qu'elle allait s'en sortir. La farouche volonté de sa femme avait triomphé de la mort, pensa-t-il avec une pointe de fierté.

—Que… Comment…

Elle paraissait incapable de formuler une phrase correcte et semblait éprouver toutes les difficultés du monde à articuler.

—Calmez-vous. Vous souvient-il de ce qui s'est passé? murmura-t-il.

Scrutant son visage, il s'aperçut qu'elle fronçait les sourcils comme si elle faisait un effort de mémoire. Brusquement, elle parut se rappeler quelque chose, car elle lui jeta un coup d'œil furtif et détourna prestement le regard.

—Je… me souviens.

Le moindre mot lui demandait un effort considérable. Henry se décida enfin à sonner les domestiques, puis resta silencieux, ne sachant comment formuler ses regrets. Il avait passé des heures à tourner et retourner son discours dans sa tête mais, à présent qu'il était confronté à la réalité, il s'en trouvait incapable. Il ne pouvait pas aborder immédiatement le sujet alors que son épouse venait à peine d'ouvrir les yeux, se dit-il pour se justifier.

Le silence fut heureusement rompu par l'arrivée de Céleste.

—Madame! Vous êtes remise! s'exclama-t-elle avant de se précipiter vers le lit, les larmes aux yeux.

Élisabeth esquissa un faible sourire pour la remercier, mais ne dit rien.

—Apportez de quoi manger à votre maîtresse, et prévenez en toute hâte Mme d'Arsac que sa fille vient de s'éveiller, ordonna-t-il.

La servante fit une petite révérence et s'esquiva presque en courant.

Il ne disposait que de quelques instants avant qu'ils soient de nouveau dérangés. Une fois la nouvelle connue, la maisonnée entière défilerait dans la chambre et il aurait toutes les peines du monde à faire sortir la comtesse.

—Ma douce, il y a des choses dont je souhaite vous parler. (Quand il la vit écarquiller les yeux et s'agiter, il lui prit doucement la main.) Ce n'est ni le lieu, ni le moment, je le reconnais. Mais pourriez-vous garder cela à l'esprit et me ménager un peu de votre temps plus tard, quand vous vous sentirez mieux ?

—C'est entendu, répondit la jeune femme après s'être éclairci la voix.

Elle n'avait l'air ni rassurée ni enthousiaste, mais quoi de plus normal ? Après tout, la dernière chose dont elle se rappelait à son sujet devait être la façon dont il avait épanché sa colère contre elle…

Céleste apparut avec un plateau.

—Le médecin a ordonné du bouillon mouillé de vin pour commencer. Dans quelques heures, si vous êtes mieux, le repas sera plus copieux, expliqua-t-elle avec un large sourire.

Tout en parlant, elle avait posé son plateau, aidé sa maîtresse à s'asseoir tandis que Henry redressait les oreillers, puis avait approché le bol pour la nourrir.

Élisabeth était incapable de tenir une cuillère, sa main tremblait sous l'effort. Le jeune homme allait proposer de le faire quand la comtesse entra à son tour, et prit le contrôle de la situation. En moins de temps qu'il n'en fallait pour le dire, il se trouva relégué dans le couloir, attendant que son épouse mange et change de linge.

Plusieurs heures s'écoulèrent avant que le couple puisse retrouver un peu d'intimité. Henry revint alors qu'Élisabeth, après un somme, terminait une collation assez consistante – poularde, œufs farcis et tarte aux amandes – recommandée par le médecin pour reconstituer le sang. On pouvait déjà juger des bienfaits du traitement, car la jeune femme avait meilleure mine.

Cette impression était sans doute également liée au fait qu'Élisabeth s'était lavée, et que ses draps et son linge de corps avaient été changés. Henry sentit son corps s'échauffer de façon brutale quand il aperçut la peau rose et tendre qui émergeait des courtes manches de dentelle et du col de la chemise. Les longs cheveux blonds, brossés au point de paraître lustrés, avaient repris tout leur éclat et tombaient librement sur les épaules de son épouse, faisant ressortir son teint diaphane, presque virginal. Sa poitrine n'était pas comprimée par un corset et ses seins ravissants semblaient gonfler à chaque inspiration.

Si Henry n'avait pas été aussi préoccupé, il l'aurait volontiers ravie sur-le-champ ; son membre croissait à vue d'œil, prêt à passer à l'action. Agacé du tour que prenaient ses pensées, mais incapable de maîtriser son désir, il s'assit et chercha la position qui lui procurerait le moins d'inconfort, sans succès. Élisabeth, visiblement intriguée par son manège, l'observa des pieds à la tête, avant que son regard ne s'attarde sur cette partie de son anatomie. Elle rougit et détourna les yeux, mais il y décela une étincelle de désir. C'était certainement de bon augure.

Tentant d'ignorer son envie de la posséder, l'Américain se concentra sur son discours.

—Élisabeth, je vous dois des excuses, commença-t-il.

Elle croisa son regard et le soutint, mais ne dit pas un mot. Voilà qui n'était guère encourageant. Pourtant, il devait poursuivre pour leur bien à tous deux.

—Je me suis comporté de façon odieuse à votre égard, et je…

—En effet.

Il eut un mouvement de surprise.

—Vous avez été odieux envers moi, compléta-t-elle.

Henry baissa la tête, malheureux.

—Je ne saurais vous exprimer à quel point j'ai honte de mon comportement. Je… Quand je vous ai vue avec La Ferté, cet homme qui souhaitait vous épouser il y a quelques mois, j'ai ressenti une profonde jalousie et… il y avait de quoi devenir fou. J'ai cruellement manqué de retenue.

Il poussa un soupir, torturé par le souvenir de ce qu'il avait dit.

—J'ai eu le tort de ne pas vous faire confiance, de ne pas nous faire confiance, et j'en suis désolé.

—Mais pourquoi? Qu'ai-je donc fait pour mériter à ce point votre défiance?

La voix de la jeune femme trahissait ses doutes et son angoisse. Se redressant pour la contempler, Henry aurait aimé pouvoir effacer cette expression inquiète de son visage, et esquissa même un geste en ce sens. Mais il se retint à temps. Élisabeth redoutait sans doute tout contact physique avec lui après ce qu'il lui avait fait endurer.

— Élisabeth, quand je vous ai entendue dire à votre père que je n'étais qu'un roturier, j'ai eu l'impression d'avoir été frappé en plein cœur. J'ai toujours su que vous ne m'épousiez pas par inclination, mais j'avais le faible espoir que ma compagnie vous agréait… et peut-être même un peu plus que cela.

— Bien entendu ! Seigneur, si vous saviez combien je regrette ces paroles jetées à la face de mon père pour empêcher notre mariage.

Brusquement, elle lui saisit la main, et ce geste procura à Henry une sensation de plénitude telle qu'il n'en avait jamais ressentie. La situation n'était pas réglée entre eux, des explications sans doute douloureuses les attendaient encore, mais sentir cette main délicate dans la sienne et la presser doucement lui paraissait infiniment juste. Ils pourraient s'en sortir, se dit-il.

— Je n'ai jamais… je n'ai jamais conçu d'animosité envers votre rang social. En réalité, je pensais en appeler à l'orgueil de ma famille pour rendre notre union impossible. Non que je vous méprise ou que je ne vous apprécie pas… Mais j'étais persuadée que je ne pouvais trouver mon bonheur auprès d'un homme et, surtout, que le mariage me priverait de toute indépendance.

Elle prit une inspiration tremblante, comme si des larmes menaçaient, mais se redressa.

— Moi aussi, je vous dois des excuses pour mon comportement. J'étais folle de rage après votre départ précipité et les mots blessants que vous m'aviez jetés…

— Non, si quelqu'un est à blâmer, c'est moi. Vous aviez raison : je vous ai caché quelque chose tout du long, et c'est pourquoi j'ai tenté de vous repousser.

La jeune femme le dévisagea de ses immenses yeux noisette. Elle était si belle et paraissait vulnérable, mais Henry lut une détermination sans faille dans son regard. Il comprit qu'il aurait dû tout lui confier dès le départ, car elle l'aurait épaulé. Sans hésiter plus longtemps, il se lança.

— Je crois que Louis vous a raconté que j'étais arrivé de Philadelphie suite à la défaite de Brandywine, en septembre dernier. Les Anglais se sont emparés de la ville, que le Congrès a dû fuir en toute hâte.

— En effet, répondit-elle en hochant la tête.

— En réalité, les choses étaient un peu plus complexes. Je suis armateur et nous avions abrité un vaisseau en aval du fleuve Delaware, au cas où les choses tourneraient mal, dès que nous avons eu vent de l'avancée de l'ennemi. Quand la ville est tombée, le Congrès m'a chargé d'une mission délicate : il nous fallait prévenir notre ambassadeur en France, M. Franklin, afin qu'il se serve des événements pour agiter le spectre de la menace anglaise. Ce faisant, votre roi serait plus enclin à signer un traité d'alliance que nous espérions depuis longtemps.

— Et c'est exactement ce qui arrivé ! Le traité a été signé début février, juste avant nos noces…

— Oui, l'issue politique a été heureuse. Malheureusement, ce ne fut pas de mon fait.

Il se passa une main sur le visage, comme pour chasser les images qui l'assaillaient. Une légère pression sur son bras lui fit lever la tête : Élisabeth l'encourageait d'un geste à poursuivre. Tâchant d'oublier l'onde de désir que faisait naître ce contact inattendu bien que chaste, Henry reprit son récit.

— Nous devions faire diversion pour la marine anglaise : notre navire de commerce, gros et lent, devait chercher à rejoindre la haute mer et être intercepté par l'ennemi. Ce faisant, il permettait à une frégate militaire de gagner le large avant de cingler jusqu'à Nantes. Le capitaine de la frégate, Thomas Perry, que je connaissais depuis longtemps, m'a convaincu de l'aider.

Henry déglutit avec difficulté, perdu dans ses souvenirs.

— Vous étiez proche de lui ? demanda son épouse d'une voix calme.

Il hocha la tête.

— Thomas est… était mon meilleur ami. Il était marin et a embrassé la carrière des armes quand nous avons commencé à lutter pour notre indépendance. Je lui vouais une admiration sans bornes et une confiance aveugle. Il était persuadé de la réussite de cette stratégie et, je l'avoue, sa certitude a déteint sur moi.

— Comment est-il mort ?

Elle avait compris… Sans qu'il ait à formuler ces paroles terribles, elle avait su lire entre les lignes, et voilà qu'elle le poussait à tout confesser.

— Cette fameuse nuit… Tout se passait bien, le fleuve était calme et nous étions aussi silencieux qu'il était possible. Une des frégates ennemies a fini par repérer mon navire, mais nous l'avions prévu et étions préparés à passer quelques semaines en prison. Pourtant, si nous avons été pris en chasse, ce n'était qu'un leurre : la majeure partie de la flotte a cinglé pour intercepter Thomas et…

Le souffle lui manqua soudain. Il lui semblait que l'odeur de la fumée et de la poudre lui collait aux narines et s'infiltrait dans ses poumons pour l'empêcher de respirer. Ce fut alors qu'il sentit que la pression sur son bras s'affermissait, le ramenant au présent et à la sécurité.

Sans regarder Élisabeth de peur d'être incapable d'achever, il poursuivit :

— Mes souvenirs sont à la fois confus et très nets : je revois la frégate pilonnée par les canons anglais, le feu qui prend aux voiles, la sensation d'une vive douleur à la main…

Pour appuyer ses propos, il souleva sa main blessée dont la cicatrice se rouvrait perpétuellement.

— J'ai reçu un éclat de bois quand le bastingage a explosé sous la mitraille. C'est un miracle que je n'aie pas subi d'autre blessure.

Il contempla un instant la marque indélébile de ce combat.

— Je pense que le capitaine de mon propre vaisseau, voyant l'opportunité, a ordonné à ses marins de s'éloigner au plus vite. J'ai l'impression d'avoir vu Thomas me faire un signe d'adieu depuis le pont…

Il s'interrompit un instant pour dissimuler son émotion.

— Nous aurions dû les aider. Ils nous dépassaient en nombre, mais il aurait été plus honorable de chercher à les libérer que de fuir. C'est nous qui aurions dû nous trouver à leur place.

Sa voix se brisa sur cette dernière phrase. Henry s'était recroquevillé et serrait la main d'Élisabeth avec force. Toutefois, il n'osait pas relever la tête et la regarder. Il ne voulait pas se couvrir de honte et redoutait qu'elle aperçoive ses efforts désespérés pour ne pas pleurer.

Pourtant, il sentit un contact léger dans ses cheveux. D'abord timide, la caresse se fit plus insistante, à mesure qu'Élisabeth s'enhardissait. Sans rien dire, elle le berça avec des gestes doux et lents jusqu'à ce qu'il laisse enfin couler les larmes qu'il retenait depuis des mois.

De sa fièvre, Élisabeth ne gardait que de vagues impressions : des conversations chuchotées à son chevet dont elle n'avait pas saisi le sens, quelque chose qu'on la forçait à avaler, la brève douleur de la lancette sur sa cheville… Quand elle avait enfin ouvert les yeux, débarrassée de sa fièvre, et avait découvert son mari à côté d'elle, elle avait éprouvé quelques instants de confusion. Le souvenir de leur dispute et de ses accusations injustes lui était revenu, et elle avait failli exiger qu'il quitte la pièce.

Pourtant, elle n'en avait pas eu la force. Pendant qu'il lui expliquait qu'ils reparleraient plus tard, une fois qu'elle serait un peu mieux, elle avait remarqué ses cheveux en bataille, ses joues creusées, les cernes noirs sous ses yeux, sa barbe naissante… Autant de signes qui prouvaient qu'il avait passé de nombreuses heures à son chevet. Profitant que sa mère avait le dos tourné, la jeune femme avait interrogé Céleste qui lui avait tout raconté, depuis la terrible angoisse qu'ils avaient tous ressentie jusqu'aux veilles répétées de Henry dans sa chambre.

Si les remords témoignés par son mari étaient réconfortants, elle ne lui accorderait pas son pardon aveuglément. Néanmoins, quand elle l'avait vu revenir à la fin de la journée, rasé de près et vêtu de frais, l'air résolu, elle s'était sentie faiblir. Henry était entré et elle n'avait plus vu que lui, oubliant tout ce qui s'était passé entre eux, ne songeant qu'à l'absence physique si dure à supporter, son regard s'attardant sur ses larges épaules, ses mains brunies qu'elle rêvait de sentir sur elle… Élisabeth s'était reprise *in extremis*, mais avait rougi avec force, surtout quand elle avait découvert qu'elle n'était pas la seule à éprouver cette vague de désir. L'excitation de la jeune femme n'était pas passée inaperçue.

Et voilà qu'à présent toute trace de désir avait disparu, remplacé par une immense tendresse pour cet homme qui avait fini par trouver le courage de se confesser à elle. Quand elle l'avait vu si sérieux, elle avait repensé à leur altercation, et avait cru un bref instant qu'il allait effectivement lui avouer un crime. Mais elle avait compris que le seul crime était dans son cœur : il s'estimait coupable d'une faute qu'il n'avait pas commise…

Tandis qu'elle lui caressait les cheveux, elle le sentit trembler dans son giron, et comprit qu'il versait des larmes. Sentant combien cette situation était douloureuse pour lui, elle se contenta de lui murmurer quelques mots sans rime ni raison d'un ton apaisant. L'important était de lui témoigner sa compréhension et son pardon.

Combien de temps restèrent-ils ainsi, étroitement enlacés, sans parler ? Elle n'aurait su le dire, mais cela n'avait pas d'importance à ses yeux. Quand Henry reprit ses esprits, ils découvrirent que la nuit tombait et que les derniers rayons du soleil les éclairaient à peine. Après une dernière pression de la main, le jeune homme battit le briquet pour allumer les chandelles. Le visage baigné d'une lueur dorée qui adoucissait ses traits, il se tourna vers elle.

— Je ne saurais vous exprimer toute ma gratitude : vous m'avez écouté et réconforté sans me juger, alors que j'ai commis une faute impardonnable, dit-il d'une voix toujours un peu enrouée.

Élisabeth sentit sa gorge se serrer.

— Je comprendrais que vous ne souhaitiez plus me voir à cause de ce que je vous ai révélé…

— Il n'y a rien à juger, l'interrompit-elle d'une voix forte.

Comme il sursautait, elle reprit plus posément :

— Henry, je suis tellement triste que vous ayez perdu votre meilleur ami, surtout dans des circonstances aussi tragiques… Cependant, vous ne devez pas vous croire coupable, ni même responsable de sa disparition.

Il parut choqué, au point d'en perdre momentanément la parole, ce qu'elle mit à profit.

— Avez-vous trahi votre cause et prévenu la flotte anglaise ?

— Non, mais…

— Avez-vous donné l'ordre de tirer sur votre frégate ?

— Bien sûr que non, mais…

— Avez-vous fait tout votre possible pour gagner la France et accomplir votre devoir ?

— Oui, mais…

— Il suffit. Plus de « mais », je vous en conjure. Cessez de vous torturer, laissez votre conscience en paix et autorisez-vous à guérir. Vous devez vous pardonner pour enfin aller de l'avant.

Elle lui prit la main et traça les contours de la cicatrice du bout du doigt.

Portant la paume de son époux à ses lèvres, la jeune femme y déposa un léger baiser tout en soutenant son regard. Elle vit une étincelle s'allumer dans les prunelles grises et sourit.

— Moi-même, je vous dois des excuses, reprit-elle.

Devant l'expression surprise de Henry, elle s'expliqua.

— Vous aviez raison, mon attitude n'a pas été exemplaire. Mais j'étais tellement en colère contre vous, que je voulais vous faire payer votre éloignement. J'étais incapable de me résoudre à vous écrire pour vous annoncer la nouvelle.

Élisabeth baissa d'un ton, même si elle s'efforça de repousser des souvenirs douloureux. Henry lui caressa la joue avec douceur.

— Après l'accident… j'étais tellement triste que je souhaitais mourir. Et vous n'étiez pas là… Je supposais que l'on vous avait fait prévenir, mais il vous faudrait du temps pour rentrer, et je redoutais votre réaction.

Henry détourna la tête, visiblement honteux.

— M. de La Ferté est arrivé un matin, par hasard. J'ai bien entendu repoussé ses avances, mais je n'aurais jamais dû le recevoir dans ma chambre, je le reconnais… Et il est évident que j'aurais dû m'arranger pour mettre un terme à notre conversation avant qu'il ne devienne trop familier.

Son mari ne dit rien, se contenta de s'asseoir à côté d'elle, et de prendre son visage entre ses mains. Élisabeth crut qu'il allait l'embrasser, et elle devait avouer que cette perspective ne lui déplaisait pas… Mais il se contenta d'effleurer chastement son front de ses lèvres. Frustrée, elle laissa échapper un gémissement qui déclencha un petit rire satisfait de la part de Henry. Celui-ci ne poussa toutefois pas plus loin. Il s'écarta et la regarda droit dans les yeux.

— Ma douce, ma chère Élisabeth… J'ai encore une chose à vous dire, après quoi, c'est juré, je vous laisserai vous reposer.

La jeune femme sourit.

— Je suis tout ouïe.

— Ces quelques jours m'ont fait prendre conscience d'une chose : si je vous ai tenue à l'écart, c'est parce que je redoutais de m'attacher à vous. Mais j'ignorais que c'était chose faite. Je vous aime, belle dame.

Face à cet aveu, à l'emploi de ce surnom qui la faisait toujours frissonner, Élisabeth ne sut que répondre. Un profond sentiment de joie se propagea dans tout son être, et elle espérait de toutes ses forces que celui-ci se manifestait sur son visage, car elle était trop émue pour prononcer une parole.

Bien conscient de son trouble, Henry reprit :

— Je suis désolé de vous imposer des sentiments que vous jugerez peut-être inopportuns, mais il me semblait plus honnête de vous le dire. Vous avez pris possession de mon cœur, de mon âme et de ma chair, Élisabeth… Je ne vous demande rien en retour, je ne veux pas forcer un aveu qui ne coïncide peut-être pas avec vos véritables sentiments, ajouta-t-il quand il la vit ouvrir la bouche.

Il lui prit la main gauche, et déposa un baiser empreint de respect sur l'anneau qu'elle portait depuis leur mariage. Quand il fit mine de s'en aller, elle le retint.

— Henry, je… Pourriez-vous rester avec moi, cette nuit ? Non pour…

Elle s'empourpra sans achever sa phrase, et il lui sourit.

— Je ne chercherai pas à abuser de vous, ma douce. Vous êtes encore trop faible, et je ne souhaite rien vous imposer. Mais si tel est votre souhait, je puis rester pour la nuit.

Joignant le geste à la parole, il moucha toutes les chandelles sauf une, puis aida la jeune femme à s'étendre et la borda, avant de s'allonger à son côté, sur l'édredon. La prenant dans ses bras, il la serra doucement et lui murmura à l'oreille :

— Vous pouvez dormir, belle dame. Je veille sur votre sommeil.

Souriant dans l'obscurité, Élisabeth ferma les yeux, le cœur léger. À partir de maintenant, tout irait bien, elle en était sûre.

Chapitre 20

Le mois de juin touchait à sa fin, et Élisabeth était désormais remise, ayant même fait une apparition au théâtre des Italiens deux jours plus tôt. Elle avait retrouvé tout son allant, grâce aux soins constants dont Henry l'avait entourée, hâtant sa guérison.

Depuis qu'il lui avait avoué ses sentiments, son mari n'avait plus abordé le sujet, et la jeune femme aurait presque pu croire qu'elle avait rêvé, si elle n'avait pas vu les regards énamourés qu'il lui jetait. Elle se sentait étrangement rassérénée par la certitude de son affection, à tel point qu'elle avait fini par s'interroger. Pourquoi éprouvait-elle une telle joie à l'idée d'être aimée ?

Tu le sais déjà, lui soufflait une petite voix intérieure.

Élisabeth avait fini par se l'avouer. Elle aimait Henry de toute son âme. Quand il parlait, elle l'écoutait avec plaisir, rien que pour l'entendre prononcer le français avec son délicieux accent. Lorsqu'ils dînaient ensemble, elle se surprenait à s'absorber dans la contemplation de ses lèvres charnues. Elle guettait son sourire, sentait son cœur battre un peu plus vite quand il était près d'elle…

Sauf que les choses s'arrêtaient là. Son époux ne la touchait pas, et se dérobait même avec agilité chaque fois qu'elle tentait de réduire la distance entre eux. Au cours de sa première semaine de convalescence, il avait dormi avec elle chaque nuit, sur l'édredon, la serrant dans ses bras. Mais après cela, il avait tenu à rétablir un peu de bienséance dans la maisonnée, et avait déclaré qu'il passerait désormais la nuit dans sa propre chambre, au grand dam de la jeune femme.

En croisant son regard ce soir-là, elle avait compris la véritable raison de sa retraite, et lui en avait été reconnaissante. S'il était évident que Henry la désirait, il avait senti qu'il était encore trop tôt pour avoir des relations intimes avec sa femme et, plutôt que de céder, avait choisi d'éviter toute promiscuité. Élisabeth en avait d'abord été soulagée car, bien qu'elle soit très attirée par son mari, elle ne pouvait se résoudre à passer à l'acte pour l'instant.

Mais cela faisait plus d'un mois qu'ils faisaient de nouveau chambre à part, et la jeune femme sentait croître son désir. Ces derniers jours, elle s'était réveillée à deux reprises, brûlante et ruisselante de sueur, après avoir rêvé de Henry… Il était temps de mettre un terme à cette situation pour le moins frustrante. Pour ce faire, elle avait échafaudé un plan de bataille avec Félicité, dont les précieux conseils allaient s'avérer décisifs.

Ce soir-là, après un souper intime, la jeune femme fit mine de se mettre au lit de bonne heure. Elle savait que Henry patientait toujours quelque temps dans la bibliothèque avant d'aller se coucher pour lui laisser le temps de s'endormir, et ainsi ne pas succomber à l'envie de la rejoindre.

Après avoir renvoyé sa femme de chambre, Élisabeth s'assura que la porte de communication, demeurée ouverte depuis sa maladie, était toujours accessible, puis se défit de la respectable chemise de nuit dont elle était revêtue. Tirant un paquet du fond de l'armoire, elle le posa sur son lit et attendit quelques instants que ses mains cessent de trembler. Dans le papier de soie, se trouvait une chemise pour le moins inconvenante qu'elle se hâta d'enfiler.

Le vêtement, taillé dans une mousseline très légère et presque transparente, dissimulait à peine son anatomie et s'arrêtait juste sous les genoux. Les manches courtes et tombantes, de même que la profonde encolure carrée étaient bordées de dentelle, qui paraissait frissonner à chacune de ses inspirations.

Élisabeth défit prestement sa tresse, dénouant les longues mèches blondes et les laissant tomber librement dans son dos. Ses cheveux lui arrivaient aux hanches et la couvraient presque plus que son indécente chemise. Elle les ébouriffa avec art pour avoir l'air de sortir du lit, puis se mordit légèrement les lèvres pour leur donner une teinte plus soutenue.

Se tournant vers la psyché installée dans le coin près de la porte d'entrée, elle contempla avec satisfaction la créature impudente qui lui rendait son regard. C'était bien elle, et pourtant... Quelque chose dans son expression avait changé depuis ce bal, près de six mois plus tôt, où elle avait rencontré Henry. La jeune femme se sentait plus sûre d'elle-même, et décidée à assumer ses désirs. Ce soir, elle désirait son mari, et elle ferait tout pour y parvenir.

Désormais prête, elle alla s'asseoir sur le lit et contempla la porte qui menait à la chambre de Henry. Il n'y était pas encore, et elle attendit patiemment, attentive aux bruits de la maison qui s'endormait. Dehors, la lune s'était levée et baignait sa chambre d'une lueur argentée. La brise estivale s'insinuait par les fenêtres ouvertes et faisait onduler les rideaux. Cette atmosphère calme était à l'opposé de son état d'esprit : elle bouillonnait intérieurement tant elle était nerveuse. À ses yeux, cette nuit était sa dernière tentative, et elle s'était juré de ne pas échouer.

Soudain, le plancher craqua dans l'escalier, et Élisabeth se redressa. Elle entendit Henry gravir les marches puis traverser le palier à pas lents. Il lui sembla qu'il s'arrêtait devant sa porte et, l'espace d'une seconde, elle retint son souffle. Toutefois, il poursuivit jusqu'à sa propre chambre et, bientôt, elle l'entendit tirer le fauteuil, sans doute pour s'y installer plus commodément.

Tâchant d'ignorer l'angoisse qui l'envahissait, la jeune femme attendit encore, l'oreille aux aguets, jusqu'à ce qu'elle ne distingue plus un son. Quand enfin il lui sembla que son époux était au lit, elle enfila sa robe de chambre, prit une profonde inspiration, et tourna la poignée.

Une fois dissipée l'inquiétude liée à l'état de sa femme, Henry avait retrouvé avec plaisir leurs habitudes. Pourtant, il restait un point sur lequel il ne voulait pas céder, celui de leurs relations conjugales. En dépit du désir dévorant qu'il éprouvait pour Élisabeth, et malgré les œillades suggestives qu'elle lui lançait parfois, il refusait de réitérer son erreur. Il avait failli la perdre une fois, il était hors de question de courir de nouveau ce risque. Bien sûr, il aurait aimé avoir un enfant, surtout avec Élisabeth – il était persuadé qu'elle ferait une excellente mère – mais il sacrifiait volontiers cette éventualité pour préserver l'avenir de son épouse.

En proie à la lassitude, Henry ôta sa veste et son gilet, avant de défaire sa cravate, jetant les vêtements sur la commode. Il avait renvoyé son valet dès qu'Élisabeth était montée se coucher, car il savait pertinemment qu'il ne s'endormirait pas avant plusieurs heures. Si l'on pouvait parler de dormir… Son désir le torturait, et c'était dans ces moments-là que sa détermination faiblissait. Chaque nuit, il rêvait qu'il faisait l'amour à sa femme, caressait ses seins ronds, effleurait sa peau tendre et la pénétrait d'un coup de reins puissant pour lui arracher des gémissements… Et chaque nuit, il se réveillait en nage, son membre gorgé de désir, prêt à passer à l'acte. Dans ces moments-là, il avait toutes les peines du monde à s'empêcher de franchir la porte qui donnait sur la chambre attenante, où la jeune femme se reposait.

Avec un soupir, il se versa un verre de cognac et s'assit dans le fauteuil face à la cheminée, sirotant l'alcool à petites gorgées dans l'espoir d'émousser ses sens. Peine perdue. Son esprit était assailli de visions aguicheuses d'Élisabeth, nue et consentante, et il avait de plus en plus chaud. Pourtant la cheminée était froide et les fenêtres grandes ouvertes offraient un rafraîchissement bienvenu. Henry défit les lacets au col et aux poignets de sa chemise, avant de porter le verre à ses lèvres.

Le jeune homme ferma les yeux et tenta de penser à autre chose pour chasser les images lubriques qui le hantaient, en vain. Il s'imaginait franchir enfin cette porte qui le séparait de sa femme, s'approcher en silence de son lit et la caresser dans son sommeil, éveillant peu à peu son désir et lui arrachant des soupirs d'aise.

Un bruit discret lui fit rouvrir les paupières et tourner la tête. Comme si elle avait été invoquée par ses fantasmes, Élisabeth se tenait sur le seuil. Henry comprit néanmoins qu'il ne s'agissait pas d'un de ses rêves érotiques, car la jeune femme serrait contre elle les pans de sa robe de chambre… ou plutôt, de celle qu'il lui avait laissée au cours de leur nuit de noces.

Son membre se raidit encore à ce seul souvenir et il remua dans son fauteuil, mal à l'aise.

— Ma douce, que faites-vous ici ? Je vous croyais assoupie depuis longtemps, finit-il par dire après s'être raclé la gorge.

Elle paraissait… nerveuse. Peut-être que se trouver en sa présence dans des circonstances aussi intimes la gênait ?

— Je suis désolée, je ne souhaitais pas vous déranger, mais je n'arrive pas à dormir.

Elle avança d'un pas, puis d'un autre, incertaine de la suite des événements, et Henry se surprit à se cramponner aux accoudoirs pour s'empêcher de se ruer sur elle. Elle était si belle, avec sa longue chevelure blonde et sa peau diaphane.

—Ne voulez-vous pas appeler Céleste? Elle pourrait vous préparer une boisson…

—Non, c'est inutile.

Le rouge lui montait aux joues, à présent, ce qui la rendait absolument adorable. Mais il n'entreprendrait rien, se répéta-t-il pour se convaincre.

—En fait, j'étais venue vous rendre votre robe de chambre, expliqua-t-elle brusquement.

—Ah bon?

Il se sentait plus stupide que jamais. L'espace d'un instant, il s'était pris à imaginer autre chose.

—Je vous assure que vous n'aviez pas à vous donner cette peine…

La voix d'Henry s'étrangla dans sa gorge. D'un mouvement fluide, Élisabeth s'était débarrassée de la robe, avant de la jeter sur le lit. Quand elle se redressa, il ne put retenir un gémissement de désir. Son épouse ne portait qu'une très fine chemise. Si fine qu'elle laissait entrevoir ses formes délicieuses…

À la faible lueur des chandelles, il distinguait sa gorge pâle à la peau si douce, sa poitrine dont les tétons rose foncé se dressaient au contact de l'air frais… Il prit une inspiration et laissa son regard errer plus bas, vers sa taille mince et ses hanches arrondies, puis vers le triangle de boucles sombres à la jonction de ses cuisses.

La sensation de chaleur qu'il éprouvait n'avait plus rien à voir avec l'alcool, mais plutôt avec le corps infiniment désirable d'Élisabeth.

Comme si elle obéissait aux constructions de son imagination, la jeune femme s'approcha de lui à pas lents. Sa démarche mettait en valeur le balancement presque hypnotique de ses hanches, et Henry faillit se lever pour aller à sa rencontre. Il aurait dû l'arrêter, mais il n'en avait pas le courage, et bientôt elle se trouva devant lui. Se penchant en avant, elle mit les mains sur les siennes et déposa un léger baiser sur sa bouche.

C'était bien trop peu. Cet infime contact suffit à lui embraser les sens, et il perdit toute l'emprise qu'il essayait de maintenir sur lui-même. Entrelaçant ses doigts à ceux de son épouse, il s'avança pour unir de nouveau leurs lèvres, en un baiser qui n'avait plus rien de chaste et les laissa tous deux essoufflés. De si près, il pouvait sentir son parfum floral mêlé à celui, plus musqué, de son excitation. Quand elle insinua une main sous sa chemise pour lui caresser le torse, il sut qu'il devait mettre immédiatement un terme à ses attentions, aussi agréables soient-elles.

Lui saisissant le poignet, il ôta doucement la main de la jeune femme, non sans déposer un baiser au creux de sa paume, et croisa son regard.

— Je regrette, mais il faut nous arrêter.

Élisabeth fit une petite moue dépitée.

— Allons, Henry, vous avez envie de moi, je le sais bien.

Il se redressa, embarrassé. Avant de sursauter quand elle posa la main sur son sexe engorgé.

— Je le vois… murmura-t-elle d'une voix un peu rauque.

Toute pensée cohérente avait déserté son cerveau, et il se laissa submerger par le plaisir que lui procuraient ses caresses.

Non ! Il devait…

La jeune femme se pencha de nouveau pour l'embrasser sans qu'il oppose de résistance. Une plainte échappa à l'un d'entre eux, mais il n'aurait su dire lequel. La main qui le torturait montait et descendait lentement, frottant le tissu contre son pénis et déclenchant de délicieuses sensations.

Son épouse décida alors de défaire les boutons de ses chausses, et cela lui permit de retrouver ses esprits. Avec fermeté, il la repoussa. La douleur qu'il lut dans son regard le rendait malade.

— Élisabeth, nous ne pouvons pas continuer.

— Pourtant vous le désirez autant que moi ! s'exclama-t-elle avec colère.

Il ferma les yeux, pris de vertige.

— Ma douce, je ne peux pas courir le risque de vous engrosser une fois de plus.

Devant son air stupéfait, il poursuivit :

— Je vous désire comme un fou, encore plus qu'au premier jour, mais vous avez failli mourir par ma faute… Il est hors de question que cette situation se reproduise.

Face à l'expression sérieuse qu'affichait son épouse, Henry ressentit un certain soulagement. Elle avait enfin compris ses raisons, songea-t-il. Mais il fut vite détrompé.

—Nous risquons de mourir à tout instant. Vous pourriez faire une chute dans l'escalier, nous pourrions faire naufrage en allant à Philadelphie… Je refuse de vivre dans la peur. Quoi qu'il arrive, j'aurai choisi mon destin, et c'est vous que je choisis.

Ses paroles lui firent l'effet d'un coup sur la tête. Sa femme entêtée et volontaire était bel et bien rétablie, il n'y avait plus de doute ! Comme il ne répondait pas, elle reprit la parole :

—Henry… Cela fait des jours que je cherche le moment propice sans y parvenir, sans trouver la force de vous parler.

Que c'était difficile à entendre… Bien sûr, il avait remarqué qu'elle le désirait, mais il s'était toujours débrouillé pour éviter la confrontation. À présent…

Élisabeth prit une profonde inspiration.

—Je vous aime, Henry. Si je veux un enfant de vous, c'est parce que je souhaite qu'il reste quelque chose de notre union. Je veux une petite fille qui aura vos yeux ou un petit garçon avec vos traits… Ne me refusez pas cela, je vous en prie.

Avait-il bien entendu ? Elle l'aimait donc bel et bien ? Peut-être se servait-elle de cet argument pour le contraindre à agir…

Pourtant, quand il s'obligea à soutenir le regard de son épouse, il ne découvrit dans ses prunelles noisette qu'une affection sincère. Brusquement, il lui sembla que tout, dans la jeune femme, prouvait ses dires : son sourire aimant, sa voix douce… Jusqu'à ses mains qui, découvrit-il, tremblaient légèrement, comme si elle redoutait sa réaction.

— Vous m'aimez… Mais depuis quand ? Pourquoi ?

Les questions se bousculaient tout à coup dans sa tête.

— Je crois que cela s'est fait peu à peu, même si, depuis notre rencontre, vous avez toujours fait battre mon cœur un peu plus vite. J'aime vous voir le matin, à table, parler avec vous de tout et de rien, passer du temps en société à votre bras, même si ce n'est pas du tout à la mode… Plus que tout, j'aime votre caractère déterminé, votre âme noble.

Comme il faisait mine de protester à ce qualificatif, elle fit un geste pour l'en empêcher avant de reprendre :

— Oui, noble, c'est le mot juste : vous étiez prêt à vous sacrifier pour votre patrie, vous avez porté le deuil d'un ami mort au combat, vous avez toujours cherché à vous comporter honorablement à mon égard…

Henry, sans voix, se contenta de la dévisager. Pourtant, à mesure que le temps s'écoulait, la réalité de la situation s'imposait à lui. Il prit conscience qu'Élisabeth lui parlait avec franchise, qu'elle avait mis son âme à nu pour le convaincre, et il se sentit profondément ébranlé.

— Mais pourquoi… avoir attendu ? Vous connaissiez mes sentiments.

Elle lui adressa un sourire penaud.

— Le moment s'y prête mal. J'aurais voulu vous faire cet aveu dans des conditions idéales… Toutefois ce n'était pas le plus important. En outre, vous me paraissiez tellement certain que je ne vous aimais pas que j'ignorais comment vous persuader.

Le regard du jeune homme s'égara dans le décolleté de son épouse et il répondit :

— Je dois admettre que vous avez des arguments… remarquables.

Elle éclata de rire et l'embrassa encore. Prenant la direction des opérations, Henry lui passa un bras autour de la taille et la fit asseoir sur ses genoux, lui caressant les jambes, comme lors de leur premier entretien galant à l'opéra. Il ne s'arrêta pas là : il fit glisser la jeune femme de façon qu'elle se trouve assise devant lui, nichée entre ses larges cuisses. Le rire d'Élisabeth s'étrangla dans sa gorge.

Il profita un moment de la vision enchanteresse qu'elle lui offrait, ses seins dont les tétons étaient érigés, le triangle de boucles sombres, ses longues jambes qu'elle frottait l'une contre l'autre, accentuant ainsi la pression sur son pénis… Elle portait encore sa chemise, mais il trouva cela encore plus excitant que si elle avait été nue.

Posant la bouche juste sous son oreille, il descendit une main vers l'ourlet et remonta sous le tissu, jusqu'à effleurer les replis humides de son sexe, tandis que, de l'autre, il caressait sa poitrine. Elle se mit à haleter, renversant la tête contre son épaule.

— Cela vous plaît-il, belle dame ? lui chuchota-t-il tout en passant un doigt sur le point le plus sensible de son anatomie.

— Oui… oh, oui ! souffla-t-elle.

— Alors montrez-moi, lui intima-t-il doucement.

Elle se redressa légèrement, les sourcils froncés.

— Que voulez-vous dire ?

Mais il ne lui laissa pas le temps de continuer. Reprenant sa bouche, il écarta sa main de son entrejambe et y plaça celle de la jeune femme. Celle-ci émit une plainte, mélange de protestation et de surprise, mais ne se débattit pas. Toutefois, elle n'osait pas remuer, aussi l'encouragea-t-il d'une pression douce mais ferme. Bientôt, elle se mit à se caresser sans son aide, poussant de petits halètements qui le firent se raidir un peu plus dans ses chausses.

Élisabeth n'en revenait pas de ce comportement si libertin… C'était pourtant si agréable, surtout sous le regard de son mari ! Elle avait beau ne pas être en mesure de distinguer son expression, elle entendait son souffle saccadé, les soupirs qui lui échappaient… et sentait son membre gorgé de désir frotter contre ses fesses.

Guidée par son instinct, car Henry avait cessé de lui imprimer un rythme même si sa main demeurait posée sur la sienne, elle accéléra jusqu'à exploser, comme si son sang s'était changé en lave… Un instant hébétée, elle prit conscience que la respiration rauque qu'elle entendait était la sienne.

— Que vous êtes belle quand vous prenez du plaisir, ma douce. Votre peau a un éclat plus vif, vos joues rosissent, vos lèvres prennent la teinte d'un fruit délicieux…

Elle aurait dû se mettre à rougir, ou tout du moins se sentir gênée, mais il n'en était rien. En réalité, elle n'éprouvait qu'une incroyable sensation de liberté, et elle décida de poursuivre sur sa lancée. Échappant à l'étreinte de son époux, elle se laissa glisser à terre devant lui et entreprit de le caresser. Il se redressa, surpris, mais n'esquissa pas le moindre geste pour l'empêcher d'agir.

Avec un frisson à l'idée qu'elle allait agir de façon terriblement scandaleuse, la jeune femme déboutonna les chausses, libérant le sexe de son mari. Hésitante, elle le toucha du bout des doigts, parcourant toute sa longueur puis, quand ses caresses lui arrachèrent un gémissement, elle referma la main et se mit à effectuer un mouvement de va-et-vient. Ce devait être la bonne façon de procéder, car il s'abandonna et ferma les paupières.

Une goutte d'humidité apparut sur le gland et, sans réfléchir, elle passa la langue dessus pour la recueillir. Ceci sembla le tirer de sa torpeur, car il écarquilla soudain les yeux, comme s'il était choqué de sa hardiesse. Élisabeth songea un instant à arrêter mais, puisque son époux ne disait rien, elle décida de faire à son idée, et se mit à déposer de légers baisers sur la chair dure et chaude.

Mais quand elle remplaça sa main par sa bouche, il l'arrêta presque immédiatement. Surprise, elle se redressa et l'observa, un peu décontenancée.

—Vous n'aimez pas ? demanda-t-elle avec un regain de timidité.

Il sourit.

—Oh que si. Cela me plaît beaucoup trop, et je m'en voudrais de finir tout de suite.

Qu'il lui avait été difficile de s'arracher à la bouche délicate et aux mains expertes de son épouse ! Il avait eu l'impression de subir le supplice de Tantale. L'espace d'un instant, il avait craint de la trouver dégoûtée, ou du moins surprise de sa propre audace, mais elle arborait seulement une expression satisfaite… et vaguement frustrée, à en juger par sa petite moue.

Serrant les dents pour s'empêcher d'atteindre l'extase sur-le-champ, Henry releva la jeune femme avant d'en faire autant. Il se débarrassa promptement de ses chausses et de sa chemise, avant de dénuder Élisabeth. Celle-ci le détailla d'un œil approbateur, ce qui augmenta encore la tension dans son bas-ventre.

—Le spectacle vous plaît ?

—C'est le moins qu'on puisse dire…

Elle déglutit, visiblement tourmentée, mais reprit, joignant le geste à la parole :

—J'aime vos larges épaules, vos bras si puissants…

Ses mains descendirent le long de son torse pour s'arrêter sur son ventre plat et dur, puis elle lui empoigna les fesses.

—Vous êtes si beau…

Il fallait impérativement qu'il l'arrête sans quoi il risquait d'atteindre l'orgasme sans même l'avoir pénétrée ! Soulevant son épouse du sol, il la porta jusqu'au lit et la couvrit de son corps.

Il n'était plus temps de se perdre en préliminaires, et à la façon dont Élisabeth l'attirait à lui, il était évident qu'elle était de son avis. Henry prit son visage entre ses mains et l'embrassa passionnément. Elle répondit par un nouveau halètement et écarta les jambes, le pressant de s'unir à elle.

Grisé, il se plaça à l'entrée de son sexe et entra d'une seule longue poussée. Il voulait s'introduire délicatement en elle, lui laisser l'occasion de s'habituer à sa présence, mais la jeune femme ne l'entendait pas de cette oreille. Lui agrippant les épaules, elle y enfonça les ongles, parlant avec son corps car les mots semblaient lui échapper. Henry répondit à sa supplique et accéléra le rythme, allant de plus en plus vite, encouragé par les soupirs d'Élisabeth.

Quand elle parvint à l'orgasme, il fut incapable de se contenir plus longtemps et jouit en elle, répandant sa semence. Ils demeurèrent enlacés sans bouger pendant un long moment, puis Henry se retira tout doucement et attira son épouse contre lui. Elle posa la tête dans le creux de son épaule et lui caressa le torse.

— Je suis tellement heureuse que nous soyons de nouveau bons amis.

Il s'appuya sur un coude pour la dévisager.

— Êtes-vous bien certaine de m'aimer ? demanda-t-il d'une voix teintée d'inquiétude.

L'expression de la jeune femme se figea, et il sentit son cœur chavirer.

— Laissez-moi réfléchir… Je vous ai épousé, nous allons traverser l'océan pour vivre dans votre pays, je vous ai dit que je souhaitais porter notre enfant. Mais peut-être croyez-vous que je vous ai avoué mes sentiments pour vous convaincre de me posséder ?

Devant sa mine déconfite, elle éclata de rire.

— Henry, vous êtes incorrigible ! Je vous aime, et je ne saurais vivre sans vous. Mais si vous y tenez…

Un sourire mutin se dessina sur ses lèvres quand elle se tourna vers lui.

— Dois-je vous faire une déclaration la prochaine fois que je souhaite vous attirer dans mon lit ?

— Hum… Cette perspective est alléchante, il faut bien l'admettre. Encore que, si vous portez de nouveau cette chemise, je pourrais passer outre…

Il jeta un coup d'œil au vêtement qui gisait par terre avec les siens avant de reporter son attention sur sa femme. Il contempla longuement le visage aux traits familiers qui l'enchantait toujours, ces yeux noisette qui avaient le don de le percer à jour. Elle était si forte et déterminée qu'elle était désormais le roc sur lequel il saurait s'appuyer.

— Belle dame, je vous aime, murmura-t-il.

Devant l'expression rayonnante d'Élisabeth, il sut qu'il était enfin en paix.

Épilogue

Philadelphie, juin 1780

*I*nstallée dans le salon de sa maison, Élisabeth reposa la lettre venue de France dont elle venait d'achever la lecture. Elle entretenait toujours une correspondance soutenue, avec sa famille bien entendu, mais également avec des membres de la cour. Pourtant, cette missive-là était différente : son frère l'informait qu'il avait pris la décision de soutenir la révolution américaine et qu'il allait donc embarquer prochainement avec M. de Rochambeau.

Le courrier était daté de la fin mars, et l'expédition avait, disait-on, pris du retard. Aussi la jeune femme calcula-t-elle que Louis devait encore se trouver sur l'océan. Si elle était ravie de savoir que son frère soutenait leur cause et se réjouissait à l'idée de le revoir plus tôt qu'elle ne l'avait espéré, elle ne pouvait s'empêcher de redouter la guerre et ses conséquences. Mais il était son aîné, après tout, et formé au métier des armes ; il savait dans quoi il s'engageait et ne manquerait pas de se couvrir de gloire.

Les larmes lui brouillèrent la vue l'espace de quelques secondes, comme chaque fois qu'elle évoquait sa famille et la France. Son pays lui manquait tous les jours, même si elle s'était mieux adaptée qu'elle ne l'avait craint en arrivant et en découvrant une ville et une nation où tout était encore à faire… Bien entendu, il y avait eu des difficultés à surmonter, des écueils à contourner, mais Henry lui avait assuré un soutien indéfectible, et les obstacles s'étaient peu à peu aplanis.

Les fenêtres donnaient sur la rue, et elle vit passer une silhouette familière. Comme toujours, son cœur se mit à battre un peu plus vite ; après deux ans d'union, elle était toujours aussi émue lorsque son mari était de retour. Jouant près d'elle sur le tapis, une petite fille d'environ un an se mit debout quand elle entendit le bruit de la porte d'entrée, suivi d'une voix grave.

— Pa-pa ! s'exclama-t-elle.

Élisabeth se pencha pour prendre sa fille, Charlotte, dans ses bras.

— Oui, ma mignonne, c'est papa ! dit-elle avec tendresse.

Elle se leva à son tour et se dirigeait vers le couloir, quand Henry apparut sur le seuil. Il était toujours aussi beau : la taille haute, les épaules larges, le visage tanné… Il se partageait entre le Congrès, où il rendait des services grâce à sa connaissance du français, et son travail d'armateur. De ce point de vue, leur mariage lui avait été plus que profitable : les marchands français venus des Antilles n'hésitaient plus à commercer avec lui, et Élisabeth tâchait toujours de les accueillir quand elle en avait la possibilité.

Tout sourires, le jeune homme s'approcha de son épouse et de sa fille, les deux femmes de sa vie. Il se délectait tous les jours de voir la jolie jeune fille avec laquelle il s'était marié s'épanouir à ses côtés. C'était la plus belle récompense qu'il pouvait espérer. Lorsqu'à son arrivée elle avait dû faire face à la méfiance de la communauté, il l'avait aidée de son mieux, mais elle s'était imposée d'elle-même grâce à ses talents et sa détermination.

Mieux encore : depuis qu'elle avait réussi à ouvrir son école accueillant des jeunes filles orphelines et désargentées, elle jouissait d'une grande considération. Elle avait cessé d'y enseigner elle-même quand sa grossesse l'avait trop fatiguée, mais elle s'y rendait encore chaque jour pour s'enquérir des besoins et des progrès de chaque élève. Il sourit. Qu'il était fier de cette femme ! Elle était parvenue à obtenir ce qu'elle avait toujours souhaité, et de la plus belle des façons.

Henry glissa un bras autour de la taille d'Élisabeth et l'embrassa passionnément, même si ce genre d'effusions publiques n'était guère d'usage. Il s'attarda un peu plus que nécessaire et considéra d'un air appréciateur le pendentif que portait la jeune femme. Certains de leurs plus chers souvenirs étaient indéfectiblement liés à ce bijou… Élisabeth suivit son regard et rougit légèrement, un sourire plein de sous-entendus aux lèvres.

Comme Henry semblait la délaisser, la petite Charlotte s'accrocha à son gilet pour attirer son attention, et il déposa un baiser sur ses joues potelées. L'enfant était blonde comme sa mère, mais d'une teinte plus foncée, et son regard tendait vers le même gris orage que son père.

Pendant la grossesse de sa femme, Henry avait vécu dans la terreur qu'il lui arrive quelque chose. Depuis le jour où elle avait appris la nouvelle, peu après leur arrivée en Amérique, jusqu'à celui de la naissance, il n'avait cessé de redouter un malheur. Mais tout s'était parfaitement déroulé, et l'arrivée de leur fille l'avait bouleversé. Si cela était possible, il aimait encore plus sa femme depuis qu'elle lui avait fait ce merveilleux cadeau… et qu'elle lui avait annoncé l'arrivée d'un nouvel enfant pour Noël.

Élisabeth fit mine de reposer Charlotte devant ses jouets, mais son mari la prit à son tour dans ses bras, avant de s'asseoir près d'elle sur le sofa. Tandis qu'il amusait l'enfant, elle lui donna les dernières nouvelles de France, et lui annonça que Louis avait décidé de soutenir la révolution américaine. Visiblement surpris, Henry n'en fit pas moins l'éloge de son beau-frère, avant de lui demander ce qu'elle pensait de cet engagement.

— Bien que je redoute de savoir mon frère au cœur de la bataille, je suis heureuse qu'un membre de ma famille nous rejoigne enfin. Nous ne le verrons pas beaucoup, c'est évident, et je doute fort qu'il s'établisse dans ce pays, mais ce sera une telle joie de le revoir !

— Ne vous inquiétez pas trop, ma douce. Votre frère est officier, il a peu de chance d'être au plus près du danger.

Son époux lui sourit d'un air rassurant, et elle sentit qu'elle se détendait, alors même qu'elle n'avait pas eu conscience d'être crispée.

Dieu du ciel, qu'elle aimait cet homme ! Elle lui rendit son sourire et se nicha contre son épaule, apaisée de le sentir si proche.

— Je crois que nous devons une fière chandelle à Louis, murmura-t-elle, suivant du bout des doigts les contours de la cicatrice, désormais guérie, de son époux.

La blessure s'était refermée après leur arrivée en Amérique et avait cessé d'être douloureuse dans les semaines suivant la naissance de Charlotte.

— Et pourquoi cela ? Pour nous avoir poussés dans les bras l'un de l'autre, ou pour ne pas m'avoir cassé le nez quand je le méritais ?

— Il est vrai qu'il ne m'aurait pas plu d'avoir un mari défiguré…

Élisabeth lança à son mari une œillade taquine avant de tendre le cou pour l'embrasser.

— Il nous a permis de trouver le bonheur alors même que nous nous efforcions d'y échapper.

— Parlez pour vous ! Je savais fort bien que j'avais un faible pour les femmes nobles françaises particulièrement entêtées…

Cette fois-ci, elle éclata d'un rire franc qui chassa toutes ses inquiétudes.

— Je vous aime, Henry Wolton, lui glissa-t-elle à l'oreille.

EN AVANT-PREMIÈRE

Découvrez la suite des aventures
de **La Famille d'Arsac** dans :

AUDACIEUSE SARAH
(version non corrigée)

Bientôt disponible chez Milady Romance

Chapitre premier

Delaware, mars 1783

Le ciel bas et les nuages menaçants portaient la promesse de nouvelles chutes de neige. Resserrant les pans de son manteau pour se préserver du froid et de l'humidité, Louis d'Arsac arpentait d'un pas vif les rues de Wilmington pour rejoindre les quartiers du duc de Lauzun, son colonel, qui l'avait fait appeler. Les troupes françaises s'étaient installées ici pour hiverner et le duc, comme tous ses officiers subalternes, était logé chez un notable de la ville.

Arrivé devant la vaste demeure où résidait M. de Lauzun, Louis se fit annoncer et patienta quelques instants avant d'être mis en présence de son supérieur. Celui-ci, assis derrière un bureau massif, était penché sur une carte d'état-major avec le comte de Dillon, son commandant en second ; dans un coin de la pièce, l'aide de camp du colonel rangeait la correspondance de son maître. Sachant bien comment se comporter, Louis salua et attendit en silence que l'on s'adresse à lui, ce qui ne tarda pas.

—Ah, monsieur d'Arsac, je vous remercie d'avoir répondu si promptement à mon appel.

— Je suis à vos ordres.

D'un geste, le duc congédia son second, avant de murmurer quelques mots inintelligibles pour son aide de camp, qui s'éclipsa après avoir hoché la tête.

Lauzun portait bien ses trente-cinq ans, ce qui lui avait valu son surnom, « Le beau Lauzun ». Vêtu de son uniforme et d'une perruque simple mais impeccable, il émanait de lui une autorité et une force incontestables, quoique discrètes.

— Comme vous le savez, nous repartirons en France dès la fin de l'hivernage, et je transmettrai prochainement des ordres pour que les hommes se préparent au retour. L'Angleterre est vaincue et abandonne ses positions ici ; c'est une victoire éclatante pour nous, mais nous n'avons plus de raison de rester. À titre personnel, il me tarde de retrouver la France et sa civilisation…

Louis sourit, n'osant toutefois interrompre son supérieur pour lui affirmer qu'il était également impatient de retrouver Paris et ses divertissements.

— Lors de mon séjour à la cour, cet automne, le roi a eu vent de vos exploits et a manifesté le désir de vous voir prolonger votre service à ses côtés.

— C'est trop d'honneur, mais je suis reconnaissant à Sa Majesté de ses bonnes grâces.

En réalité, Louis était particulièrement soulagé. La campagne américaine l'avait contraint à engager d'importantes dépenses pour assurer son train de vie de l'autre côté de l'Atlantique, et même si son beau-frère, Henry Wolton, l'avait aidé sans compter, il avait horreur de se sentir redevable. L'approbation royale était prometteuse et lui vaudrait sans doute à une généreuse récompense. Il était évident que son colonel avait décidé d'user de son entregent pour faciliter son retour au pays.

— Monsieur, vous m'avez demandé l'octroi d'une permission pour… raisons de famille, c'est bien cela ? reprit le duc.

— En effet. Comme vous le savez, ma sœur est mariée à un armateur de Philadelphie, et je ne l'ai pas vue depuis notre dernier hivernage.

— Je me souviens que la cour et la ville n'ont parlé que de cette union lorsqu'elle a eu lieu. C'était il y a quatre ans ?

— Cinq ans, monsieur. Élisabeth s'appelle désormais Mrs Wolton.

— Le temps passe si vite… Vous devez avoir des neveux, à présent ?

— En effet. Ma sœur a mis son troisième enfant au monde il y a deux mois, un second garçon. J'aimerais avoir la chance de le voir avant notre retour, d'autant que l'on m'a demandé d'être son parrain…

Louis ne pouvait s'empêcher de se demander à quoi rimait cette conversation qui ressemblait à s'y méprendre à un interrogatoire. On aurait dit que M. de Lauzun tournait autour du pot, ce qui ne manquait pas de le surprendre.

— Vous vous demandez où je souhaite en venir, n'est-ce pas ?

— Vous êtes le maître, monsieur, répondit Louis avant de croiser les mains dans son dos, craignant de s'être trahi par un geste déplacé.

L'ombre d'un sourire passa les lèvres de Lauzun, et il était sur le point de reprendre la parole, quand ils furent interrompus par le retour de son aide de camp. Ce dernier déposa sur le bureau un petit paquet enveloppé d'un linge. Quand l'objet toucha le bois, un léger cliquetis se fit entendre.

Le duc attendit qu'ils soient de nouveau seuls pour exposer son problème.

— Voyez-vous, je me suis retrouvé, par un hasard assez extraordinaire, en possession d'un objet que j'ai promis de faire remettre à son propriétaire légitime. Malheureusement... je n'ai pas le loisir de m'absenter pour effectuer une commission, mais je ne souhaite pas confier cette tâche à n'importe qui.

Louis se contenta de hocher la tête sans rien dire, pressentant ce qui allait suivre.

— Vous êtes un officier de confiance, monsieur, reprenait son supérieur. Qui plus est, vous avez la grande chance de parler l'anglais et de connaître les coutumes et la géographie locales grâce à votre sœur.

C'était beaucoup dire. S'il en savait effectivement plus long que les autres officiers, il n'était pour autant pas un spécialiste.

— Je connais assez bien Philadelphie et je peux demander à mon beau-frère de m'introduire auprès de particuliers si besoin est, reconnut-il, un peu à contrecœur.

—Ah, mais il n'est pas question de Philadelphie. (Le duc déplia le linge qui recelait une broche ovale très simple, un simple cabochon sur une monture en or.) Ce bijou appartenait, m'a-t-on dit, à un jeune officier américain, du nom de Francis Hart, qui a succombé à l'épidémie survenue juste après la bataille de Yorktown. Il m'a été remis par l'un de nos aumôniers qui a assisté le mourant dans ses derniers instants, afin d'exaucer ses dernières volontés : remettre ce bijou à sa sœur.

À présent, les questions de Lauzun sur la situation d'Élisabeth prenaient tout leur sens. Louis comprit qu'il obtiendrait son congé, mais uniquement à certaines conditions.

—Je suis prêt à vous octroyer la permission que vous avez requise, mais j'aimerais vous confier cette tâche par la même occasion. La famille Hart réside à Annapolis, à environ une journée de cheval d'ici.

Et au sud de Wilmington, soit à l'opposé de Philadelphie, calcula Louis en son for intérieur. Sa contrariété dut se lire sur son visage, car Lauzun reprit d'un ton conciliant :

—Je sais que cette mission vous oblige à faire un détour… mais en contrepartie, je suis prêt à vous accorder six semaines de permission, pourvu que vous soyez de retour lors de l'embarquement. Cela vous laissera amplement le temps de faire la connaissance de votre neveu. En outre, je considérerai que vous m'avez fait une faveur personnelle.

C'était une offre généreuse, à laquelle il n'aurait de toute façon pu se soustraire. Le duc avait visiblement conscience de lui imposer un détour désagréable, et entendait le récompenser pour sa peine.

—Je m'acquitterai de cette mission avec toute la diligence et la célérité possibles, monsieur. Je vous suis très reconnaissant de votre bonté.

Son supérieur sourit à cette réponse et, après avoir replié le tissu, lui remit le bijou.

—Quand avez-vous l'intention de partir?

— Dès demain, si possible; juste le temps de faire mes bagages.

—Demain, c'est parfait. Bon voyage.

Louis salua et sortit tandis que M. de Lauzun, après avoir sonné pour rappeler son aide de camp, se replongeait dans son travail.

Annoncer la nouvelle de leur détour à son valet s'était avéré autrement plus difficile. Dufay était entré à son service quelques mois après son arrivée en Amérique, après que son précédent serviteur, blessé, était rentré en France, visiblement soulagé d'en avoir fini avec la guerre. C'était un jeune homme capable, qui vouait une grande admiration à Louis, mais son franc-parler pouvait lui jouer des tours.

En apprenant qu'il faudrait se rendre à Annapolis, Dufay avait levé les yeux au ciel avant d'emballer les affaires de son maître sans cesser de maugréer. Quand il se mit à lancer des imprécations à voix basse contre le duc, Louis dut le rappeler à l'ordre et lui intimer d'achever son ouvrage.

Ils avaient pris la route au petit matin… si tant est que l'on pouvait appeler cela une route. Le chemin était boueux, car la neige n'avait finalement pas tenu, et à peine assez large pour laisser passer une voiture ou deux cavaliers. Fort heureusement, le temps toujours aussi inclément faisait qu'ils croisaient peu de monde, même s'ils avaient dû se ranger sur le bas-côté à plusieurs reprises et, une fois, aider un chariot embourbé.

En arrivant à Annapolis peu avant la tombée de la nuit, Louis était fatigué et surtout pressé d'en finir. Il enrageait déjà de ne pas pouvoir rallier Philadelphie avant le lendemain et, après avoir pris une chambre à l'auberge, se rendit chez le gouverneur dans l'espoir d'en apprendre plus sur cette fameuse Miss Hart et l'endroit où il pourrait la trouver.

Celui-ci, trop heureux d'accueillir un officier français, l'invita à rester dîner tandis qu'il chargeait ses aides d'obtenir les informations qu'il cherchait. Louis rongea son frein pendant tout le repas, mais il ne souhaitait pas offenser son hôte et risquer ainsi de perdre encore plus de temps. Enfin, le gouverneur se retira avec lui dans son bureau.

—Cela ne fut pas simple, mais nous avons réussi à retrouver la trace d'une Miss Hart, sœur de Francis Hart, commença-t-il après leur avoir servi un alcool fort.

Louis trempa les lèvres dans la liqueur pour dissimuler son impatience.

—Voyez-vous, l'on vous a mal renseigné : cette branche de la famille Hart n'est pas installée dans notre ville, mais dans une plantation, plus au sud.

Le Français se raidit en apprenant la nouvelle. Un délai supplémentaire! À ce rythme-là, il n'arriverait jamais à Philadelphie avant la fin de son congé… Retenant un juron, il demanda:

— Cette plantation se trouve-t-elle loin d'ici? Il est de la plus haute importance que je rencontre cette dame.

Le gouverneur eut l'air intrigué.

— Cette famille vous aurait-elle porté préjudice? Si tel était le cas, il va de soi que je suis prêt à vous accorder mon aide…

— Non, absolument pas.

Le jeune homme chercha un moyen de ne pas révéler la nature de sa mission tout en veillant à ne pas compromettre la réputation de la femme qu'il recherchait.

— C'est seulement… que M. Francis Hart m'avait chargé d'un ultime message pour sa sœur. Je ne voudrais pas contrevenir à ses dernières volontés, je suis certain que vous le comprenez, conclut-il d'un air entendu.

Un instant décontenancé, son interlocuteur hocha vigoureusement la tête.

— Bien entendu. Il serait inutile de bouleverser un peu plus cette pauvre dame, commenta-t-il d'un air entendu.

La pauvre dame se fiche de notre visite comme d'une guigne, songea Louis avec amertume, avant de remercier chaleureusement son hôte pour l'aide qu'il lui avait apportée.

D'après les explications qu'on leur avait fournies, la plantation se situait à une demi-journée de cheval d'Annapolis. Dufay, fidèle à sa réputation, avait gémi haut et fort, se plaignant des pérégrinations que leur imposait cette mission, et de l'inconfort qui caractérisait tout voyage sur ces routes si mal entretenues.

— Que le retour en France me tarde, monsieur ! Je vous confesse que je n'en peux plus de cette terre de sauvages.

— Ne t'inquiète pas, nous repartirons dès l'aube, répondit Louis avec un sourire en coin. Il est hors de question que je reste plus longtemps que le strict nécessaire dans une ferme qui doit être dépourvue de tout confort, voire des plus simples commodités !

Ils continuèrent à deviser sur ce ton tout en chevauchant, ne croisant qu'occasionnellement d'autres voyageurs. Le ciel menaçant et les températures encore froides n'encourageaient sans doute pas aux déplacements, et Louis maudit une fois de plus le sort qui l'avait envoyé dans cette expédition.

Pourtant, à mesure qu'ils avançaient et épuisaient leur sujet de prédilection, le silence se fit et le jeune homme en profita pour observer les alentours. Si la vie devait être rude ici, il fallait néanmoins reconnaître que le paysage était somptueux, fait de grands arbres aux bourgeons naissants et de champs s'étalant à perte de vue. Il y avait quelque chose de farouche et de sauvage dans cette nature que l'on sentait domptée mais non domestiquée, comme si elle n'attendait qu'un signe de faiblesse de l'homme pour reprendre le dessus…

Louis secoua la tête. La chevauchée et l'énervement ne lui valaient vraiment rien ! Voilà qu'il se mettait à divaguer…

Raffermissant sa prise sur les rênes, il poussa son cheval à franchir une petite rivière à gué, Dufay et sa monture dans leur sillage. Si les indications étaient exactes, ils ne devaient plus être bien loin à présent. Louis scruta les alentours, à la recherche d'un signe indiquant qu'ils étaient sur la bonne voie.

Longeant un champ, il aperçut plusieurs silhouettes penchées et les héla. L'une des personnes les plus proches de la route, un homme dans la force de l'âge, s'approcha d'eux avec méfiance. Quand il fut suffisamment près, Louis sursauta ; la couleur de peau de l'homme ne trompait pas, c'était forcément un esclave. Il allait se rendre sur les terres d'esclavagistes ! L'espace d'un instant, il envisagea de tourner bride et de prétendre avoir échoué.

Lors de la campagne, leur régiment avait été envoyé aux Antilles pour contrer les Anglais sur la mer, et Louis avait eu la possibilité de découvrir la vie des plantations locales et s'était indigné d'une telle pratique. Bien sûr, il en avait entendu parler lorsqu'il était en France, mais à l'époque cela lui paraissait lointain et ne le concernait pas.

Il échangea quelques mots en anglais avec l'homme, dont l'accent ne lui était pas familier, avant de se faire confirmer qu'il se trouvait bien sur les terres de la famille Hart, et qu'ils atteindraient la demeure dans peu de temps. Traduisant la réponse pour son valet qui ne maîtrisait que quelques expressions, Louis remercia ensuite son interlocuteur.

On ne les avait pas trompés : une dizaine de minutes plus tard, au tournant de la route, une grosse bâtisse apparut. C'était un bâtiment à l'architecture simple mais d'apparence solide, et sans doute vieux d'au moins un demi-siècle. Çà et là, quelques éléments de décor apportaient une touche élégante à l'ensemble. La pelouse était entretenue, et on pouvait supposer qu'un jardin se trouvait de l'autre côté de la maison.

Visiblement, la plantation Hart était une demeure familiale, et non une simple ferme.

Dufay siffla entre ses dents.

— On dirait que certains savent quand même vivre dans ce pays, monsieur. Peut-être qu'on pourra rester un jour ou deux ? ajouta-t-il d'un ton mi-railleur, mi-sérieux.

Louis le rappela à l'ordre d'un coup d'œil sévère, mais ne dit rien. Après tout, il avait été le premier à croire qu'ils allaient découvrir une masure au milieu des champs.

Ils approchèrent du perron, mais personne ne vint les accueillir. À bien y réfléchir, les lieux étaient silencieux et paraissaient déserts. Louis descendit de cheval et fit signe à son valet de tenir les rênes, puis entreprit de gravir les quelques marches menant à la porte. Il frappa quelques coups déterminés au heurtoir et attendit.

La grande maison paraissait assoupie tant elle était silencieuse, et il craignit que personne ne soit là. Si c'était le cas, que faire ? S'en retourner à Annapolis, trouver un endroit où passer la nuit… ? Avec impatience, il réitéra son geste et tendit l'oreille. Cette fois-ci, il lui sembla discerner des bruits de pas précipités.

Au bout de quelques instants, ce bruit se fit plus fort, et il eut la confirmation que l'on venait à leur rencontre. La porte s'ouvrit, dévoilant une jeune femme. Assez quelconque, vêtue d'une robe de laine brune et d'un tablier maculés de farine, les cheveux entièrement dissimulés sous une coiffe, elle arborait un air sérieux, presque revêche, qui contrastait avec son apparente jeunesse.

Il s'agissait sans doute d'une servante ou d'une parente pauvre recueillie par la famille. Comme elle ne disait pas un mot, Louis prit la parole en prenant garde de l'effaroucher. Après tout, il ne devait pas être commun par ici de voir débarquer un officier français !

—Je suis Louis d'Arsac, lieutenant-colonel au sein du régiment de M. de Lauzun, et je viens pour une mission de la plus haute importance. Conduis-moi à ta maîtresse.

La fille ne dit rien, se contentant de le fixer de ses grands yeux verts, son unique trait un peu remarquable dans un visage constellé de taches de rousseur. Mal à l'aise, Louis craignit qu'elle soit muette…

—As-tu compris ce que je viens de dire ?

La servante plissa les yeux comme pour l'examiner et finit par répondre :

—Oui, j'ai bien compris. Mais vos paroles n'ont aucun sens.

—Ce n'est donc pas ici la demeure de la famille Hart?

—En effet, mais je n'ai pas de maîtresse.

Voilà qu'elle parlait par énigmes, à présent! Se contenant, Louis reprit le fil de la discussion.

—L'on m'aura mal renseigné, alors. Je cherche Miss Hart, sœur de Francis Hart, et l'on m'a assuré qu'elle vivait ici.

Ce regard si intense semblait le toucher au fond de l'âme et le scruter sous toutes les coutures, mais Louis s'interdit de détourner les yeux ou même de laisser paraître son inconfort. La jeune femme incurva les lèvres en un sourire imperceptible.

—En effet, elle vit ici. Je suis Sarah Hart. Enchantée de faire votre connaissance, monsieur.

PEMBERLEY

Découvrez aussi chez Milady Romance :

Chez votre libraire

Heather Grothaus   La Rose et l'Armure :
Le Vainqueur

Jennifer Haymore   Les Sœurs Donovan :
Confessions d'une fiancée malgré elle

25 octobre 2013

Amanda Grange   *Le Journal du capitaine Wentworth*

Jennifer Haymore   Les Sœurs Donovan :
Confessions d'une duchesse rebelle

Hannah Howell   Le Clan Murray :
La Fiancée des Highlands

Achevé d'imprimer en août 2013
Par CPI Brodard & Taupin - La Flèche (France)
N° d'impression : 3001658
Dépôt légal : septembre 2013
Imprimé en France
81121071-1